LE POUVOIR DE CHOISIR

LE POUVOIR DE CHOISIR

ou

LE PRINCIPE DE RESPONSABILITÉ-ATTRACTION-CRÉATION

Paradigme pour l'émergence d'une nouvelle conscience

ANNIE MARQUIER

Préface de Pierre Weil

Les Éditions Universelles du Verseau

Conception, illustration et page couverture : Mardigrafe inc.
Séparation de couleurs : Mardigrafe inc.
Photo : Kèro

Depôt légal : Bibliothèque nationale du Québec, 4e trimestre 1991
ISBN 2-9800843-3-6

REMERCIEMENTS

Je veux remercier, tout d'abord, les personnes qui, depuis des années, ont choisi de participer à mes cours et qui, par leur intention claire, leur intelligence, leur ouverture, leur humour et leur confiance en la vie, m'ont démontré concrètement que l'être humain, s'il le veut bien, a le pouvoir de choisir et de recréer sa vie. Ces personnes ont été, et sont encore pour moi, une source de profonde inspiration.

Je tiens aussi à remercier ici toutes les personnes qui ont bien voulu relire le manuscrit, en particulier Réjeanne Nault pour le travail approfondi de relecture et de correction du texte. Merci à Normand Poiré pour l'aide apportée à l'élaboration de la page couverture, ainsi qu'à Julie Nantel pour avoir pris soin des corrections finales.

Je veux aussi exprimer toute ma reconnaissance à Marie Muyard et Christiane Houde pour leurs commentaires du texte, leurs suggestions judicieuses et pour leur précieux et joyeux soutien tout au long de l'élaboration de ce livre.

Merci à ma fille pour sa qualité d'énergie et pour l'exemple quotidien qu'elle me donne du pouvoir de créer.

Merci à Ceux qui m'ont guidée de l'intérieur.

À mes parents,

En reconnaissance de tout ce qu'ils m'ont appris
par la grandeur de leur simplicité
et leur capacité d'aimer et de servir.

PRÉFACE

Certains titres de livres retiennent immédiatement l'attention du lecteur éventuel par le choc qu'ils provoquent en nous ainsi que par leur originalité. C'est, sans aucun doute pour moi, le cas de « LE POUVOIR DE CHOISIR », qu'Annie Marquier nous présente d'une façon magistrale.

Le pouvoir de choisir n'est-il pas l'un des apanages les plus précieux que cette force qui nous dirige tous met à notre disposition ? N'est-il pas même l'expression de sa propre liberté en nous-mêmes ? Un pouvoir qui, certes, augmente notre responsabilité dans ce monde en transition vers un futur qui ne sera meilleur qu'au fur et à mesure que le plus grand nombre possible d'humains apprendront cet art de choisir qui implique le réveil d'une pleine conscience enfouie en chacun de nous.

Il s'agit là d'un travail sur nous-mêmes, à la portée de toute personne de bonne volonté ; un travail sur nos pensées et nos émotions, un travail de déconditionnement et de transformation des formes négatives et destructives de notre vie émotionnelle en formes constructives et, pourquoi pas, en état de plénitude.

Changer d'état d'esprit, sortir du carcan de l'état de victime, vaincre la « victimite », néologisme très opportun pour désigner ce script négatif qui nous atteint tous d'une façon ou d'une autre. À partir du moment où nous avons appris à choisir les pensées qui nous amènent à sentir et agir, est-il encore possible de se sentir victime ? Comment pouvons-nous être victimes, ou nous croire comme tels, si nous devenons conscients que « nous avons toujours été créateurs de notre voyage » ?

Les bons maîtres, éducateurs et thérapeutes, sont ceux qui ont accepté de confronter les phases difficiles de l'existence et qui ont appris la maîtrise par eux-mêmes ou parfois avec l'aide d'un maître. C'est le cas d'Annie Marquier, qui, guidée par cette force intérieure qui l'inspire, a fondé un centre de développement de la personne au sein duquel elle permet à ses participants de se défaire des excès de personnalisme, de dissoudre cet ego qui nous empêche de transcender et qui pourtant devra devenir suffisamment fort et conscient pour bien vouloir reconnaître que, sur un plan absolu, il n'était qu'un mirage semblable à un rêve...

Souhaitons que ce livre inspire le plus de personnes possible, pour que notre planète se libère de cet étouffement progressif que nous lui imposons et retrouve un état plus naturel de paix et de liberté.

Pierre Weil*
Université Holistique Internationale de la Paix,
Brasilia

*Pierre Weil, Docteur en Psychologie de l'Université de Paris, est Directeur honoraire de l'Association Française Transpersonnelle et professeur à l'Université Fédérale de Belo-Horizonte au Brésil. Il est président de la Cité de la Paix et co-fondateur de l'Université Holistique Internationale à Brasilia. Il est également co-fondateur de Holos-International, association holistique internationale.

AVANT-PROPOS

Le but de ce livre est de donner à chacun des outils de conscience pour retrouver son propre pouvoir et sa liberté.

Lorsque, il y a très très longtemps, nous nous sommes perdus nous-mêmes dans le processus d'involution, nous avons en même temps perdu notre pouvoir, perdu contact avec notre source réelle, et par là-même oublié que nous étions totalement créateurs du jeu que nous avions choisi de jouer. Nous sommes maintenant comme des enfants ayant inventé un jeu et qui ont ensuite oublié que ce sont eux qui en ont fait les règles. Ils commencent alors à souffrir en se sentant prisonniers de ces règles qu'ils déforment et ne comprennent plus au fur et à mesure qu'ils les oublient. Ils se sentent de plus en plus victimes d'un jeu qui ne leur appartient plus, qui vient d'on ne sait où, et qui n'est plus drôle du tout.

L'être humain, dans sa conscience ordinaire, semble être dans cette situation. Il a oublié qu'il y a des milliards d'années, il a commencé un jeu dont les règles sont fermement et très précisément établies. Le jeu même consistait à oublier momentanément l'essence divine de sa nature et par là-même qu'il était créateur. Momentanément seulement, car le voyage global d'involution et d'évolution de la conscience doit nous ramener naturellement, à un certain moment donné, de l'oubli à la redécouverte. Or nous sommes maintenant dans une période extrêmement intéressante de l'évolution de l'humanité, période où nous commençons à vouloir retrouver consciemment le secret perdu il y a si longtemps, à savoir que nous avons toujours été créateurs de tout notre voyage, mais que nous l'avions simplement oublié, peut-être simplement pour le plaisir du jeu, ou pour pouvoir le jouer plus à fond.

Le processus créateur est en soi extrêmement complexe, et des auteurs comme Alice Bailey ou Hélène Blavatsky nous font rêver devant la complexité de cet immense univers. Par contre le principe lui-même est accessible à la conscience de l'être humain actuel, et c'est de ce principe que nous allons parler. Nous allons donner certaines explications qui en faciliteront la compréhension et l'acceptation au niveau mental. Il est bien sûr que c'est une première approche, mais cette approche permet déjà des applications pratiques de très grande portée pour transformer positivement la qualité de notre vie quotidienne, de nos relations et du monde dans lequel nous vivons.

Il est certain qu'ultérieurement de nombreuses études seront effectuées sur le sujet qui deviendra simplement un objet d'étude scientifique, dès que la science ne s'occupera plus du simple plan matériel mais sera en mesure de décrire et maîtriser les phénomènes des mondes à vibrations plus élevées. Ces temps approchent.

> *Les forces mises en circulation par les penseurs, les savants, les hommes religieux réellement avancés, (...) les philosophes modernes et aussi des hommes s'occupant d'autres domaines de la pensée humaine, poussent peu à peu d'un progrès régulier les corps subtils de l'humanité et les amènent au point où ils commencent à comprendre trois choses :*
>
> *a) La réalité des mondes invisibles.*
>
> *b) L'immense puissance de la pensée.*
>
> *c) La nécessité d'une connaissance scientifique de ces deux questions.**

Mais de la même façon que nous utilisons l'électricité dans notre vie de tous les jours sans que la science ait encore pu en expliquer vraiment la nature exacte, nous allons pouvoir utiliser la connaissance pratique que nous avons de certains fonctionnements

* Alice A. Bailey, *Traité sur la Magie Blanche*, éd. Lucis, p. 130.

de la pensée pour améliorer la qualité de notre vécu. Car le propos ici n'est pas d'échafauder de nouvelles théories philosophiques (ce qui peut être certainement intéressant en d'autres temps) mais plutôt de présenter quelques moyens pour maîtriser le fonctionnement mental, moyens qui feront une différence directe et concrète dans la qualité de la vie de tous les jours.

Personnellement, le concept de responsabilité-attraction-création a germé en moi petit à petit à partir de toutes les questions que je me posais sur la vie dès la plus petite enfance. Je suis née dans une famille heureuse où il y avait beaucoup d'amour, de joie et de chaleur humaine, mais c'était en même temps en plein milieu de la guerre en France. J'avais alors en face de moi deux aspects de la vie : la tendresse, l'affection, la chaleur, la joie de vivre de ma famille, et puis à l'extérieur, l'horreur, les souffrances, les camps de concentration, les tortures, le danger, la peur, la violence. Pourquoi le monde était-il ainsi fait ? Pourquoi tant de souffrances, alors que l'être humain avait en même temps tant de capacité de bonheur ?

Et c'est avec ces questions à l'intérieur de moi que j'ai commencé à regarder le monde et à chercher pourquoi, et comment, cela fonctionnait ainsi. Car si nous pouvions trouver le pourquoi et le comment, alors peut-être serions-nous en mesure de générer plus de bonheur et de paix sur cette terre, et moins de toutes ces souffrances. Cela a été ma quête tout au long de ma vie, plus ou moins consciemment selon les périodes. Mais cela a toujours été le fil conducteur de ma recherche intérieure. Comprendre la vie, non seulement avec ma tête mais avec mon cœur, avec tout mon être, comprendre la vie pour pouvoir la savourer, jouer et danser avec elle en toute puissance et en toute liberté, c'est le désir qui résidait et réside encore au fond de moi. C'est aussi celui qui réside en chaque être humain, comme j'ai pu le constater dans mon travail.

Mon côté intuitif me permettait de pressentir qu'il y avait un ordre quelque part dans cet univers, mais mon côté mental, formé aux disciplines rigoureuses des mathématiques, en exigeait une compréhension plus claire.

J'ai essayé dans mon exposé de suivre une démarche analogue, en un sens, à la démarche scientifique, à savoir définir clairement les hypothèses de départ et ensuite en analyser les conséquences. Je ne suis évidemment pas partie d'hypothèses fantaisistes, mais d'hypothèses utilisées durant des siècles d'études ésotériques et philosophiques, et évoquées par la plupart des maîtres de la sagesse de toutes les traditions du monde, quelle que soit leur origine.

Si ce livre fait résonner en vous quelque vérité déjà présente, alors tout est bien. Mais si ce livre n'éveille aucune vérité en vous, alors abandonnez-le, et tout est bien aussi.

J'ai écrit ce livre afin d'apporter mon humble contribution à l'immense effort que fait l'humanité actuellement pour sortir de l'ignorance et de l'inconscience, de la souffrance et du malheur, pour retrouver sa paix, sa joie et sa liberté. Ce livre se veut être un hymne à la grandeur de l'être humain, reconnaissant son chemin de souffrance ; à la puissance de l'être humain, reconnaissant ses limites momentanées ; à la capacité d'aimer de l'être humain, reconnaissant la lumière qu'il porte en lui, et à son ultime liberté.

Puisse ce livre apporter plus de certitude en la cohérence, la perfection et l'intelligence de l'univers, plus de paix, d'amour et de compassion pour nous-mêmes et pour chacun de nos compagnons de route vers la manifestation ultime de notre être.

J'étais enfermée dans une coquille.
Je croyais que j'étais impuissante à changer ma vie.

Puis
j'ai rencontré
la profondeur de la mer,
la beauté du ciel,
la liberté des oiseaux,
la puissance du vent,
la légèreté des nuages,
la lumière du soleil,
et j'ai senti que tout cela
était moi.

J'étais profonde comme la mer,
belle comme le ciel,
libre comme les oiseaux,
puissante comme le vent,
légère comme les nuages,
lumière comme le soleil,

et alors j'ai choisi de redevenir ce que j'étais.

INTRODUCTION

Dans ces temps où la conscience cherche de nouvelles avenues, où chacun cherche à mieux se comprendre, à mieux comprendre le monde qui l'entoure, une multitude de nouveaux concepts, de nouveaux « paradigmes » font surface. Certains ne sont pas aussi nouveaux qu'ils en ont l'air à priori, d'autres ressemblent tellement à d'anciennes formes-pensées qu'il est difficile d'en dégager le sens réel et la nouveauté.

Pour clarifier ce que nous entendons par paradigme nous citerons la définition que Marilyn Ferguson donne dans son livre ***Les Enfants du Verseau :*** « Un paradigme est un cadre de pensées (du grec *paradeigma :* exemple) ; c'est une sorte de structure intellectuelle permettant la compréhension et l'explication de certains aspects de la réalité. » Au cours de cet ouvrage nous utiliserons également d'autres termes équivalents (contexte de pensées, concept, principe, point de vue, façon de percevoir les choses, etc.).

Dans l'histoire de l'humanité, aucun changement de paradigme ne s'est intégré instantanément dans la conscience collective, bien au contraire. L'émergence de nouveaux paradigmes se fait lentement, soulevant souvent tout d'abord de fortes résistances, et respectant le temps d'évolution et d'intégration de la conscience humaine.

Le nouveau paradigme de responsabilité-attraction-création présenté ici devra être examiné attentivement pour plusieurs raisons.

D'une part, le mot responsabilité lui-même est un « vieux » mot chargé de sens à priori. Un dictionnaire définit le mot responsabilité de la façon suivante : « Obligation de répondre de ses actions, de celle d'un autre ou d'une chose confiée » ..... Ce n'est pas dans ce sens que nous l'utiliserons ici, et nous devrons prendre bien soin de redéfinir le nouveau paradigme, le nouveau concept que nous voulons exprimer par cet ensemble de mots, car la signification est loin d'en être immédiate. Sans doute, certains inventeront un nouveau mot ou plusieurs pour exprimer ce nouveau concept lorsqu'il sera suffisamment intégré dans la conscience collective. Pour l'instant, nous devons nous servir d'un vieux vocabulaire correspondant à une conscience mentale limitée pour décrire, malgré tout, quelque chose qui commence à dépasser cette conscience. Ainsi s'est souvent faite l'évolution du langage.

D'autre part, à cause de l'apparente nouveauté, de la complexité et de la subtilité de ce paradigme, sa compréhension et son intégration ne seront pas nécessairement immédiates. Cela demandera réflexion, observation et expérience.

Pourtant il émerge tant bien que mal un peu partout, et sous la pression de cette émergence, il est souvent présenté et compris de façon simpliste, incomplète, déformée, au point que l'on en arrive finalement à quelque chose qui n'est pas très cohérent pour toute personne qui veut se servir de la rigueur de son esprit pour mieux appréhender le monde. Nous voudrons donc donner ici, non pas une définition rapide et simpliste de ce concept, mais plutôt différents points de vue à partir desquels on peut entrer en contact avec ce concept, donnant ainsi à chacun une occasion de réflexion et de compréhension plus personnelles. Autrement dit, nous ne présentons rien à croire, toute croyance entravant la réelle connaissance, mais nous offrons plutôt un sujet de réflexion et par là même une occasion d'élargissement de la conscience.

Enfin, l'intégration et la compréhension de ce nouveau principe de responsabilité ne seront pas faciles, car cela exige une sortie hors des concepts de pensées habituels. Pour celui qui y parvient, cela apportera pourtant une grande ouverture, une nouvelle liberté et un contact plus direct avec le pouvoir de son être. Le jeu en vaut sans doute la peine, au moins pour ceux qui y sont intéressés.

Puisque l'examen de ce nouveau paradigme va impliquer la description de certains mécanismes du mental humain et afin d'en faciliter la présentation, nous rappellerons au cours d'une première partie un modèle décrivant la structure de l'être humain. Ce modèle, que nous présenterons de façon générale, se retrouve souvent, sous une forme ou une autre, dans de nombreuses descriptions de la structure humaine dépassant l'approche strictement matérialiste. La présentation de ce modèle facilitera la compréhension de ce qui sera présenté par la suite.

Avant de présenter les divers aspects de ce paradigme, nous rappellerons également ce qu'est un « contexte de pensées ». Nous décrirons un certain fonctionnement de nos systèmes mentaux ; nous verrons pourquoi et comment les changements de paradigmes sont nécessaires à l'évolution de la conscience humaine, et aussi pourquoi ils ne sont pas nécessairement faciles et acceptés d'emblée.

Au cours de cette première partie, nous décrirons également un paradigme fort répandu dans notre culture, le paradigme de la victime, dont nous pourrons observer les avantages et les inconvénients.

Lors de la deuxième partie, nous présenterons le paradigme de responsabilité-attraction-création sous ses divers aspects, ainsi que ses conséquences au niveau du comportement humain.

Afin d'alléger la présentation, le terme « responsabilité » seul (principe de responsabilité) sera souvent utilisé comme version abrégée du terme « responsabilité-attraction-création ».

PREMIÈRE PARTIE

LA CONSTITUTION DE L'ÊTRE HUMAIN

LE PARADIGME DE LA VICTIME

CHAPITRE I

UN MODÈLE DE LA STRUCTURE DE L'ÊTRE HUMAIN

Après avoir réalisé la Présence, l'homme est libre et parfait. Avant de réaliser la Présence l'homme est aussi libre et parfait; il lui reste à le savoir.

Jean Bouchart d'Orval

Pour faciliter la compréhension du concept de responsabilité, il sera utile de donner une description, un modèle de l'être humain à partir duquel nous pourrons travailler.

Rappelons qu'un modèle est un genre de cadre de référence, une description de la réalité et non pas la réalité. Nous sommes déjà habitués à fonctionner de cette façon dans le domaine scientifique, puisque c'est le processus même qu'utilise la science pour passer de découverte en découverte.

Le modèle de Newton a été utilisé pendant un certain nombre d'années pour expliquer la loi de la gravitation universelle; cela a apporté une certaine compréhension et une certaine maîtrise de notre univers. Cela a permis de faire avancer la connaissance et l'expérience, jusqu'au moment où ses limitations sont devenues évidentes; on est alors passé à la théorie d'Einstein. Ce modèle plus large a permis encore plus de compréhension et de maîtrise. Mais cela est loin d'être la description ultime. En effet, les approches scientifiques plus récentes ont permis de faire d'autres découvertes, et la théorie d'Einstein a été élargie. Pourtant ces modèles ont eu leur utilité. Souvent les anciens modèles n'étaient autre chose qu'un cas particulier du modèle plus large. Ils ont permis d'éclairer suffisamment une portion de la réalité pour être un appui efficace et faire avancer la connaissance et l'expérience à un certain moment donné de l'évolution de l'humanité.

Il devra en être de même pour la connaissance psychologique et spirituelle de l'être humain. Nous utiliserons un modèle dans la mesure où il nous permet de réfléchir, d'avancer et de faire des recherches, dans la mesure où il nous permet de mieux comprendre notre univers à un moment donné, sachant que ce n'est qu'une certaine façon de décrire la réalité, une certaine vision des choses et qu'il viendra un temps où nous pourrons certainement élargir et enrichir cette vision. Il se pourra même que nous passions à un modèle assez différent mais qui se rapprochera chaque fois un peu plus de la réalité ultime que nous ne connaissons pas pour l'instant. Un de nos maîtres disait : « On ne passe jamais de l'erreur à la vérité, mais toujours d'une vérité plus petite à une vérité plus grande ».

Ceci étant rappelé, nous allons utiliser un modèle assez souple et assez large pour être facilement acceptable, et être en même temps un bon outil pour faciliter la compréhension du concept de responsabilité-attraction-création, car là est notre réel sujet.

Nous considérerons que l'**être humain est constitué d'un être intérieur** (auquel on a donné différents noms dans différentes cultures et traditions : Âme, Centre, Ange solaire, Christ intérieur, Source, Moi supérieur, Conscience supérieure, Guide intérieur, Ego (avec E majuscule) et qu'**il *possède* un véhicule de manifestation** (appelé souvent « personnalité » ou ego) formé d'un corps mental, d'un corps émotionnel et d'un corps physique permettant à l'être intérieur de se manifester dans le monde de la matière.

Cet être intérieur nous l'appellerons ici le Soi, mais évidemment le nom en lui-même n'a pas d'importance. Il suffit d'en choisir un simplement pour pouvoir se comprendre. **Cet être intérieur**, formé de matière (ou conscience) vibrant à un taux vibratoire très élevé, **a besoin d'un véhicule de manifestation pour pouvoir exprimer sa volonté dans le monde physique**. Nous pouvons considérer, du point de vue de la conscience humaine ordinaire, que **cet être intérieur est parfait en soi**, toute lumière, tout amour, toute intelligence, toute conscience, toute puissance, etc. C'est ce que l'on exprime souvent en disant que cet être est de nature « divine ». Nous considérons que c'est ce que nous sommes en essence.

Pourtant, malgré la perfection de ce que nous sommes vraiment, nous n'avons pas l'air de manifester beaucoup de perfection dans notre vie de tous les jours. Pourquoi ? Ce n'est pas parce que notre essence n'est pas parfaite, mais simplement parce que le véhicule de manifestation n'est pas encore tout à fait au point. Une image illustrera facilement ce point.

Comparons notre Soi à un merveilleux pianiste extrêmement talentueux et même génial. Pourtant, aussi génial qu'il puisse être, s'il ne dispose que d'un vieux piano mécanique désaccordé dont la construction n'est pas terminée, auquel il manque des cordes et des touches, dont le clavier est plein de colle, et qui de temps en temps se met à faire sa propre musique pré-programmée indépendamment de ce que veut jouer le pianiste, ce dernier ne pourra pas faire de la très belle musique dans ce monde physique. Pour qu'il puisse faire de la belle musique, il n'y a rien à changer dans l'essence de ce qu'il est ; il n'y a qu'à mettre le piano au point. C'est le genre de travail que nous devrons faire au niveau de notre personnalité. Finir de la construire, la raccorder, la déprogrammer, l'harmoniser, s'en dégager, afin que notre Soi puisse exprimer son chant de beauté, de paix, d'amour et de liberté dans le monde physique.

Nous sommes parfaits en essence, et nous avons simplement des barrières et des insuffisances dans notre véhicule qui nous empêchent pour l'instant de manifester cette perfection.

En résumé, notre hypothèse de départ est la suivante : nous avons un corps physique, mais nous ne sommes pas ce corps physique ; nous avons des émotions, mais nous sommes pas ces émotions ; nous avons des pensées, mais nous ne sommes pas ces pensées. Nous sommes en essence un être, une conscience qui possède tout cela, et qui doit en acquérir la maîtrise.

Acquérir la maîtrise de ce véhicule peut être perçu comme un changement d'identification de la conscience. Pendant longtemps, la conscience s'est identifiée au corps physique pour en parfaire le fonctionnement. Beaucoup d'entre nous s'identifient encore à leurs émotions, et plus encore à leurs pensées. **La maîtrise vient lorsqu'il y a déplacement de la conscience et que nous commençons à nous désidentifier du véhicule de manifestation pour nous identifier à l'essence de ce que nous sommes, au Soi.** À ce moment-là, au lieu d'être utilisée en grande partie par notre véhicule, notre énergie devient disponible pour notre Soi. Celui-ci utilise alors le véhicule (corps physique, émotions et pensées) pour manifester concrètement toutes ses qualités dans le monde physique.

Ce modèle se retrouve dans une analogie de l'être humain simple et bien connue, issue des traditions orientales. Comme toute analogie, elle a ses limites, mais nous l'utiliserons de temps en temps car elle permet de commenter le fonctionnement de l'être humain sous certains de ses aspects de façon claire et imagée.

Selon cette analogie, l'être humain est comparé à un ensemble constitué d'une charrette, d'un cheval tirant la charrette, d'un cocher dirigeant le cheval et du Maître assis dans la charrette en arrière du cocher. L'ensemble avance sur un chemin.

La charrette représente le corps physique, le cheval représente le corps émotionnel, le cocher représente le corps mental et le maître représente le Soi. Le chemin représente le grand voyage du Soi à travers le monde de la matière pour en faire l'expérience et en acquérir la maîtrise.

Pour avancer sur notre chemin nous avons besoin d'une charrette en bon état, c'est-à-dire d'un corps physique en santé, spécialement un système nerveux et un cerveau au maximum de leur rendement physique.

Nous avons besoin également d'un bon cheval, et plus le cheval sera fort et puissant, plus nous avancerons vite et aurons du plaisir sur le chemin. Cela veut dire posséder un système émotionnel fort et puissant. Mais là commencent les ennuis. Car si notre cheval est effectivement très puissant mais non dirigé, il risque parfois de s'emballer et de se mettre à cavaler dans des directions tout à fait inappropriées. À ces moments-là, en général, nous finissons par nous retrouver dans le fossé avec une charrette (le corps physique) souvent bien endommagée. C'est ce qui se passe lorsque notre vie est dirigée par nos émotions et uniquement par nos émotions. Pourtant nous avons besoin de ce cheval. Alors la nature nous a donné un cocher pour, en principe, le diriger intelligemment et savoir utiliser avec sagesse toute cette puissance. Le rôle du cheval (les émotions) est donc de fournir l'énergie qui fait avancer les choses dans le monde matériel. Le rôle du cocher (corps mental) est de savoir utiliser cette énergie avec sagesse. Pour cela il doit savoir écouter les directives provenant du Soi (le Maître assis dans la charrette) et accepter de s'y soumettre.

Cela veut dire que, pour que la partie mentale de l'être humain réalise pleinement sa fonction, il lui faut d'une part développer sa capacité d'être en relation directe et consciente avec le Soi (par ce qu'on appelle l'intuition au sens le plus élevé du terme), afin d'en recevoir les directives ; il lui faut, d'autre part, développer une connaissance de la nature émotionnelle afin d'en rester maître lorsque celle-ci s'emballe, et être capable de diriger l'énergie qu'elle représente avec conscience et sagesse. Lorsque ce fonctionnement idéal du mental est réalisé, nous pouvons avoir une personnalité (ensemble physique, émotionnel et mental) qui est totalement au service du Maître. Dans ce cas notre Soi peut se manifester complètement avec toutes ses qualités dans le monde physique. Nous avons absolument besoin de notre mental, mais nous devons le former pour qu'il soit réellement capable de faire le travail qui lui revient et pas autre chose.

Or ce n'est pas tout à fait ainsi que les choses se passent au niveau d'évolution où nous sommes actuellement. Notre mental n'est pas, ou pas toujours, en contact avec le Soi. Sa façon de fonctionner est loin d'être une réponse instantanée, intelligente et souple aux directives du Soi, qui, lui, est la seule source de réelle connaissance et de réelle sagesse. Au stade actuel de l'évolution humaine, le mental humain fonctionne souvent comme le vieux piano mécanique mentionné plus haut, à partir de vieilles programmations issues du passé. Sa structure n'est pas assez développée et raffinée pour permettre une expression claire et harmonieuse des impulsions « divines » du Soi.

Mentionnons ici brièvement, afin de mieux comprendre le fonctionnement de ce que l'on appelle le mental, que l'on peut considérer celui-ci comme étant constitué de deux parties. Une première partie, appelée mental inférieur (ou mental concret, ou mental automatique), n'est pas directement en contact avec le Soi. Cette partie fonctionne exactement comme un ordinateur, à partir de programmations construites dans le passé. Une de ses fonctions majeures est d'assurer la survie de la personnalité à tout prix.

La deuxième partie, appelée mental supérieur (ou mental abstrait), est en contact avec le Soi. Elle est constituée d'une substance mentale vibrant à un taux supérieur, et c'est en fait le pont entre le Soi et la personnalité. Sa fonction est de transmettre la volonté du Soi à la personnalité.

L'être humain moyen agit la plupart du temps sous les impulsions de sa personnalité, elle-même essentiellement dirigée par le contenu du mental inférieur automatique. Or, sans les directives du Maître, sur quoi se base le cocher pour choisir le chemin ? Essentiellement sur ses expériences passées et non sur la connaissance de la réalité du moment présent. Tout comme un grand ordinateur, le mental inférieur enregistre scrupuleusement toute expérience passée qui a pu assurer la survie de la personnalité. Se basant sur ce principe, toute expérience passée est valable, et quelle que soit la situation présente nous avons tendance à réagir comme dans le passé, et ceci à tous les niveaux : au niveau du corps physique, des émotions et des pensées.

Ceci pourrait être développé plus avant, mais pour le propos de ce livre nous dirons simplement que lorsque notre vie est dirigée par cette partie de notre mental, il y a très peu de chance pour que nous ayions une vie satisfaisante. Cette partie du mental nous maintient fortement emprisonnés dans notre passé sans que nous en soyions généralement conscients. Ce n'est que lorsque l'on commence à se réveiller face à notre propre vie que l'on a une chance de sortir de l'emprise de notre ordinateur et que l'on peut commencer à confier la direction de notre vie, si ce n'est à notre Soi directement, au moins à cette partie de notre mental qui est en contact avec lui. Car seul le maître voyageant dans la charrette connaît le chemin qui nous apporte paix et liberté. Le mental inférieur, lui, n'a aucune connaissance de ce que peuvent être la paix, la liberté, la joie et l'épanouissement complet de notre être. Pourvu que l'on survive, tant au niveau physique qu'au niveau des systèmes de pensées, il est satisfait.

Le plus ennuyeux est que, non seulement le mental inférieur n'a pas la connaissance du chemin, mais il n'a pas non plus la connaissance nécessaire pour diriger le cheval. Le mieux qu'il puisse faire c'est d'essayer d'affaiblir le cheval pour avoir moins d'ennui avec celui-ci. C'est ce qu'on appelle refouler, nier nos émotions et notre potentiel émotionnel. Le cocher, mort de peur devant les incartades du cheval, finit par essayer de lui lier les pattes, lui mettre des œillères et l'affamer afin qu'il se tienne tranquille. Quelquefois il arrive même à le supprimer, mais alors il faut qu'il descende de son siège et tire lui-même la charrette. C'est ce qu'on appelle vivre dans sa tête, coupé de ses émotions. Épuisant ! Et cela n'apporte pas beaucoup de joie ni d'extase dans notre vie.

Dans ce sens, si nous voulons améliorer les choses, le travail à faire est double. D'abord **redonner à manger au cheval,** si tant est qu'il en ait besoin, c'est-à-dire libérer notre potentiel émotionnel. Cela s'est fait beaucoup dans les thérapies des années 60 où tout le monde apprenait à accepter ses émotions et à les exprimer de toutes les façons possibles, sans nécessairement beaucoup de discernement. C'était un premier pas qui, à l'époque, représentait un progrès. Mais en rester là est évidemment insuffisant. Car une fois la puissance émotionnelle retrouvée et reconnue, il faut savoir quoi en faire. Avoir un fort potentiel émotionnel est indispensable, mais il est nécessaire pour notre bien-être et celui de ceux qui nous entourent d'apprendre à diriger et utiliser ce potentiel avec intelligence, amour et sagesse. Cela est le rôle du mental supérieur.

Nous garderons bien sûr notre mental inférieur, car rien n'est inutile dans la structure humaine. Simplement, nous apprendrons à le reprogrammer consciemment de par la volonté de notre Soi via le mental supérieur. Il nous sera alors fortement utile.

Donc, après un temps de libération du cheval, vient le temps d'**entraîner le cocher**. C'est en partie le propos de ce livre puisque nous allons apprendre à changer le contenu de notre mental pour l'entraîner à penser plus largement et être ainsi plus en contact avec l'énergie du Soi.

Le mental ayant retrouvé ses vraies fonctions, la nature émotionnelle et les conditions physiques seront beaucoup plus facilement harmonisées.

Nous avons présenté ce modèle très brièvement, étant bien conscients que la structure de l'être humain est extrêmement complexe et que ce sujet à lui seul peut occuper les recherches de toute une vie.

Par exemple, il semble que nous considérons le Soi comme étant personnel ; c'est une façon de présenter les choses qui sera suffisante pour le moment. Mais lorsque l'on atteint réellement la conscience du Soi, on sait qu'à ce niveau il n'y a plus de sens personnel dans la définition habituelle de ce terme. Ce sens de « personnalité » est utile à un certain niveau (comme un manteau en hiver, même s'il gêne nos mouvements), mais il est possible de le transcender et d'arriver à un sens réel du Soi difficilement concevable au niveau de la conscience ordinaire. On ne peut qu'en faire l'expérience directe. Mais justement, cette expérience directe ne pourra se présenter que si nous avons tout d'abord ouvert certaines portes. Et pour cela un modèle assez large mais simple est suffisant.

Ce modèle de base se retrouve souvent présenté sous des formes différentes, avec plus ou moins de complexité, tant dans les approches ésotériques de qualité que dans les différents mouvements actuels de psychologie transpersonnelle.

Nous trouvons par exemple ces prémisses clairement présentées (également comme hypothèses, mais vérifiées par des siècles d'expériences) dans le livre ***De l'intellect à l'intuition,*** d'Alice A. Bailey :

> *1) Il y a une âme dans toute forme humaine et cette âme se sert des aspects inférieurs de l'homme comme de véhicules ou moyens d'expression. L'objectif de l'évolution est d'augmenter, d'intensifier le contrôle de l'âme sur cet instrument...*
>
> *2) Nous appelons personnalité la somme des aspects inférieurs quand ils sont développés et coordonnés. Cette unité est composée des états mentaux et émotifs de l'être, de l'énergie vitale, et de l'appareil physique de réponse, qui « masquent » ou cachent l'âme.... Ces aspects se développent successivement et progressivement, et c'est seulement quand l'homme a acquis un degré relativement haut de développement, qu'il lui est possible de les coordonner et ultérieurement de les unir, dans la conscience, à l'âme immanente. Plus tard vient le contrôle par l'âme et l'expression croissante de la nature de l'âme.*
>
> *3) Quand la vie de l'âme, conformément à la loi de Renaissance, a conduit la personnalité au point où elle est une unité intégrée et coordonnée, alors, il y a entre les deux une action réciproque plus intense... (Ceci amène) l'union entre l'âme et son instrument.* Pages 37-38.

Décrivant le processus d'évolution naturel et progressif de prise en charge de la personnalité par le Soi, nous trouvons un peu plus loin :

> *La tête et le cœur s'unissent dans l'entreprise. L'intellect et la raison pure fusionnent avec l'amour et la dévotion dans un complet réajustement de la personnalité à un nouveau domaine de la connaissance. ...L'aspirant commence à se considérer comme l'habitant d'un autre royaume de la nature - le monde spirituel, qui est aussi réel, aussi vital, aussi ordonné et aussi phénoménal qu'aucun de ceux que nous connaissons actuellement. Il assume fermement l'attitude de l'âme vis-à-vis de son*

instrument, le corps humain. ***Il ne se considère plus comme un homme contrôlé par ses émotions, poussé par l'énergie, et dirigé par son intellect, mais il se connaît comme étant le Soi, pensant par l'intellect, sentant par les émotions et agissant consciemment...*** *L'union entre le Soi et son véhicule est établie.* Pages 43-44.

Nous retrouvons le même type de concept au sein de nombreux courants actuels de psychologie transpersonnelle (dont Maslow peut-être considéré comme l'un des pionniers). La psychosynthèse, fondée par Roberto Assagioli, psychiatre italien (autre remarquable pionnier), s'appuie sur un modèle de l'être humain basé sur ces mêmes principes. Son approche synthétique considère les trois aspects de la personnalité munis d'un centre intégrateur, le « je » ou soi personnel, relié au Soi transpersonnel. À partir de cela, Assagioli a développé une approche globale de croissance personnelle et transpersonnelle riche et très utile.

Nous utiliserons donc ce modèle, qui n'a plus rien de mystérieux en cette fin de XXe siècle, pour faciliter le travail de changement de contexte de pensées que nous allons présenter. Ce travail de conscience n'est pas isolé, indépendant d'autres approches. Au contraire, c'est un travail d'ordre général qui peut constituer une base solide pour le développement de toute autre approche. Quelle que soit la méthode de développement personnel utilisée, le travail d'élargissement de contexte, lorsqu'adjoint à celle-ci, ne peut qu'en augmenter l'efficacité, la facilité d'application et la rapidité des résultats. Il s'inscrit dans l'ensemble d'une démarche au niveau personnel ou transpersonnel que chacun peut désirer entreprendre à un moment donné de son existence, quelle que soit l'approche utilisée.

CHAPITRE II

LES SYSTÈMES DE PENSÉES

La physique quantique nous a amenés à prendre au sérieux
la conception selon laquelle l'observateur est aussi essentiel
à la création de l'univers que celui-ci l'est
à la création de l'observateur.

Raymond Ruyer

Il existe deux choses bien distinctes :
la réalité... et notre perception de la réalité.

Tant que l'être humain est inconscient, il est persuadé que sa perception de la réalité et la réalité sont la même chose. Pourtant, dès les premiers moments de travail conscient sur soi, on découvre qu'en fait **la réalité** et notre **perception de la réalité** peuvent être deux choses très différentes. Quatre aspects de ce point seront présentés ici afin de mieux saisir par la suite l'importance de ce qu'on appelle les contextes de pensées et leur impact sur notre vie quotidienne.

1- Le filtre mental et les contextes de pensées

En tant qu'êtres humains fonctionnant par l'intermédiaire d'une personnalité, nous ne pouvons avoir accès direct à la réalité. Pour percevoir le monde autour de nous, nous avons besoin d'un instrument, et cet instrument est notre système mental dans ses parties inférieures ou supérieures. La proportion active de chacune de ces parties dépend de notre degré d'évolution. Nous dirons que nous percevons la réalité à travers notre filtre mental. Le contenu et le degré d'ouverture de ce filtre font que notre perception est plus ou moins limitée et éventuellement déformée par celui-ci.

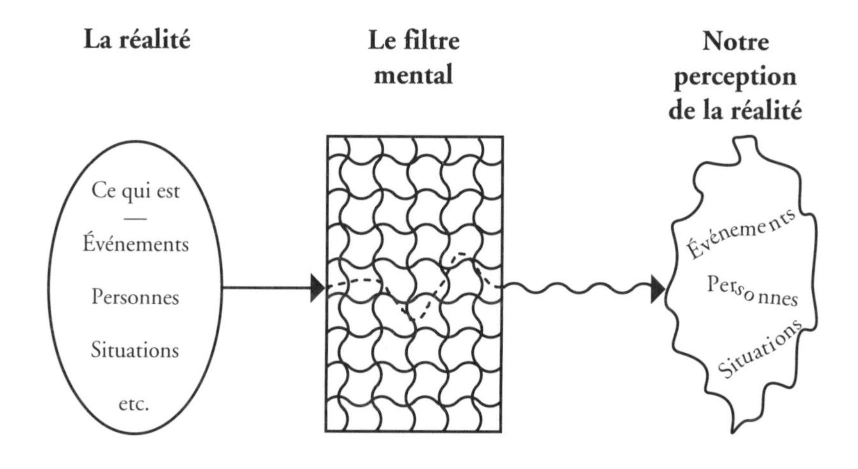

Ce contenu a été structuré en fonction de la façon dont nous avons programmé notre mental inférieur automatique à partir des expériences passées (petite enfance, vie intra-utérine, vies passées), et est également fonction de notre niveau d'évolution. Les programmations construites à partir d'expériences passées sont pour la plupart reléguées et fortement ancrées dans l'inconscient. Elles ne sont pas remises en cause, tout simplement parce qu'elles ne sont pas accessibles à la conscience ordinaire. Pourtant, ce sont elles qui dirigent notre vie et qui nous limitent le plus. Nous pourrons également appeler ces programmations de base des « systèmes de croyances », inconscients pour la plupart. À ces programmations construites à partir d'expériences vécues et enregistrées d'une façon personnelle par le filtre mental, s'ajoutent toutes les structures acquises au cours du conditionnement familial et culturel qui sont enregistrées, elles aussi, à un niveau assez profond. Ceci constitue ce que l'on appelle les contextes de pensées ou les paradigmes. Toutes ces structures, fonctionnant pour la plupart au niveau inconscient, sont les systèmes de pensées-racines qui génèrent des familles entières de pensées occupant les niveaux moins profonds du filtre mental. En particulier ce sont ces structures qui sont à la source de ce qu'on appelle les points de vue, les états d'esprit, les opinions, les « façons de voir la vie », les philosophies personnelles, etc.

On reconnaît le fait que nous percevons la vie à travers un ensemble de structures qui limitent et déforment notre champ de perception, lorsque l'on parle de certaines « façons de voir la vie ou les choses ». On sait combien deux individus peuvent percevoir la ***même*** chose, la même réalité, de façon très différente. Leur façon divergente de percevoir la même réalité provient de la différence du contenu de leur filtre mental.

L'histoire des quatre disciples aveugles qui suit illustre la relativité de nos points de vue et combien nous sommes souvent prisonniers - consciemment et bien plus souvent inconsciemment - d'une façon limitée de voir la vie.

Cela se passait en Inde. Un maître spirituel enseignait depuis des années à plusieurs disciples, dont quatre étaient aveugles. Ces quatre disciples étaient très zélés et suivaient scrupuleusement l'enseignement de leur maître. Cela durait déjà depuis fort longtemps et nos quatre disciples commençaient à se demander si un jour ils arriveraient finalement à l'illumination promise.

Ils se réunirent donc pour échanger leur préoccupation, et décidèrent qu'ils devaient rencontrer leur maître et lui en parler franchement. Ils s'en furent donc aux pieds du maître, et là, osèrent lui poser la question.

« Maître, nous suivons fidèlement votre enseignement depuis des années. Quand obtiendrons-nous l'illumination ? Nous devrions être fin prêts, ne pensez-vous pas ? »

Le maître les regarda quelques instants tous les quatre, puis parut prendre sa décision. « Très bien, leur dit-il, je vois que votre désir d'entrer en union avec la Mère Divine est grand. Aussi, je vais vous donner, dès aujourd'hui, une possibilité de démontrer votre capacité de recevoir de telles énergies sublimes. »

À ces mots les disciples tressaillirent de joie, mais ils s'attendaient bien sûr à une épreuve d'envergure.

« Êtes-vous prêts ? leur demanda le maître.

- Oui, certainement, répondirent les disciples en chœur. Dites-nous ce qu'il faut faire, et nous le ferons.

- Dans la forêt voisine, il y a une clairière et dans cette clairière, il y a un éléphant. Vous allez vous rendre dans la clairière. Je sais que vous n'avez jamais vu un éléphant puisque vous êtes aveugles de naissance. Mais vous allez entrer en contact avec l'éléphant à l'aide des sens qui vous sont disponibles, et dans une heure vous reviendrez, chacun de vous, me faire une description de l'éléphant. Allez. »

Les disciples furent bien surpris ; l'épreuve était ridiculement simple. Ils pensèrent qu'après leurs longues années d'études auprès du maître, ils étaient enfin prêts. Ceci n'était qu'une formalité.

Ils s'en furent donc joyeusement dans la clairière et là, chacun entra en contact avec l'éléphant. Le premier prit la queue. Il pensa alors : « Un éléphant cela vit dans les airs. C'est rond et long et ça se termine par une petite touffe de poils. Très bien, je sais ce qu'est un éléphant. » Le deuxième, lui, prit la patte, et la tâta de ses mains. Il pensa : « Un éléphant c'est gros et rugueux comme un arbre, cela a une peau très épaisse et plissée, et cela vit par terre. Très bien, je sais ce qu'est un éléphant. » Le troisième saisit la trompe, et eut son expérience de l'éléphant, comme le quatrième qui prit l'oreille. Tout heureux, sûrs d'eux et bavardant d'une chose et d'une autre, ils retournèrent auprès du Maître à l'heure prévue.

Le Maître leur demanda alors : « Qui peut me dire ce qu'est un éléphant ? » Le premier, ne pouvant se contenir de joie, lui dit sans attendre : « Maître, un éléphant cela vit dans les airs. C'est rond et long, assez doux et ça se termine par une petite touffe de poils. » « Pas du tout, s'empressa de répliquer le deuxième, un éléphant c'est gros et rugueux comme un arbre, cela a une peau plissée, et cela vit par terre. » « Absolument pas ! s'écria le troisième. Je vais vous dire, Maître, ce qu'est un éléphant. » Et il entreprit de décrire la trompe. Avant qu'il n'ait fini sa des-

cription, le quatrième, qui ne pouvait plus contenir son impatience, l'interrompit pour donner sa propre description de l'éléphant, à savoir l'oreille. Mais il ne put finir lui-même car les trois autres protestèrent, chacun défendant sa perception, et une grosse dispute commença. Le Maître les laissa se quereller un moment puis, comme cela n'en finissait pas, il réclama le silence pour leur faire savoir que l'illumination, ce n'était décidément pas pour aujourd'hui.

Les quatre disciples ne furent donc pas capables de passer le test, alors qu'il était pourtant simple.

Le Maître désirait vérifier dans quelle mesure ses disciples limitaient encore les possibilités de manifestation de la réalité à leur perception de la réalité ; dans quelle mesure, ayant eu une expérience limitée et subjective, ils laissaient leur conscience s'identifier à cette perception et en faisaient un système de croyances auquel chacun adhérait totalement au point de se battre en son nom ; dans quelle mesure, au nom de cette expérience, ils devenaient fermés à toute autre possibilité de connaissance ultérieure plus large.

Cette histoire est évidemment symbolique. Il s'agissait de se rendre compte que la perception que l'on a de la réalité est toujours limitée. Et elle l'est non seulement par nos sens physiques comme c'était le cas, symboliquement, pour les disciples aveugles, mais surtout par notre conditionnement psychologique, les limites de notre filtre mental et plus généralement par le degré d'évolution de notre conscience. Pourtant chacun de nous se conduit souvent dans la vie comme les disciples aveugles, croyant fermement à ses propres modèles issus de ses expériences passées, objectives et subjectives. On laisse notre conscience s'identifier à une certaine structure mentale et on refuse d'envisager la possibilité d'une réalité différente et plus large.

Cette mécanique est toujours prête à entrer en action à l'intérieur de nous-mêmes, de façon plus ou moins subtile ou voilée. Tenir à son point de vue et vouloir avoir raison sont des mécanismes du mental inférieur qui bloquent l'évolution de la conscience.

Nous avons construit le contenu de notre filtre mental au fur et à mesure de nos expériences de vie, positives et négatives, et nous avons accumulé tout cela sans aucune discrimination. Nous regardons la vie à travers les brumes de nos expériences passées, les projections de nos peurs et de nos traumatismes émotionnels. Nous ne sommes pas en contact avec la réalité telle qu'elle est, mais avec une perception déformée par le contenu de notre filtre. Une personne pleine de peurs, par exemple, verra continuellement des sources de menace à l'extérieur. Une personne prise avec l'orgueil enregistrera ce qu'elle perçoit à travers le filtre de cet orgueil, etc. Tant qu'il y a identification avec le filtre mental, il n'y a pas de perception claire, objective et libre de la réalité. En fait, ce que nous percevons de la réalité, spécialement des autres, nous donne de précieux renseignements sur le contenu de notre propre filtre mental.

Rappelons-nous qu'il y a deux mille ans un être de lumière, de paix et d'amour est venu sur cette planète. Certains l'ont reconnu, car en leur cœur il devait y avoir déjà un peu de cette lumière, de cette paix ou de cet amour. Mais d'autres n'ont vu en lui qu'un imposteur et un manipulateur de foule; ils l'ont jugé et condamné... Plus tard d'autres en ont fait un symbole à l'image de leurs propres petitesses...

Nous ne voyons pas les choses comme elles sont,
mais plutôt comme nous sommes.

Ainsi chacun de nous crée sa propre « réalité », l'expérience de sa vie, à partir de systèmes de croyances non consciemment choisis et non maîtrisés.

Nous remarquerons de plus que, lorsque nous refusons de nous ouvrir à une information plus large, non seulement, comme les disciples aveugles, nous ne pouvons pas percevoir autre chose que ce que nos propres systèmes mentaux nous permettent de connaître, mais aussi ce que nous percevons chaque jour ne fait que confirmer le contenu de notre filtre. Notre expérience de la vie ***ne peut pas nous prouver*** que notre perception est erronée ou trop étroite, au contraire.

Plus nous « expérimentons » la vie en maintenant fermement (consciemment ou inconsciemment) la croyance en notre système, plus nous renforçons celui-ci, puisque le fait de croire à notre système nous fait percevoir le monde comme notre système le définit. On peut exprimer cela également en disant que la façon dont on perçoit la vie est la façon dont on a décidé, quelque part dans notre mental, que la vie était. Il n'y a donc pas, à ce niveau de conscience, de perception objective.*

Il est parfaitement naturel et correct de percevoir la vie à travers le contenu de notre filtre mental. Cela fait partie de notre constitution. Les difficultés apparaissent et on commence à perdre notre liberté et notre pouvoir lorsque l'on devient incapable de remettre ce contenu en question.

Une fois reconnu que notre perception des choses est limitée, un autre fait est important à noter, à savoir que nos réactions (émotionnelles, physiques et mentales) face à ce qui se présente dans notre vie sont fonction de cette perception. Nous réalisons alors que la qualité de notre expérience de la vie dépend de notre façon de percevoir celle-ci. Nous développerons ceci au cours du deuxième

---

*En fait le concept de réalité doit lui-même être élargi. Car on pourrait dire qu'au niveau mental, il n'y a pas de perception objective possible de la réalité ultime, celle-ci étant un principe existant à un niveau de fréquence supérieur à celui de la matière mentale et l'univers étant un réservoir aux dimensions infinies de toutes les possibilités. Toute réalité perçue au niveau mental (c'est-à-dire selon la perception actuelle que nous possédons) est subjective, c'est-à-dire est une interprétation limitée par notre conscience mentale de l'infinité de l'univers.

Au-delà du mental, la dualité subjectif-objectif n'existe plus, car à ce niveau-là, le connaisseur devient le connu. Mais cet état de conscience n'est pas celui dans lequel nous vivons notre vie de tous les jours. Contacter cette « réalité ultime » se fait par une expérience directe de l'être intérieur tout entier, et cette expérience multi-dimensionnelle ne peut être contenue dans aucun système de pensées.

Ce que nous pouvons réaliser après contact avec cette dimension supérieure de notre être, est le fait qu'au niveau mental, nous avons la possibilité de percevoir la réalité sous des formes très diverses. La liberté réside alors dans le fait que nous n'accordions jamais à une perception une valeur absolue, et que nous sachions qu'au fur et à mesure que notre conscience, et donc notre pouvoir, s'accroissent, nous avons le choix de notre mode de perception dépendant des résultats que l'on désire produire. Le processus évolutif de l'être humain peut être perçu sous cet angle, à savoir acquérir cette capacité, cette liberté de modifier à volonté le contenu du filtre mental afin de percevoir ce que l'on désire percevoir au sein des infinies possibilités des formes de la manifestation. Le choix se fait alors à partir d'une volonté individuelle de plus en plus libre qui s'avère devenir de plus en plus proche de la volonté du Soi, du Dieu en nous, et dont les intentions et la « logique » dépassent les limites de notre compréhension rationnelle ordinaire.

point. On s'aperçoit alors que l'on peut changer notre façon d'expérimenter la vie, et en faire quelque chose de plus agréable et de plus satisfaisant en changeant le contenu du filtre mental, c'est-à-dire les contextes dans lesquels nos pensées sont contenues.

Le premier pas pour sortir du piège de nos croyances, programmations, contextes de pensées et paradigmes inconscients est de reconnaître que nous les avons. Pour cela, nous devons les observer en prenant la position de témoin et commencer ainsi à désidentifier notre conscience d'une structure mentale programmée en fonction du passé.

Le deuxième pas sera d'apprendre à choisir et changer consciemment nos systèmes mentaux afin de pouvoir utiliser librement le système qui nous permettra de réagir sereinement et efficacement aux aléas de la vie. Ainsi nous devenons libres de générer l'expérience de la réalité que nous désirons avoir.

C'est pourquoi, avant de présenter le nouveau principe de responsabilité-attraction-création, nous décrirons un certain contexte de pensées fort limitant et très répandu dont on voudra peut-être se débarrasser avant de choisir une autre façon de percevoir les choses et qui pourrait nous apporter plus de bonheur.

Ne cherchez pas la vérité;
cessez seulement de chérir des opinions...
Sengstan, Troisième patriarche Zen

Pour faire le travail de dégagement de nos systèmes de croyances inconscients qui ne sont pas générateurs de bien-être, il est bon de remarquer que **ce que l'on pense consciemment n'est pas toujours ce que l'on « croit » au niveau inconscient**. Il est possible par exemple, que l'on pense que les hommes aussi bien que les femmes soient dignes de respect et d'amour. Or, dans une situation de stress réactivant par exemple des programmations passées de l'enfance ou d'avant, il est fort possible que l'on réagisse différemment envers les deux sexes, que l'on se trouve dans un état d'esprit très négatif à priori par rapport à l'un des deux sexes et que l'on agisse tout à fait irrationnellement sans même s'en apercevoir. Ce n'est qu'en situation d'expérience directe que les programmations réelles inconscientes émergent clairement.

On ne nous a jamais appris à observer le contenu de notre filtre mental, et encore moins à le nettoyer et à en décider du contenu. Pourtant ce filtre est très chargé et nous en sommes prisonniers. Travailler à libérer notre conscience de l'identification à ce contenu est l'objet de tout travail sur soi, au niveau personnel et transpersonnel.

2 - Ouverture de l'esprit et qualité de l'expérience de vie

Nous avons vu que si nous voulons percevoir la réalité plus clairement dans toutes ses dimensions possibles, il nous faudra veiller à la qualité du contenu et à l'ouverture de notre filtre mental. Or, percevoir la réalité plus clairement a un impact direct sur la qualité de notre vie. **La largeur de notre perception de la réalité détermine la qualité de notre expérience de la réalité.** Plus notre perception est large, plus nous avons de maîtrise et alors notre vie est satisfaisante. Inversement, plus notre perception est limitée, moins nous avons de pouvoir et plus notre vie est douloureuse et difficile.
Nous allons examiner de plus près maintenant cet énoncé qui peut aussi s'exprimer de la façon suivante :

**Plus notre perception de la réalité est large,
plus elle est proche de la réalité ultime,
plus notre vie est harmonieuse, efficace et libre.**

La réciproque de cet énoncé est également intéressante à noter :

Plus un contexte apporte de paix, de bonheur, d'harmonie et de bien-être en nous et autour de nous, plus il offre un modèle s'approchant de la réalité.

Nous cherchons tous à avoir une expérience agréable de la vie. Mais en général nous ne faisons pas le lien entre notre façon de percevoir les choses et la qualité de notre expérience de la vie.

Lorsque nous confondons la réalité et notre perception de la réalité et que nous ne sommes pas satisfaits de ce que nous croyons que la vie nous apporte, en général nous cherchons à changer les choses autour de nous, pensant ainsi que nous allons nous sentir mieux. Nous dépensons, par exemple, une montagne d'énergie pour changer les autres en espérant qu'ils vont finir par se conformer à nos propres désirs ou à nos attentes, et cela sans grand succès. Ou bien, après avoir totalement idéalisé une personne en projetant sur elle nos idéaux et attentes (issus de notre conscience limitée), nous sommes très déçus qu'elle ne corresponde pas à nos propres images et nous passons de l'admiration illusoire au mépris instantané, et tous les « beaux » sentiments s'évanouissent en fumée. Une telle façon de fonctionner n'apporte pas beaucoup de paix ni de bonheur dans notre vie. **Si nous voulons changer notre expérience de la vie, nous devons élargir notre perception de celle-ci, et non pas essayer de changer l'univers au complet pour le faire correspondre à nos idées limitées, à partir d'une perception illusoire.**

On nous a dit souvent que si l'on veut transformer notre vie, la première chose que l'on doit changer c'est soi-même. Or **se changer, c'est accepter de changer la perception que l'on a du monde, de soi-même et des autres,** de façon à ce que cette perception soit de plus en plus proche de la réalité ultime dont les dimensions sont infinies et incluent tous les aspects finis. Ceci est l'objet de tout travail spirituel : arriver à se débarrasser du voile complexe qui recouvre notre perception de monde, appelé souvent voile de l'illusion. Ceci permet de retrouver un contact plus direct avec la réalité ultime de l'univers (non descriptible sous forme de concepts), et ainsi générer une vie plus libre, plus harmonieuse, plus sereine, plus efficace.

Alors seulement nous pouvons agir pour changer les choses autour de nous, non pas à partir de perceptions ou de désirs programmés dans lesquels notre conscience est emprisonnée, mais à partir d'une vue large, libre, créative et claire, détachée et impersonnelle, ainsi que d'un réel esprit de service qui sont issus d'une autre partie de notre être. Cette partie de l'être est libre de la prison du mental inférieur. À ce niveau, au lieu d'essayer de forcer les choses à partir d'un système déterminé d'avance, on devient capable de s'adapter intelligemment au moment présent, de faire preuve de créativité et d'intuition. Ceci rend nos actions infiniment plus harmonieuses et efficaces, et alors nous pouvons réellement apporter une contribution valable au monde, et même... changer le monde.

Nous allons utiliser une analogie sur le plan physique pour illustrer ce principe, à savoir que la clarté et la largeur de notre filtre mental, notre instrument de perception de la réalité, détermine la qualité de notre vie.

Imaginons que je me promène un samedi après-midi dans une grande ville, sur la rue la plus fréquentée, avec l'intention d'aller faire quelques emplettes dans un magasin très connu. Imaginons encore que cette journée-là, je porte des lunettes très foncées et que j'ai un torticolis. Je ne peux pas voir plus loin que quelques mètres devant moi et je ne peux pas tourner la tête. Ma vision est donc très limitée. Que risque-t-il de se passer? D'abord, je me ferai bousculer et je vais probablement moi-même bousculer d'autres personnes, ce qui est très désagréable. D'autre part, je traverserai les rues avec de plus en plus d'anxiété, risquant à chaque fois de me faire tout simplement écraser. Ensuite, je pourrai passer devant le magasin que je cherchais sans être capable de le voir, et je rentrerai bredouille chez moi. Et ainsi de suite. Je terminerai ma journée complètement épuisée, frustrée, écœurée, en me disant que la vie, ce n'est vraiment pas drôle.

Imaginons maintenant les mêmes circonstances mais je ne porte plus de lunettes et mon torticolis a disparu. Je peux regarder librement tout autour de moi; mon champ de vision vient de s'ouvrir considérablement, ma perception de la réalité est plus large, plus complète. Que va-t-il se passer? Tout d'abord je vais être capable d'éviter toute bousculade. Il est possible que je croise un ami que je n'ai pas vu depuis longtemps et que nous profitions de cette rencontre pour renouer notre amitié et nous donner rendez-vous pour un peu plus tard. Je traverserai les rues sans danger. Je saurai lorsque je suis arrivée au magasin que je cherchais, et il est même possible que j'aie pu voir en chemin des articles dans d'autres vitrines qui m'intéressent encore plus que ce que je projetais d'acheter au départ... et ainsi de suite. Et je terminerai ma journée satisfaite et heureuse, en pensant que la vie est vraiment agréable.

Mêmes conditions, expériences différentes de la même réalité, simplement à cause du fait que mon champ de perception était plus ou moins clair et plus ou moins large. Dans le premier cas, je n'ai que peu de pouvoir et je retire peu de satisfaction de mon expérience. Dans le deuxième cas, j'ai du pouvoir sur ce qui m'entoure car je suis capable de percevoir la réalité de façon plus claire et plus large, et ma vie est plus satisfaisante.

Il en est de même au sujet de notre vie intérieure et psychologique. À chaque instant nous percevons notre vie à travers notre filtre mental, et à chaque instant nous avons une expérience de la réalité qui est fonction de notre perception. La dimension de notre point de vue détermine la qualité de notre vie.

Nous remarquons comment un élargissement de contexte de pensées, aussi relatif qu'il soit, apporte toujours plus de pouvoir et de maîtrise sur notre univers. L'analogie précédente permet de le comprendre facilement. Ceci s'expérimente autant au niveau strictement physique qu'au niveau psychologique. Les exemples abondent.

Par exemple, lorsque nous considérions la terre comme étant plate, cela limitait beaucoup le champ d'expérience de l'être humain, ses possibilités de découvertes et sa maîtrise du monde matériel. Si nous avions persisté à croire que la terre était plate comme nous le disait notre perception physique limitée, nous aurions bloqué tout progrès et toute ouverture vers d'autres réalités.

De la même façon la théorie de Newton, bien qu'elle ait permis en son temps de faire des expériences très valables, n'aurait pas permis d'expérimenter tout ce que l'on a pu découvrir à l'aide de la théorie d'Einstein. Celle-ci, à son tour, a été élargie et a permis d'autres découvertes et d'autres expériences qui permettent de maîtriser encore un peu plus notre univers physique.

Lors de l'histoire de nos disciples aveugles, il est évident que si ceux-ci avaient accepté d'élargir leur perception de l'éléphant, ils auraient pu avoir un sens plus adéquat de ce que peut être cet animal et ainsi peut-être l'apprivoiser, s'en faire un ami et se promener sur son dos... Leur pouvoir et leurs possibilités d'expérience auraient été augmentés.

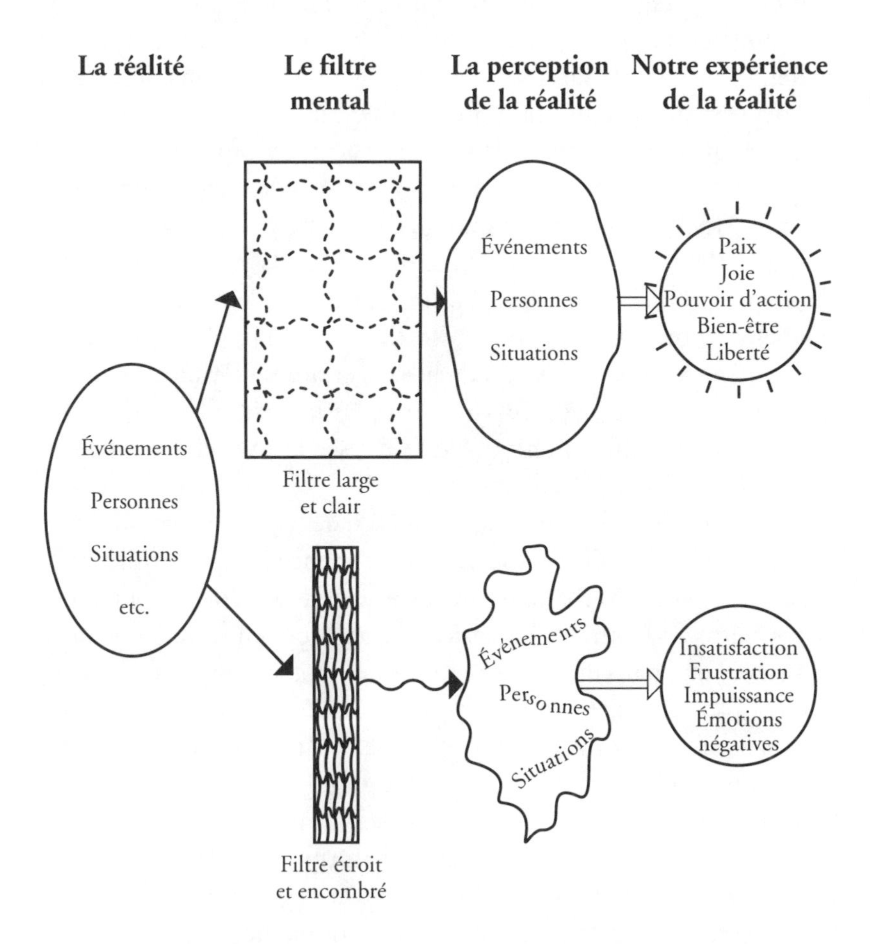

D'autres élargissements de contextes sont en train de se manifester actuellement au sein de la conscience humaine, d'une façon peut-être encore plus accélérée que par le passé. La façon dont on considère les maladies du corps physique et les moyens de soins « alternatifs » qui se développent de plus en plus en est un exemple. En acceptant de percevoir le corps humain non seulement comme un agrégat de matière physique et chimique, mais comme faisant partie d'un ensemble énergétique plus complexe, on trouve des moyens de guérir plus efficaces et moins onéreux que lorsque l'on part du contexte de base limité à la stricte matière physique. Nous augmentons ainsi notre pouvoir de guérir. Cela ne nie en rien la perception matérialiste. Cela ne fait que l'élargir et la placer dans un contexte où elle devient encore plus précisément utile. Mais nous savons combien ce changement de contexte est difficile à accepter pour certains...

Nous pouvons également citer brièvement un autre exemple de changement de paradigme qui émerge dans notre société actuelle. Il s'agit de la façon dont on perçoit la mort. Depuis des siècles on considérait la mort comme une fin. Certaines croyances religieuses nous faisaient disparaître sous la forme d'une âme dont on ne savait vraiment pas grand chose ; certaines croyances matérialistes nous disaient que la fin du corps physique était la fin de l'être. La mort représentait donc quelque chose de mystérieux, dramatique, effrayant, terrible même.

Or actuellement, grâce à un éveil de la conscience collective et à de nombreuses observations, on commence à s'apercevoir que la mort n'est peut-être pas cette fin absurde et désespérante ; que celle-ci peut être au contraire l'occasion d'une expérience de conscience très riche, une naissance dans des mondes plus subtils où nous redevenons plus conscients de nous-mêmes que lorsque nous sommes emprisonnés dans un corps physique. La vie et la mort physiques deviennent des aspects différents de notre grand voyage intérieur. Nous commençons à réaliser que nous sommes immortels et qu'il n'y a jamais de mort finale, un changement de forme tout au plus. De très nombreux et excellents ouvrages ont été écrits sur le sujet, favorisant une ouverture de la connaissance dans ce domaine.*

Dans quelques années ce nouveau paradigme, qui en a fait ricaner beaucoup pendant un temps, cette façon plus large de percevoir la vie et la mort sera adoptée collectivement comme naturelle.

---

*Pour n'en citer que quelques-uns : Elizabeth Kübler Ross, ***La mort est un nouveau soleil,*** éd. Québécor ; Alice A. Bailey, ***La mort, la grande aventure,*** éd. Lucis Trust ; Anne et Daniel Meurois-Givaudan, ***Terre d'Emeraude,*** éd. Arista ; Anthony Borgia, ***Ma vie au Paradis,*** éd. du Roseau ; Dr Raymond Moody, ***La vie après la vie,*** éd. Robert Laffont.

Ce faisant, la conscience humaine devient apte à percevoir la « vie » d'un individu d'une façon plus large et par là-même s'approche d'une perception plus vraie de la réalité. Cela ne nie en rien la vague perception religieuse de l'âme, mais la confirme plutôt en l'élargissant, la précisant et la rendant plus réelle.

En quoi ce changement améliore-t-il la qualité de notre vie et nous donne-t-il plus de pouvoir ? Disons en bref que la première façon de percevoir la mort (façon matérialiste ou religieuse étroite) entraîne la peur (de sa propre mort et de celle des autres), des souffrances émotionnelles et un désespoir profond avec un sens d'impuissance et d'injustice quand une personne proche de nous quitte son corps. La deuxième façon de percevoir la mort nous donne la certitude de notre propre immortalité et de celle de ceux qui nous sont proches. De ce fait, cela atténue grandement la peine lorsque quelqu'un part avant nous (on sait que l'on se retrouvera). Cela nous permet aussi de respecter et d'accepter plus facilement le choix de chacun de partir lorsque c'est le temps pour lui, et de l'accompagner sainement lors de son départ. Nous éliminons ainsi un bon nombre de drames douloureux et inutiles de notre vie qui minent nos énergies physiques autant que psychologiques.

Comme nous l'ont dit souvent les grands Maîtres, **la souffrance provient de l'ignorance.** Or, plus nos contextes de pensées s'élargissent, plus notre compréhension de l'univers et de la vie s'approfondit. Et c'est ainsi que, par l'élargissement de nos contextes, par le changement de paradigme, nous pouvons nous libérer progressivement de la souffrance, au niveau individuel comme au niveau collectif, et pouvons retrouver joie, puissance et liberté.

3 - Le choix d'un contexte et l'évolution de la conscience

Nous avons vu jusqu'à maintenant que notre filtre mental détermine notre perception des choses, que notre perception des choses détermine notre expérience de la vie, et donc que si nous voulons avoir une expérience différente de la vie nous devons modifier le contenu de notre filtre mental. Nous avons vu également que plus notre filtre est large et dégagé, plus nous avons de maîtrise dans notre vie et enfin que plus un contexte nous permet d'être en harmonie avec nous-mêmes et avec les autres, plus cette façon de percevoir les choses est proche de la réalité.

La question que l'on peut se poser alors est de savoir sur quels critères nous baser pour choisir un contexte de pensées. Pour cela nous dirons que **la valeur ou l'intérêt que représente un contexte de pensées se mesure à ce que ce contexte produit dans notre vie en terme de satisfaction et de bien-être personnel et collectif**. C'est donc ***la qualité de l'expérience vécue*** (ceci incluant la qualité de notre contribution aux autres) que ce contexte génère qui détermine son intérêt et non pas une philosophie théorique. Un nouveau contexte devra donc être passé au crible de l'expérience quotidienne pour démontrer sa valeur.

Remarquons que cette valeur est subjective et personne ne peut décider à notre place quel état d'esprit nous convient dans le moment. Il y a une infinité de systèmes au sein desquels nous pouvons apprendre à faire notre choix librement et consciemment en fonction de l'expérience que l'on veut faire de la vie. Il n'y a pas de système qui soit objectivement meilleur qu'un autre. Les contextes que nous choisissons, consciemment ou inconsciemment, sont ceux qui sont appropriés à notre degré de conscience du moment. Le choix de notre système nous est complètement personnel. Ce choix peut être conscient ou inconscient mais finalement il se fait toujours **en fonction de notre état d'évolution.** Un contexte approprié pour favoriser l'évolution d'une personne à un certain moment donné sera peut-être totalement inapproprié pour une autre. Nous évoluons de contexte en contexte; c'est l'histoire de l'évolution de la conscience.

Pendant longtemps les êtres humains ont fonctionné inconsciemment à partir de contextes de pensées et systèmes de croyances en identifiant leur conscience à leurs pensées. Ceci a été nécessaire pendant un certain temps de l'évolution humaine afin d'assumer la construction de la partie inférieure du corps mental. Ce fut un temps très difficile, car le principe du mental inférieur est un principe séparateur, et les divers systèmes de pensées auxquels les hommes se sont identifiés les ont souvent fait se dresser les uns contre les autres. Il fallait que cela soit expérimenté afin de construire la partie inférieure du corps mental avant que celle-ci puisse être assouplie et rendue consciente pour servir le propos du Soi.

Pour beaucoup, le temps est venu maintenant de vivre une libération fondamentale de l'Être grâce à une désidentification de certains processus mentaux. Cela permet d'une part de relativiser notre perception mentale et donc d'avoir la possibilité de la transformer; d'autre part, cela permet de s'éveiller au fait que chacun de nous peut avoir le choix de ses contextes et systèmes de pensées, et que l'on a **le pouvoir de choisir** notre expérience de la vie.

Au niveau pratique, ce qui va donc nous être maintenant très utile, c'est de **prendre conscience de ce que produisent certains de nos contextes de pensées actuels,** concrètement dans notre vie psychologique et physique. Par cette prise de conscience, nous serons en mesure d'évaluer si ces façons de penser soutiennent notre épanouissement et notre bien-être ou non. Et nous pourrons chercher à les changer si nous les jugeons insuffisants, non appropriés ou même nuisibles. C'est dans cette optique que nous examinerons plus loin le paradigme de la victime et le principe de responsabilité-attraction-création.

Les choix successifs que l'être humain a la possibilité de faire de plus en plus consciemment, par une observation intelligente de lui-même et du monde, sont en fait à la base du processus d'évolution.

L'évolution de la conscience se fait par le passage d'un contexte de pensées plus étroit à un contexte plus large et plus inclusif.

Ceci entraîne en particulier, lorsque la conscience est suffisamment éveillée à elle-même, une prise de conscience de la relativité de toute perception et une ouverture de l'esprit en permanence à une infinité de possibilités.

Ultimement, si notre filtre mental était totalement dégagé de toute contrainte due au passé ou à la limitation de notre degré d'évolution, nous percevrions le monde comme étant absolument parfait. Nous vivrions dans un état d'extase permanent, et ceci sans être en aucune façon déconnectés de la réalité du monde. Au contraire, car c'est en fait dans la mesure où nous ne sommes pas en contact avec l'ultime réalité du monde que nous expérimentons le monde comme limité, douloureux et imparfait.

Notre perception actuelle de la réalité, limitée par notre degré d'évolution en conscience, est extrêmement étroite, et nous sommes incapables de percevoir l'ultime réalité qui est perfection. Nous sommes encore très loin de cela. Notre mental se révolte même simplement à l'idée que l'on puisse expérimenter ce monde comme parfait. Cela est impossible au niveau de la conscience ordinaire. Nous pouvons néanmoins élargir progressivement nos contextes de pensées afin d'entrer en contact, par une compréhension de plus en plus large, par une perception de plus en plus subtile et profonde (qui dépasse à partir d'un certain moment la simple compréhension du mental linéaire rationnel) avec la réelle beauté et la réelle perfection de l'univers. Ceci fait appel à une compréhension supérieure impliquant le cœur autant que les plus hautes capacités de l'intellect et de l'esprit. Mais ceci doit être une expérience et non pas une simple philosophie théorique, c'est-à-dire une croyance. Il y a une grande différence entre croire à la perfection de l'univers et expérimenter directement cette perfection.

Un réel élargissement de contexte n'est jamais directement en contradiction avec le contexte précédent plus étroit, et n'a pas besoin d'en être une négation. En fait, il l'inclut et lui donne sa signification dans sa limitation. Il est vrai, nous le savons maintenant, que la terre est ronde et non pas plate. Mais elle peut facilement être considérée comme plate sur une certaine distance. La perception de la terre comme étant ronde, perçue dans son ensemble, comprend la perception de la terre comme étant plate sur une distance relativement courte. Autrement dit, on peut passer d'un contexte de pensées à un contexte plus large sans avoir besoin de se battre pour savoir qui a raison et qui a tort (gymnastique préférée du mental inférieur automatique de l'être humain, dont les exemples abondent dans notre société actuelle, construite en grande partie sur la mécanique du mental inférieur). On a tous raison et tort dans une certaine mesure, il s'agit seulement de savoir à partir de quel point de vue on se place.

4 - Les points de vue, leur nécessité

Avoir un point de vue est excellent et indispensable. Mais « se faire avoir » par son point de vue est moins drôle.

Le fait qu'à chaque instant nous percevons la vie à partir d'un certain point de vue (c'est-à-dire dans un certain contexte de pensées), fait partie de la constitution naturelle de l'être humain en incarnation physique. Nous ne pouvons pas percevoir la vie autrement qu'à travers des points de vue et notre système mental est un instrument indispensable en ce sens. Par contre, nous avons le pouvoir de choisir comment nous allons utiliser cet instrument, c'est-à-dire que nous avons la possibilité de sélectionner ces points de vue et d'en changer au besoin.

Être enfermé dans un point de vue immuable est la pire prison que l'homme puisse s'infliger à lui-même, ***quelle que soit la largeur de son point de vue.*** L'important est moins le point de vue que d'être toujours prêt à lâcher son point de vue pour un autre qui, après libre examen, nous paraît plus intéressant.

> « *Pour moi l'enfer (si enfer il y a, ce dont je doute beaucoup) serait un état de totale satisfaction de son propre point de vue et donc une condition tellement statique que toute évolution de la pensée et tout progrès seraient définitivement arrêtés.* » Alice A. Bailey, *Autobiographie inachevée.*

Nous remarquerons qu'il est facile de voir comment les autres sont enfermés dans leurs points de vue; il semble bien plus difficile de se rendre compte à quel point nous sommes prisonniers des nôtres. Robert Monroe, directeur du Monroe Institute en Virginie, nous disait : « Trouvez la chose à laquelle vous croyez le plus au monde, celle qui vous semble absolument vraie et indiscutablement vraie : vous avez trouvé votre ultime illusion actuelle, celle qui emprisonne votre esprit. »

Si nous comparons l'évolution de l'être humain au fait de grimper une échelle, changer de contexte serait accepter de lâcher le barreau inférieur pour pouvoir atteindre le barreau supérieur. Rester accroché à son barreau peut sembler sécurisant parce que familier, mais à la longue on finit par se fatiguer et la vie perd de son intérêt. On se dit : qu'est-ce que je fais là ?... et quelque chose nous pousse à vouloir monter plus haut. Mais pour cela, il faut accepter de lâcher quelque chose : une façon habituelle (on dit personnelle, alors que l'on devrait plutôt dire automatique ou traumatique...) de percevoir les choses qui, nous donnant une fausse sécurité, nous emprisonne dans les automatismes de notre ego, nous empêchant de jouir pleinement de la vie.

Pourtant chaque barreau est utile et même absolument nécessaire pour nous permettre de grimper. Il en va de même avec nos points de vue, dans la mesure où on accepte de les lâcher en temps opportun.

Il ne s'agit donc pas de refuser tout contexte de pensées après s'être rendu compte de la limitation qu'ils imposent et d'être comme une plume au vent sans aucun point de vue ni contexte de pensées, ni de tomber dans un cynisme gratuit qui enlève toute énergie pour une action quelconque. Il s'agit de développer cet **état d'attention constante face au fonctionnement de notre mental,** et d'être toujours dans un espace de liberté face à nos propres points de vue, tout en utilisant ceux qui, dans le moment, sont accessibles à notre conscience et nous paraissent valables. C'est en passant nos contextes de pensées au crible de l'expérience et en gardant l'esprit éveillé face à notre fonctionnement mental que nous pouvons en tester les résultats et ainsi progresser dans la connaissance et la maîtrise.

5 - La difficulté du changement de contexte

Changer de contexte de pensées n'est pas chose facile ; c'est une gymnastique mentale à laquelle nous n'avons pas été formés en général. En effet, on ne nous a jamais appris que nous pouvions **choisir nos pensées et nos contextes de pensées.** On a vécu sans y réfléchir, utilisant inconsciemment des contextes de pensées inscrits dans notre système mental à partir de nos expériences psychologiques personnelles passées, des modèles familiaux et culturels, les remettant rarement en question, et les renforçant au contraire au fur et à mesure de nos expériences.

Le travail de changement de contexte n'est en général pas facile pour deux raisons :

D'abord, lorsque nous tenons absolument à notre point de vue et que nous sommes certains d'avoir raison, c'est-à-dire lorsque notre conscience est totalement identifiée à la structure mentale, **il est impossible de percevoir des « preuves » invalidant notre système,** puisque nous ne pouvons obtenir ces preuves qu'à travers notre système de perception. Les « preuves », c'est-à-dire ce que nous expérimentons chaque jour, ne font, au contraire, que renforcer notre système. On ne peut éventuellement se libérer d'un système que lorsque l'on prend conscience que l'on perçoit la vie à travers ce système, c'est-à-dire que notre conscience est identifiée à ce système.

Ensuite, notre mental automatique tient à ses propres systèmes de pensées et ses croyances, non pas parce qu'elles sont spécialement génératrices de bonheur (le mental inférieur est étranger à cela), mais parce que l'on a survécu jusqu'à présent avec ces systèmes. Or le mécanisme de survie par duplication du passé étant le mécanisme fondamental du mental inférieur, celui-ci se débattra comme un beau diable pour maintenir coûte que coûte ses propres systèmes, et ainsi retenir la conscience dans ses filets. Il n'y a aucune sagesse ni ouverture à ce niveau-là, juste un terrible accrochage à ce qui est connu, à ce qui provient du passé.

Nous donnerons un exemple pour illustrer cela, tiré d'un article de la revue Châtelaine.* L'article est une entrevue avec Jeanine Fontaine, docteur en médecine. Formée selon l'enseignement de la médecine classique, Jeanine Fontaine a pratiqué de nombreuses années dans ce domaine. Elle a découvert par la suite des méthodes de guérison que l'on qualifie d'« alternatives », travaillant à des niveaux plus subtils que le simple corps physique, et s'est trouvée posséder des talents assez remarquables en la matière. Sa capacité de guérir les gens s'est donc vue grandement améliorée, à la grande satisfaction de ceux qu'elle soignait. Par contre ceci n'a pas fait le bonheur de tous. Dans son entrevue elle raconte l'anecdote suivante :

> *Récemment, j'ai vu un médecin qui souffrait d'une maladie des extrémités, incurable par les méthodes classiques. J'ai accepté de le recevoir deux fois, même s'il n'avait pas lu mes travaux — j'insiste là-dessus pour que les gens que je traite comprennent ce qui peut se passer. Mais comme il était de passage à Paris — il habite la Bretagne — et que son cas était grave, j'ai tout de même accepté de le traiter. Il y a eu une amélioration spectaculaire de son état, au point qu'il a pu se remettre à faire du ski, loisir qu'il avait dû interrompre. Tout heureux, il décide de partir aux sports d'hiver, et là il en profite pour lire mes livres. Il avait un troisième rendez-vous avec moi. Il est entré et m'a dit : « C'est une visite de politesse... J'ai lu vos ouvrages. Je n'entrerai pas dans votre système. Je préfère garder ma maladie... »*

Ceci est un exemple typique du fonctionnement du mental inférieur ou mental automatique : mourir plutôt que de lâcher ou élargir son point de vue.

---

* Numéro d'août 1984, Montréal.

Même si notre mental inférieur n'est pas aussi rigide que celui du médecin de l'exemple précédent, il n'en reste pas moins que nous sommes soumis au même type de mécanisme, et que bien souvent nous mourons une succession de petites morts parce que nous n'avons pas été capables de percevoir la réalité sous un jour plus large.

Un point de vue est aussi une façon de ne pas voir...

Poggi

Tous les pionniers et ceux qui ont fait des découvertes fondamentales ont dû faire face à ce type de résistance de la part de leur environnement. Combien de musiciens du passé, célèbres maintenant, se sont fait huer et honnir lors de la présentation de chefs-d'œuvres, alors que ceux-ci sont maintenant reconnus et appréciés dans le monde entier? Dans tous les domaines de la pensée humaine, art, science, politique, éducation, etc., les vrais pionniers ont rarement été acceptés d'emblée. En fait, lorsqu'un nouveau paradigme devient accepté par la conscience générale, il arrive nécessairement des personnes qui ont le génie et le courage de présenter de nouvelles avenues à la conscience humaine, et c'est ainsi que celle-ci peut continuer à évoluer. C'est un processus permanent.

Une façon plus subtile de tenir à son point de vue est de tomber dans le piège suivant : on vient de sortir d'un contexte, car on en a trouvé un plus large, et maintenant on pense qu'on a la vérité. Autrement dit, on devient prisonnier du nouveau contexte. Or, comme nous l'avons vu, ce qui est important est moins le contexte en lui-même, car celui-ci sera toujours limité, aussi large qu'il soit (au moins encore pour un temps de l'évolution humaine), que **la liberté avec laquelle on peut en sortir, l'élargir ou le changer au besoin.** Ceci est fréquent chez les gens du « nouvel âge » qui, s'étant rendu compte de certaines limitations des contextes de pensées de notre culture ordinaire, croient avoir trouvé la vérité ultime simplement parce qu'ils ont réalisé un petit pas en avant, ou bien se mettent à croire fébrilement tout ce qui se démarque de la culture conventionnelle sans avoir expérimenté par eux-mêmes ce en quoi ils choisissent de croire sans discernement. Les croyances sont des croyances, qu'elles soient de la couleur nouvel âge ou autre ; elles limitent notre réelle compréhension du monde.

L'esprit est comme un parachute : il ne nous sauve que lorsqu'il est ouvert.

L'être humain devient libre dans la mesure où il apprend à utiliser son système mental au lieu que ce soit son système mental qui l'utilise.

Soyez transformés par le renouvellement de votre esprit.
Saint Paul

Accepter de remettre en cause nos points de vue les plus familiers est une garantie de croissance accélérée de la conscience. Le principe de responsabilité-attraction-création que nous présenterons plus loin ne sera pas nécessairement évident à priori pour la plupart d'entre nous qui avons été élevés plus ou moins ouvertement dans le contexte de victime ou d'impuissance. C'est pourquoi il ne sera peut-être pas accepté d'emblée, mais cela vaut la peine d'y réfléchir.

Ce travail peut paraître aride et intellectuel à certains, surtout à ceux qui aiment mettre beaucoup d'énergie émotionnelle dans tout ce qu'ils font. Ce n'est pourtant pas un travail strictement intellectuel. C'est un travail de conscience, ce qui est différent. Il commence par une ouverture et un assouplissement de l'intellect, mais cela n'est que le premier pas. C'est précisément cette ouverture de l'intellect qui permettra de le dépasser. C'est l'assouplissement de la matière mentale inférieure qui va pouvoir donner accès à l'utilisation d'une matière mentale supérieure.

Les plus grandes découvertes et les plus belles inspirations, les compréhensions les plus globales et les plus profondes ne proviennent pas de l'intellect ordinaire. Elles proviennent d'une partie supérieure du mental qui est en connexion avec les niveaux supérieurs de l'être. Quelquefois une forte expérience émotionnelle permet de faire une percée dans ces sphères en court-circuitant le mental ordinaire, et c'est très bien, cela réveille. Mais si on veut pouvoir utiliser ces niveaux supérieurs de perception en permanence, il faut harmoniser la totalité de l'être, et en particulier assouplir le mental ordinaire qui est le chemin par lequel l'être humain doit passer (mais seulement passer...) pour pouvoir aller plus loin.

Le pouvoir de la pensée, et donc le pouvoir des contextes générateurs de pensées, est immense.

> *L'amour est le grand unificateur, la première impulsion d'attraction, cosmique et microcosmique, mais le mental est le principal facteur créateur, celui qui utilise les énergies du cosmos. ...Le mental attire, repousse et coordonne, aussi sa puissance est-elle inconcevable... La race (humaine) avance vers une époque où l'homme fonctionnera comme intelligence, où celle-ci sera plus forte que le désir et où le pouvoir de la pensée s'utilisera pour attirer et gouverner le monde, comme y sont employés maintenant des facteurs matériels et affectifs.* Alice A. Bailey, *Traité sur la Magie Blanche*, page 125. Op. cit.

Cela voudra-t-il dire que l'être humain aura oublié son cœur ? Bien au contraire. C'est en apprenant à utiliser la matière mentale à partir de la volonté claire du Soi que la nature émotionnelle pourra être de plus en plus harmonisée et que les capacités d'amour vrai, de compassion, de fraternité, de tendresse et d'affection pourront se manifester sans drames émotionnels ni attachement, dans la paix, la joie, la liberté, la vérité et l'intensité du moment présent. À ce moment-là seulement, nous devenons capables de célébrer la vie. L'amour n'est pas une émotion, bien qu'il puisse s'exprimer à travers les émotions. L'amour est l'expression directe de l'énergie du Soi. C'est un état de conscience. Et cette expression ne peut se réaliser que dans la mesure où il n'y a pas de blocage au niveau mental. Le cheval est utilisé à son meilleur si le cocher est capable de recevoir et d'utiliser la connaissance et la sagesse du maître.

Dans ce sens nous verrons que le concept de responsabilité-attraction-création, que nous présenterons plus loin comme une alternative à l'état d'esprit de victime, est un contexte de pensées qui ouvrira non seulement notre esprit, mais aussi tout notre cœur.

Nous l'examinerons sous différents angles. En particulier, nous en examinerons les conséquences concrètes dans la vie quotidienne. Nous pourrons évaluer ensuite si c'est un contexte valable que nous aimerions intégrer davantage dans notre vie actuelle, lorsque nous en aurons bien compris le sens. Nous le conserverons en autant qu'il nous permet de faire des expériences et des découvertes intéressantes et non pas comme une réalité finale, ce qui serait tomber encore une fois dans le piège de l'illusion mentale.

Pour pouvoir intégrer ce contexte, cela nous demandera probablement un élargissement de nos systèmes habituels. Cela en vaut la peine lorsque l'on se rend compte à quel point ce contexte est riche, libérateur, porteur de paix, de joie et de liberté.

CHAPITRE III

L'ÉTAT D'ESPRIT DE VICTIME

Définition et conditions de départ

La vie est le grand voyage de notre Soi à la découverte des trois mondes inférieurs. Pour pouvoir faire ce voyage, nous avons vu précédemment qu'il a besoin d'un véhicule fait de la matière des trois mondes. Pour le moment son véhicule (corps physique, émotionnel et mental) est plus ou moins au point. Comparons-le à une automobile.

Ce grand voyage de la vie est une expérience merveilleuse quand notre auto roule bien (c'est-à-dire lorsque la personnalité fonctionne en harmonie avec le Soi). Et certains de nos artistes et mystiques, avec de grandes envolées lyriques, nous décrivent l'enivrement et même l'extase de ce voyage quand tout va bien. Cela nous inspire à rechercher cet état et c'est très bon.

Le propos de ce livre, par contre, est différent. Au cours de ce chapitre et du suivant, nous allons en effet prendre conscience d'un certain mécanisme de la pensée qui rend notre vie et celle des autres très pénible. Autrement dit, nous nous arrêtons momentanément sur le bord du chemin, car nous avons observé que notre auto ne fonctionnait pas aussi bien qu'on le voudrait. Quand on veut tourner à gauche, elle tourne à droite, quand on accélère l'essence n'arrive pas, et plusieurs fois, lorsque l'on a voulu freiner, les freins ont lâché. On s'en est sorti de justesse. Dans ces conditions, le voyage de la vie, qui promettait d'être si agréable, est devenu frustrant, pénible et même dangereux. Alors, sur le bord du chemin, nous allons examiner notre mécanique, un aspect en particulier qui semble être à la source de beaucoup de mauvais fonctionnements de notre véhicule. Prenant conscience de la partie mécanique défectueuse, nous pourrons éventuellement choisir de la changer. Un garagiste (c'est-à-dire un thérapeute compétent ou un bon cours de croissance) peut toujours nous aider, mais à condition que nous soyions d'accord pour faire la réparation. Aucun garagiste ne peut nous imposer ou faire un réglage quelconque de notre auto sans que nous le demandions clairement et que nous soyions d'accord pour collaborer. Ou bien nous pourrons faire la réparation nous-mêmes avec un bon livre d'instruction, en fonction de notre habileté en mécanique, c'est-à-dire en fonction de notre capacité personnelle de travail sur soi.

Ce temps d'arrêt est certainement moins enthousiasmant que les moments où tout va bien et où nous roulons sur des routes merveilleuses à la découverte de paysages nouveaux. Pourtant, ce temps est indispensable si nous voulons pouvoir continuer le voyage de notre vie dans la paix, la joie et l'épanouissement.

Nous serons donc plus garagiste que poète ici, plus psychologiquement terre à terre que dans le ciel. Mais il vaut mieux faire ce travail de conscience, qui n'est pas si compliqué, et repartir avec un meilleur véhicule, que de rester assis sur le bord du chemin en rêvant notre vie au lieu de la vivre vraiment, regardant les autres passer en faisant semblant que tout va bien alors que nous mourons d'ennui, de rage et de frustration, assis là, sans pouvoir aller plus loin.

Pourtant, avant de décrire l'état du moteur, c'est-à-dire un certain comportement de la nature humaine, nous aimerions rappeler que, même si cette description est faite clairement, directement et sans artifice, sa source provient de la compassion et de la reconnaissance du désir fondamental de liberté qui résident à l'intérieur de chaque être humain. Elle est faite dans un but de prise de conscience et de libération. Nous pourrons y ajouter un peu d'humour en passant, si nous trouvons cela trop lourd, car rappelons-nous que **notre mécanique, ce n'est pas nous !**

L'état d'esprit de victime, qui est la mécanique mentale-émotionnelle que nous allons examiner, avec toutes ses variantes, est l'une des sources principales de la négativité polluant actuellement la planète à tous les niveaux. Pourtant une partie de l'humanité est maintenant prête à fonctionner sur d'autres bases. Notre but est d'aider chacun à se libérer des chaînes qui l'entravent pour exprimer son Être réel et profond qui est fait de sagesse, de beauté et d'amour, et trouver réellement le bonheur et la liberté.

Il est alors important de garder à l'esprit, lors de la lecture de ce chapitre et du suivant, que l'état d'esprit de victime, que nous définirons plus précisément un peu plus loin, n'est qu'un état qui entraîne certaines conséquences. ***Ce n'est pas la personne*** dans son essence. À certains moments notre conscience est dominée par cet état d'esprit ; alors on agit et on expérimente la vie en conséquence. Mais en d'autres temps des énergies différentes peuvent diriger notre vie ; en particulier cela peut être l'énergie du Soi. Il est donc important de ***ne pas se coller, ou coller aux autres, une étiquette définitive de « victime »***. Car personne en essence n'est victime. Ce n'est qu' un état d'esprit passager qui peut malgré tout durer une vie entière si l'identification est forte, et tôt ou tard, nous pouvons tous en être complètement dégagés.

C'est pourquoi, après avoir pris soin de décrire en détail ce fonctionnement inefficace en terme de bonheur, afin que nous puissions bien le reconnaître en nous et ainsi pouvoir nous en défaire plus facilement, nous proposons dans la deuxième partie du livre une autre façon de fonctionner. Nous avons observé celle-ci à travers notre expérience et celles de très nombreuses personnes, et l'avons trouvée plus valable, libératrice, génératrice de paix, d'amour, de puissance et de liberté. Une toute nouvelle pièce de rechange de meilleure qualité et qui servira longtemps!

Nous allons donc examiner avec soin la structure mentale correspondant à l'état d'esprit de victime, puisqu'elle semble être la source de bien des ennuis. Cette structure s'appuie sur un système de croyances tellement intégré dans la conscience collective qu'il est souvent bien difficile de réaliser qu'il s'agit d'une croyance. En général, la plupart des gens considèrent que c'est la réalité, que le monde est vraiment ainsi. Tout le monde baignant dans ce système depuis la plus tendre enfance, tout le monde nourrit cette perception de façon plus ou moins intense ou traumatique, plus ou moins intellectuelle ou émotionnelle selon les cas. Mais le système de base et la coloration du filtre mental qui s'ensuit sont les mêmes. Chacun se prouve à lui-même, chaque jour, que ce sytème ***est*** la réalité, et le croit de plus en plus fermement, puisque c'est ainsi que fonctionne le système mental humain lorsqu'il y a identification.

Appliquant ce que nous avons vu précédemment, nous allons examiner cette façon de percevoir les choses. Nous ne chercherons pas à savoir si la réalité est bien ainsi. Elle l'est effectivement, au niveau de l'expérience, pour celui ou celle qui la perçoit ainsi. Nous allons plutôt examiner ce que ce système de croyances entraîne comme conséquences au niveau de la qualité de l'expérience de la vie, afin de pouvoir évaluer clairement s'il s'agit d'un système de pensées, d'un contexte, qui produit bonheur et harmonie en nous et autour de nous. Nous pourrons ainsi choisir consciemment et librement de l'adopter ou de le rejeter.

1 - Définition du paradigme de la victime

L'état d'esprit de victime et le paradigme sous-jacent à cet état d'esprit peuvent se définir comme suit :

> *Je suis impuissant(e) et vulnérable dans un monde hostile, injuste, dangereux et soumis au hasard.*
> *Il y a des gens qui ont de la chance et d'autres pas. La vie est incohérente, imprévisible et pleine de dangers. Je n'ai pas, ou très peu, de pouvoir sur ce qui peut survenir dans mon existence. Il est bien difficile d'obtenir ce que l'on veut dans la vie. Le mieux que l'on puisse faire c'est de se battre, essayer de contrôler au maximum, se protéger et se défendre des autres et de la vie, et éventuellement prier le ciel pour qu'il ne nous tombe pas sur la tête.*

Cette façon de percevoir le monde constitue la « réalité » au sein de laquelle vivent la plupart des gens. C'est la paire de lunettes (le filtre mental) à travers laquelle ils regardent la vie. Lorsque l'on porte une paire de lunettes bleues, on voit tout en bleu. Les difficultés surviennent lorsque l'on oublie que l'on porte une paire de lunettes sur le nez et que l'on croit, tout d'un coup, que tout est réellement bleu. Ainsi la plupart des gens pensent que la vie est ainsi faite, et ils vont protester bruyamment si vous leur dites que la vie peut être différente. Ils tiennent à leurs points de vue, et ont toute une série de « preuves » à vous donner pour les justifier. Il leur suffirait pourtant de changer de lunettes pour savoir que la vie peut montrer d'autres couleurs...

Cette façon de percevoir la vie donne lieu à une « maladie » de l'esprit, maladie dans le sens de génératrice de mal-être, que l'on peut appeler « **la victimite** ».

La « victimite » est une maladie mentale fort répandue actuellement dans notre société. On la trouve sous forme aiguë et également sous forme chronique à peu près partout. Cette maladie est tellement répandue que la plupart des gens ne se rendent même pas compte qu'ils en sont atteints puisque tout le monde est comme eux, sauf peut-être quelques extra-terrestres... C'est une maladie de l'esprit due à une rigidification de certains systèmes mentaux, entraînant des conséquences fort désagréables, souvent même tragiques, pouvant aller jusqu'à la mort de la personne atteinte et même de ses proches. La victimite est contagieuse et demande des soins attentifs et ininterrompus pendant un temps souvent assez long pour pouvoir être guérie. Personne ne peut guérir une victimite de l'extérieur; la guérison ne peut être réalisée réellement que par la personne atteinte elle-même, lorsque celle-ci s'est rendue compte de son état, de ce que cela lui coûte, et qu'elle décide de se débarrasser de cette maladie. Une fois ce choix fait, il existe des moyens très efficaces pour changer cet état d'esprit regrettable, moyens dont l'efficacité a été testée sur des milliers de cas.

Comment se fait-il que la « victimite » soit si répandue, au point que cet état d'esprit soit si facilement accepté par chacun et par l'ensemble de la société ?

Pour mieux comprendre ce phénomène, nous observerons au cours de ce chapitre quelles sont les conditions psychologiques qui favorisent l'implantation de ce « virus » et comment il se propage. Lors du chapitre suivant, nous examinerons les symptômes caractéristiques de la maladie, ce qui nous permettra d'évaluer dans quelle mesure nous pourrions en être éventuellement atteints. À partir du chapitre VI, nous présenterons une cure.

2 - *Les conditions de développement de la victimite*

Deux structures mentales-émotionnelles, en grande partie reléguées dans l'inconscient, sont principalement à la base de cet état d'esprit. Elles reposent, pour la première, sur un sentiment de manque et pour la deuxième, sur un sentiment d'impuissance. En général l'installation de ces structures s'est faite à partir de certaines expériences de la toute petite enfance.

Il est important de réaliser, néanmoins, que la façon dont une personne réagit à certaines circonstances ***dépend de son degré d'évolution*** et donc de ce qu'elle choisit intérieurement de faire avec ces circonstances. Ce ne sont pas les circonstances qui sont réellement la cause de ces structures, mais elles favorisent leur installation. Ceci sera clarifié lors de la deuxième partie du livre. Il est malgré tout intéressant de noter ces conditions, car cela facilite la compréhension du fonctionnement.* D'une façon générale, on peut dire que les trois conditions favorisant l'implantation des structures de manque et d'impuissance sont les suivantes :

1er type de conditions (en général à la source du sentiment de manque et de ses conséquences) :

Lors de l'expérience de la naissance et lors des premières années de la vie, il arrive souvent que le très jeune enfant ne reçoive pas l'amour, l'attention, le soutien physique, affectif et moral dont il a besoin. Il peut alors décider, à partir de cette expérience qu'il vit souvent très douloureusement, que dans ce monde, ses besoins les plus essentiels ne peuvent pas être satisfaits. Il en déduit que les autres sont méchants et « ne sont pas

---

* L'influence des expériences de la petite enfance sur les comportements de l'adulte est reconnue depuis longtemps. On peut trouver d'intéressantes références sur ce sujet dans les écrits de Reich et de Lowen décrivant les différentes structures de caractères qui se développent à partir de certaines expériences de l'enfance. Ceci est également abordé dans de nombreuses études concernant le développement personnel et transpersonnel. L'important maintenant est de trouver des moyens efficaces pour se dégager de ces structures et retrouver sa liberté.

corrects »* puisqu'ils ne veulent pas lui donner ce qui lui est dû, qu'il est impossible d'être comblé, que la vie est source de souffrances et d'insatisfaction (premier ensemble de systèmes de croyances face à la vie).

La personne développe donc inconsciemment dès sa plus petite enfance, un sentiment aigu d'insatisfaction, de manque et de frustration, qui constitue la base sur laquelle se construira la première structure mentale qui générera l'état d'esprit de victime. Ceci est relégué pour la plupart du temps dans l'inconscient, mais n'en influencera que plus fortement les réactions émotionnelles ultérieures lors d'événements de la vie quotidienne.

Cela n'implique pas nécessairement une enfance très malheureuse. Cela concerne plutôt les décisions intérieures que l'enfant choisit de prendre face à ce que lui apporte son environnement. Nous verrons plus précisément au cours de la deuxième partie comment et pourquoi ce choix se fait. Il est évident que certaines circonstances favoriseront l'installation de ce genre de programmation, mais pas nécessairement dans tous les cas. Certaines personnes passeront à travers des conditions assez difficiles sans se programmer spécifiquement. D'autres, par contre, utiliseront des événements banals pour se construire une structure d'insatisfaction.**

Accompagnant la construction de ce système de perceptions au niveau mental inconscient (manque, frustration et insatisfaction), rage, colère et agressivité s'accumulent au niveau émotion-

---

* Le dictionnaire donne la définition suivante du mot « correct » : « conforme aux règles ». Ici, et dans la suite du texte, lorsque nous parlerons de personnes « correctes », nous l'utiliserons dans un sens élargi, sans la connotation superficielle que ce mot a pu prendre. Nous exprimerons ainsi l'idée d'une personne à qui on ne peut rien reprocher, que l'on considère comme « bien » et tout à fait acceptable telle qu'elle est. On trouve l'équivalent de cette nuance dans la langue anglaise : to be O.K.

** Par exemple : Bébé, en train de téter au sein de sa mère, est divinement heureux et satisfait. Le téléphone sonne. Maman, qui attendait un message important, remet rapidement bébé dans son berceau et disparaît dans une autre pièce. Bébé peut choisir à ce moment-là, selon son degré de conscience et sa structure interne, d'expérimenter cela comme un abandon terrible et en faire un traumatisme de rejet, ou laisser passer l'expérience sans traumatisme d'aucune sorte. Dans le premier cas, il décidera que dans la vie, quand ça va trop bien, cela finit toujours mal, et qu'on ne peut faire confiance à personne. Il s'empêchera à partir de ce moment-là de jouir vraiment des bons moments de la vie de façon libre et détendue. Il attendra toujours le pot sur la tête après avoir reçu les fleurs... Une programmation parmi tant d'autres qui se forment pendant l'enfance et qui, petit à petit, structurent l'état d'esprit de victime.

nel, constituant une protestation véhémente face à ce qu'offre la vie. Mais lorsque l'enfant veut exprimer ces sentiments, il est fortement réprimandé, pour ne pas dire écrasé, par le système environnant. Ceci ne fait qu'augmenter la charge d'émotions négatives tout en les refoulant plus profondément dans l'inconscient puisqu'il est impossible de les exprimer. Il développe alors un sentiment d'impuissance dans cet univers sourd à ses besoins, non-nourrissant, hostile, absolument incompréhensible et soumis au hasard. Ce dernier point, ajouté au deuxième type d'expérience que nous allons présenter, complète l'édification de la structure d'impuissance formant le deuxième aspect majeur de la structure de la victime.

2e type de conditions (en général à la source du sentiment d'impuissance) :

Cela se construit en général à partir des conditions mentionnées précédemment auxquelles s'ajoutent toutes les expériences de la petite enfance au cours desquelles, chaque fois que le jeune enfant a voulu s'exprimer et créer quelque chose par lui-même, il s'est senti, plus ou moins subtilement ou brutalement selon les cas, mis face à une montagne d'interdictions, limité ou même écrasé par l'environnement familial ou social. Au moment très spécifique où les structures mentales inconscientes se forment (celles qui dirigent inconsciemment notre vie par la suite si on ne fait rien pour les rendre conscientes), le monde extérieur n'a donné à l'enfant ni soutien, ni respect, ni liberté d'expression, ni reconnaissance de son propre pouvoir. Au contraire, on l'a obligé à faire des choses qu'il ne voulait pas faire, en lui faisant comprendre indirectement mais très clairement que s'il ne se soumettait pas, on lui enlèverait l'amour qu'on lui porte, ce qui constitue une menace terrible pour un jeune enfant. Cela peut aller de l'obligation de manger une soupe que l'on n'aime pas, jusqu'à des expériences plus profondément douloureuses comme l'inceste, par exemple. On lui a donc fait comprendre que s'il voulait être aimé (besoin fondamental de l'être humain), il devait se soumettre à l'autorité extérieure (parents, éducateurs, frères et sœurs aînés, société, etc.) même si cela allait à l'encontre de ses besoins les besoins les plus fondamentaux. On lui a fait croire qu'il ne savait rien, qu'il ne pouvait rien, qu'il n'avait pas le droit d'exprimer et de satisfaire ses propres besoins, qu'il était incapable d'inventer et de créer sa vie, et que s'il voulait être aimé, il devait se soumettre.

Toute une structure intérieure s'élabore à ce moment-là. L'enfant, pour se protéger et arrêter de trop souffrir, réagira en général par la soumission et/ou la rébellion. Dans les deux cas, un fort sentiment d'impuissance se développera, en même temps que s'accumuleront colère, rage et agressivité contre ce monde qui ne le respecte pas, ne lui permet pas de satisfaire ses propres besoins et ruine tout espoir de vivre le bonheur et la joie que l'enfant intérieur sent encore en lui. Cet espoir sera donc bien vite enfoui sous le désespoir, la peur et la colère. Car au tout début de sa vie, l'enfant est encore en contact avec son être intérieur, assez pour savoir ce qu'il veut, ce dont il a besoin et ce dont il est capable. En tant qu'enfant il dépensera une énergie incroyable pour essayer de se faire entendre, exprimer ses besoins et sa créativité, mais en général le monde adulte est incapable de percevoir ses appels désespérés.

Face à la résistance et souvent même à l'écrasement que lui offre le monde ordinaire, l'enfant refoule autant qu'il le peut et construit ainsi, mois après mois, année après année, un lourd bagage inconscient de programmations mentales-émotionnelles négatives; ou bien ce bagage reste tel quel et donnera lieu à un tempérament agressif ouvert ou légèrement refoulé. L'enfant utilise alors l'énergie naturelle de son propre pouvoir pour nourrir son agressivité, au lieu de nourrir sa créativité naturelle, ce qu'on ne lui a pas permis de faire. Il gardera le même comportement lorsqu'arrivé à l'âge adulte. L'agressivité légèrement refoulée se traduira alors souvent en méfiance, soupçon, peur de se faire avoir, peur de se faire manipuler, résistance à tout ce qui ressemble de près ou de loin à de l'autorité. L'esprit et le cœur se rigidifient et se ferment.

Ou bien, selon ses autres caractéristiques psychologiques, l'enfant peut aussi s'effondrer et transformer ces émotions négatives en désespoir, en perte de confiance en soi et en la vie. Ceci l'amènera par la suite, dans sa vie d'adulte, à une grande tristesse intérieure et à la dépression. Il renonce à son pouvoir. L'agressivité, présente malgré tout dans ce cas, est refoulée beaucoup plus profondément, et utilisée plutôt pour une négation de soi-même. Mais, dans les deux cas, **la personne a perdu le sens de son propre pouvoir.**

Ces décisions mentales face à sa propre impuissance et à l'hostilité de l'univers en général, s'imprimeront profondément dans l'inconscient de l'enfant. Elles constitueront un cadre de référence à travers lequel l'enfant commencera à regarder la vie et à partir duquel, inconsciemment, l'adulte fera ses choix. C'est en ce sens que **ces programmations, refoulées dans l'inconscient, dirigeront sa vie d'adulte sans qu'il s'en rende compte.**

Ces expériences ne s'arrêtent pas à la petite enfance. Mais les décisions de base étant prises et le filtre mental étant coloré d'une certaine façon, la personne continue à accumuler tout au long de sa vie des expériences qu'elle percevra à travers son filtre mental programmé dans ce sens dès le départ et qui ne feront que renforcer ces programmations.

Après toutes ces expériences qui se sont imprimées fortement dans l'inconscient puisqu'elles ont été chargées émotionnellement, la personne est persuadée à priori que le contrôle de sa vie lui échappe, que la vie est difficile et injuste, que les autres sont là « pour l'avoir » ou pour essayer de la dominer, de la manipuler ou de l'écraser, qu'elle doit se protéger, se méfier, contrôler, se battre ou se défendre et manipuler à son tour pour obtenir ce qu'elle veut. Elle décide de penser que c'est ainsi que la vie est faite, pleine de dangers et de souffrances, à cause des autres ou de circonstances malheureuses.

À partir de ce moment-là, son système mental ainsi structuré l'amenant à voir la vie, les autres et les choses comme elle pense qu'ils ou elles sont, elle sera persuadée que ce qui lui arrive, ainsi que ce qui arrive aux autres, est l'effet d'un hasard, en général injuste, et qu'elle n'a aucun pouvoir sur sa vie. La seule chose qu'elle puisse faire c'est, au mieux, vivre d'espoir, ou au pire, comme durant l'enfance, sombrer dans la tristesse et la dépression ou développer une agressivité ouverte envers les autres et envers la vie. Ceci est en général la base de cet état d'esprit.

3e type de conditions (renforçant les deux structures précédentes) :

Il s'agit de l'environnement humain en général. Les comportements familiaux et sociaux, structurés en général par l'état d'esprit de victime, apportent en général, en tant que modèle, un fort impact sur le jeune enfant dans l'élaboration de sa propre structure. On ajoute donc à l'expérience de l'enfant le poids de l'expérience analogue des parents et de tous ceux qui l'entourent. Car eux aussi se sont en général structurés de la même façon lors de leur expérience d'enfance et au contact de leurs propres parents. Directement ou indirectement, on pourrait même dire subliminalement, contenant plus ou moins bien leur anxiété, leur tristesse, leur agressivité ou leur frustration, ceux-ci expriment leur « réalité » lors de leurs interactions avec l'enfant, jour après jour, à travers chacune de leurs paroles et de leurs actions, au niveau mental comme au niveau émotionnel. Ils communiquent sans arrêt le même message, à savoir que le monde n'est pas drôle, que nous sommes soumis au hasard et que nous n'avons naturellement que très peu de pouvoir sur ce qui peut advenir dans notre vie ; on n'a pas d'autres choix devant les vicissitudes de l'existence que de se raidir et se battre ou s'écraser et se plaindre, que de se fermer et s'insensibiliser ou vivre dans la peur et la souffrance.

Tout ceci n'émerge pas au grand jour dans la vie sociale courante. Tout le monde fait semblant que tout va bien. Toutes ces émotions négatives sont soigneusement refoulées et enveloppées dans une image de bonne personne, équilibrée, sociable, pleine de bon sens et de bonne volonté. Ce n'est que dans la réalité des relations interpersonnelles de tous les jours que la réelle charge émotionnelle émerge à des degrés plus ou moins violents, dépendant des circonstances. Cela émerge aussi dans la réalité du corps physique sous forme de maladies lorsque le refoulement s'est prolongé trop longtemps.

Dans notre culture actuelle, aussi « normale » qu'ait pu être notre enfance, nous avons tous été soumis plus ou moins à ce type de frustrations, aussi bons et généreux qu'aient pu être, essayé d'être ou pensé être nos parents. Par là même, les comportements décrits plus loin comme conséquences de cette structure mentale ne sont pas l'apanage de quelques personnes seulement. Car même si nos conditions d'enfance ont été acceptables, nous avons baigné dans un contexte social et culturel imprégné de l'état d'esprit de victime et nous avons en général laissé s'installer cette mécanique mentale dans notre esprit, sans même nous poser une seule question. C'est donc une attitude collective que nous retrouvons partout de façon évidente ou subtile. C'est ce qui est très regrettable, car nous nous maintenons ensemble dans l'illusion que cette perception de la réalité est la réalité puisque tout le monde pense de la même façon. Et c'est d'autant plus regrettable que bien des pouvoirs en place le savent et utilisent abondamment la mécanique de cette structure afin de dominer et manipuler les masses.

Cette forme-pensée collective fortement nourrie depuis des siècles fait qu'il n'est pas facile en général de sortir de la victimite et de fonctionner totalement à partir du principe de responsabilité-attraction-création que nous présenterons plus loin. Cela confronte nos structures inconscientes les plus profondément installées, souvent à partir d'expériences traumatiques, et entretenues soigneusement par tout notre environnement culturel. En général, au niveau ordinaire de la conscience, nous tenons à garder nos vieilles structures de pensées car, durant notre petite enfance, au moment où nous étions le plus réellement vulnérables, elles nous ont protégés. Par exemple, se soumettre et refouler l'agressivité a été ce qui nous a permis de ne pas nous faire complètement détruire par le pouvoir des adultes. Cela est vrai. Pourtant, ayant atteint l'âge adulte, ces structures ne sont plus une protection, mais une entrave à notre propre développement intérieur, à notre joie de vivre et à notre épanouissement plus total en tant qu'être humain. C'est seulement lorsque l'on se rend compte de cela que l'on peut commencer à se libérer de l'emprise de ces structures sur nous-mêmes.

Les trois types de conditions présentées précédemment font que le paradigme de la victime est fortement ancré dans la conscience collective. Plus on « croit » à cela, plus notre conscience est identifiée à ce système, plus on perçoit le monde ainsi. On interprète tout ce qu'on voit, entend, tout ce que les autres font ou disent, tous les événements, en fonction de ce système. On se donne donc de plus en plus de « preuves » que l'on a raison, et on s'enfonce de plus en plus dans notre système de perception en étant fortement persuadé que le monde est vraiment ainsi. Et rappelons que l'on ne peut sortir d'un système de croyances ou paradigme quelconque à l'aide de preuves, puisque nous ne pouvons obtenir ces preuves qu'à partir de notre propre système de perception. C'est pourquoi nous ne discuterons pas de la réalité de la perception de la personne atteinte de victimite. C'est effectivement une réalité pour elle, c'est la réalité qu'elle perçoit. C'est un état d'esprit qu'elle a installé dans sa conscience, en général au début de sa vie, et dont elle recueille les fruits tout au long de son existence. Nous ne ferons qu'observer comment se manifeste cet état d'esprit dans la vie de tous les jours et quelles en sont les conséquences pratiques.

Nous allons donc observer maintenant ce que cet état d'esprit entraîne comme attitudes au niveau mental et émotionnel, quand il est actif dans la conscience et l'inconscient personnel et collectif. Comment expérimentons-nous la vie lorsque le virus de la victimite est en action ? Ceci nous permettra de déceler les symptômes de cette « maladie », et en même temps d'évaluer l'efficacité ou l'inefficacité de ce point de vue en terme d'épanouissement et de bonheur.

CHAPITRE IV

LES SYMPTÔMES DE LA VICTIMITE

Nous allons examiner maintenant quels sont les comportements que l'on observe le plus souvent chez les personnes atteintes de victimite.

Afin d'abréger, dans ce chapitre nous appellerons « victime » la personne atteinte de victimite, c'est-à-dire fonctionnant à partir de l'état d'esprit de victime. De plus, en français le mot « victime » est du genre féminin, mais il est bien évident qu'autant les hommes que les femmes peuvent être atteints...

C'est en observant les symptômes de la victimite que l'on pourra éventuellement reconnaître dans quelle mesure on est atteint, et si l'on est atteint seulement occasionnellement ou en permanence.

Rappelons que ces symptômes sont une conséquence directe de la façon dont on perçoit le monde, c'est-à-dire du contenu de notre filtre mental tel qu'il a été décrit au chapitre précédent. Il nous suffira donc de changer notre perception des choses, d'assouplir et d'élargir notre structure mentale, en même temps que de nous dégager émotionnellement, pour que se résorbent les symptômes décrits ci-dessous. Vivre dans l'état de victime c'est tout simplement laisser notre vie être dirigée par un cocher incompétent ou peu développé dont les structures se sont rigidifiées pendant l'enfance et qui est incapable de maîtriser le cheval et de l'utiliser à son meilleur. C'est ce qui entraîne les comportements mentaux-émotionnels, les symptômes, que nous décrirons. Il est facile de voir que la dynamique sous-jacente à la plupart de ces comportements est la reproduction psychologique inconsciente des états d'être de l'enfance ; c'est une recherche malhabile et souvent désespérée de compensations aux manques et frustrations du passé. Une fois que ceci est conscientisé, il est tout à fait possible de se dégager de ces mécaniques intérieures qui nous empêchent d'être heureux.

On peut très bien guérir de la victimite, et au cours de la deuxième partie de ce livre nous donnerons un moyen au niveau conscient pour y arriver. Il est important de garder ceci bien présent à l'esprit avant d'aborder la lecture de toutes les manifestations de cette maladie (maladie au sens de mal-être), afin de permettre une observation sincère mais détachée à laquelle nous pourrons ajouter un peu d'humour pour ne pas se prendre trop au sérieux. Car, encore une fois, rappelons que ces symptômes sont relatifs au fonctionnement de notre machine et ne concernent pas ce que nous sommes en essence, à savoir notre Soi. Par contre, ils sont une indication intéressante relativement à ce qui nous empêche de manifester notre Soi librement et totalement dans toute sa beauté, son amour, sa puissance et sa joie; une indication intéressante relativement à ce qui nous empêche de réaliser notre plein épanouissement.

Nous observerons également que lorsque l'on est atteint de victimite, on ne présente pas nécessairement tous les symptômes qui seront décrits. Chacun a sa façon propre de réagir à la victimite, avec son style et ses variantes. On peut aussi être atteint par intermittence seulement. Il y a des cas graves et des cas bénins, des états de crise aiguë et des états chroniques, des symptômes évidents, d'autres plus subtils. Il y a des convalescences et des guérisons...

Dans la manifestation des symptômes, on observera des catégories différentes, par exemple la ***victime dépressive-passive*** ou la ***victime agressive-active*** qui peuvent se manifester de façons diverses. La victime dépressive aura tendance à se détruire elle-même, alors que la victime agressive aura plutôt tendance à vouloir détruire les autres. La même personne peut passer d'une catégorie à l'autre à différents moments de sa vie. Les symptômes peuvent être très différents et même apparemment opposés. Nous y reviendrons plus en détail vers la fin de ce chapitre.

Rappelons-nous aussi que la personne atteinte de victimite (y compris nous-mêmes) a droit à toute notre compassion, car cette personne souffre réellement, bien qu'elle ne le reconnaisse pas toujours. Elle ne connaît pas la source de sa souffrance et livre en permanence un combat sans espoir contre elle-même et contre l'univers. Prenons soin de reconnaître son humanité, l'humanité de tous ceux qui nous entourent et aussi la nôtre, quels que soient nos comportements, afin de ne pas juger mais de comprendre et d'aimer. En embrassant toutes ces structures psychologiques, y compris les nôtres, avec compassion et compréhension, nous apportons l'aide la plus précieuse pour les assouplir. Car y a-t-il plus grand remède à nos difficultés psychologiques que l'amour inconditionnel ?

Dans cet état d'esprit d'acceptation, nous allons maintenant passer en revue quelques-uns des symptômes les plus couramment observés dans l'une ou l'autre des catégories mentionnées cidessus, ou dans les deux. Lorsque l'on est atteint de victimite, quelle est notre expérience de la vie, que dit-on aux autres ou à soi-même ?

— « Je suis stressé(e), anxieux (se), insécure. »

Le virus de la victimite peut produire en permanence un état latent de **stress** et d'**anxiété.** En effet, étant donné que, lorsque l'on est atteint, on se déclare (consciemment ou inconsciemment) impuissant dans cet univers que l'on perçoit hostile, on vit dans la **peur** et l'**insécurité.** Puisque l'on déclare la vie injuste et soumise au hasard, toutes les possibilités les plus terribles et les plus injustes peuvent se réaliser d'un moment à l'autre. Cette anxiété et ce sentiment d'insécurité n'apparaissent souvent extérieurement que sous la forme d'un stress général intense. Le stress que l'on dit souvent être la maladie du siècle est la plupart du temps généré par une forme-pensée inconsciente d'impuissance et de victimite.

— « Je ne suis pas très en forme. »

La répression de la colère, de la frustration et de toutes les émotions négatives de l'enfance bloque l'énergie à tous les niveaux, en particulier au niveau physique. Dans la vie de tous les jours, la personne atteinte se sentira souvent fatiguée et même malade. Il lui reste en effet peu d'énergie disponible pour faire face aux activités et défis de la vie quotidienne. La majeure partie de son énergie est utilisée à nourrir sa frustration. Lorsque l'agressivité est moins refoulée, cela peut induire un état de tension nerveuse et d'activité constante. Dans ce cas, la demande sur le corps est encore plus grande et des maladies graves surviennent tôt ou tard. Dans l'un ou l'autre cas, le corps réagit sous une forme ou une autre : maux de tête, maux de dos, insomnies, dépressions nerveuses, problèmes cardiaques, ulcères, arthrite, etc.

— « Grr..., le verre est encore à moitié vide ! »

La personne atteinte, vivant dans un état permanent de **frustration,** a toujours l'impression que quelque chose lui **manque**, que la vie, les autres, ne lui apportent pas ce dont elle aurait vraiment besoin pour être heureuse. Elle est donc très fâchée contre la vie. La moindre petite contrariété la rend impatiente et agressive. Son attention est focalisée le plus souvent sur les aspects négatifs de sa vie, sur ce qui ne fonctionne pas. Elle est incapable de reconnaître les avantages de sa propre situation, et n'est pas en contact avec le privilège de sa vie. Elle nourrit à l'intérieur d'elle-même un sentiment d'**insatisfaction profonde** qu'elle projette sur tout son environnement, en général d'abord sur son conjoint ou sur son travail, et ensuite sur le monde entier. Elle perçoit, selon l'image bien connue, le verre à moitié vide plutôt qu'à moitié plein. Pour « prouver » son système de pensées inconscient, ***il faut*** que la vie soit insatisfaisante.

Dans cet état la plupart des gens passent leur temps à protester intérieurement et extérieurement plus ou moins bruyamment contre la vie. Les introvertis ruminent leur frustration en un lourd silence, tellement lourd que l'on ne peut pas faire autrement que de l'entendre. Les plus extravertis sont des **ronchons**, des **grognons** ou des **râleurs**, des **rouspéteurs** selon leur style. Les choses ne sont jamais vraiment à leur goût. Ils trouvent toujours quelque chose ou quelqu'un contre quoi ou contre qui pester. Ils sont très habiles à rendre leur vie difficile et pleine de petits ou de gros ennuis afin de donner raison à leur programmation de base selon laquelle on ne peut pas avoir facilement satisfaction dans la vie. Il y a toujours une ombre au tableau et souvent ils ne voient qu'elle.

Denise dirige une entreprise en pleine expansion. Elle reçoit un jour un coup de téléphone extrêmement agressif de Mme Blanchette, lui reprochant de ne pas lui avoir envoyé un reçu qu'elle avait demandé six mois auparavant et dont elle a besoin pour sa comptabilité. Vérification faite, Denise s'aperçoit qu'effectivement la demande avait été reçue au moment d'un remaniement de personnel et que le dossier avait été classé par erreur comme étant complet. Le reçu fut alors envoyé sur le champ. Que s'est-il passé pour Mme Blanchette ? N'ayant pas eu de réponse quelques jours après sa première demande, elle aurait pu prendre responsabilité de ses besoins et communiquer avec le bureau. L'erreur aurait été réparée sans délai. Mais Mme Blanchette est une victime professionnelle. Il faut qu'elle se trouve des raisons de souffrir et de détester le monde. Il ne faut pas que sa vie marche trop facilement. Elle a donc ruminé sa rancœur pendant six mois face à ces entreprises qui sont incompétentes, de mauvaise volonté et pourquoi pas, malhonnêtes, et ce n'est que lorsque la charge émotionnelle négative a été à son comble que celle-ci l'a poussée à agir. Sa communication était loin d'être agréable alors, et si Denise n'avait pas eu de contrôle d'elle-même, cela aurait pu être l'escalade de l'agressivité. Mme Blanchette cultivait l'art de rendre sa vie insatisfaisante et difficile.*

— « Pauvre moi ! »

Pour faire face à cette insatisfaction, la personne peut aussi développer l'attitude de « **pauvre moi** ». Cette attitude va générer deux types de réactions émotionnelles. Soit la personne se complaît dans les **plaintes** continuelles, les gémissements, qui finalement nourriront la **dépression** et le désespoir, soit elle développe rage, colère et agressivité contre ce monde qui ne lui donne pas satisfaction.

---

* Tous les noms et prénoms utilisés lors des histoires vécues présentées au cours de ce livre sont fictifs.

Ces sentiments ne sont d'ailleurs généralement pas exprimés ouvertement dans le courant ordinaire de la vie. Ils n'apparaissent qu'à l'occasion de stress émotionnel, lorsqu'il y a une goutte d'eau qui fait déborder le vase. Tous les degrés sont possibles à partir de ces deux types.

Le premier type regroupe des personnes plutôt passives et à tendances inoffensives, celles que l'on a décrites précédemment comme faisant partie de la catégorie des victimes dépressives-passives. Ces personnes se détruisent elles-mêmes par dépression. Elles auront tendance à rester dans des situations insatisfaisantes et à ne rien faire pour en sortir, à part mourir à petit feu émotionnellement puis physiquement. Les personnes de ce type paraissent très bien extérieurement, alors qu'intérieurement elles se sentent écrasées et désespérées. Elles ont perdu le sens de leur force et de leur propre pouvoir et endurent patiemment leur environnement, aussi inadéquat qu'il soit ; elles encaissent, refoulent et ne disent rien. On les retrouvera par contre souvent avec des maladies physiques assez graves dans la deuxième moitié de leur vie. C'est pourtant un virus moins résistant au niveau mental-émotionnel que dans le deuxième cas que nous verrons plus loin, et la maladie peut être guérie plus facilement. Ce livre peut éventuellement être un antidote efficace, rapide et suffisant pour ce cas et permettre aux personnes atteintes de retrouver leur confiance en la vie et en leur propre pouvoir.

Jacques, bien qu'ayant eu de « bons » parents, avait eu quelques problèmes durant l'enfance face à l'autorité. Cela s'était apparemment rapidement réglé au moment de l'adolescence où, curieusement, il était devenu très gentil. Deux choses le passionnaient : la musique (il avait du talent, jouait de la guitare et écrivait de très belles chansons) et le football. Son adolescence fut donc essentiellement occupée par ces deux activités et il s'en trouvait très heureux.

C'était un beau garçon, doux et agréable, et il rencontra une jolie jeune femme qui accepta de devenir son épouse. Celle-ci révéla par la suite une nature plutôt autoritaire, possessive et peu sensible. Jacques, après quelques tentatives de révolte, se soumit rapidement et devint docile et gentil dans le ménage. Il accepta de se soumettre aux normes habituelles de la société. Il cessa ses activités musicales, fit de moins en moins de sport et se consacra uniquement à sa carrière de chef comptable qu'il avait choisie afin d'assurer sa sécurité. Il se contentait de plus en plus souvent de regarder les autres faire de la musique ou du sport à la télévision. Seulement de temps en temps, n'en pouvant plus, il osait exprimer sa colère refoulée, à propos d'une chose ou d'une autre, en général une broutille. Mais bien vite, il se faisait écraser de nouveau et « tout rentrait dans l'ordre ».

Au bout de quelques années, Jacques commença à se sentir de plus en plus déprimé. On ne pouvait pas expliquer pourquoi. Il avait un très bon métier (financièrement parlant), une belle femme et de beaux enfants, rien d'extérieur ne pouvait expliquer sa souffrance intérieure, et il était bien incapable de se l'expliquer à lui-même. Il se sentait coupable de se sentir ainsi, et cela n'arrangeait pas les choses. Jacques était atteint de « victimite douce ».

Il lui fallut énormément de courage pour s'en rendre compte et renverser la dynamique qu'il avait laissée s'installer en lui durant des années. Ce n'est en fait que lorsque la dépression devint vraiment sévère qu'il dut aller chercher une aide compétente. Avec cette aide, il trouva au fond de lui la force nécessaire pour déloger le virus et retrouver son propre pouvoir. Il remit alors de l'ordre dans sa vie, apprit à s'affirmer avec force et sagesse face à sa femme, à ses enfants et face aux autres en général. Il se remit à vivre vraiment comme il l'entendait tout en respectant les besoins des autres. Il reprit ses passions d'enfance, se réengagea dans une équipe de football, activité qu'il avait abandonnée à cause de sa fatigue et de son manque d'énergie. Il redevint dynamique et joyeux ; il réussit à se débarrasser de ce virus.

Le deuxième type de victime, victime agressive-active, est beaucoup plus dangereux que le premier, car dans ce cas, le virus fera en sorte que la personne atteinte aura tendance à projeter sa négativité sur les autres. Ce faisant, elle se détruira elle-même, mais son énergie de destruction est au départ plutôt dirigée vers l'extérieur, alors que la victime du premier type se détruit directement elle-même. À partir de maintenant, les symptômes décrits seront plutôt relatifs à cette catégorie. Ceux de la première catégorie expérimentent la même chose mais maintiennent tout cela beaucoup plus refoulé.

— « C'est la faute des autres... »

L'insatisfaction permanente mentionnée au troisième point amène la plupart du temps la personne atteinte à nourrir une agressivité continuelle envers tout et tous. Non seulement elle se plaint ou grogne, mais elle a l'art de **faire sentir les autres coupables**, de les mettre en tort et de leur faire comprendre que si elle souffre, ou si les choses vont mal, c'est de leur faute. Son message est : « Regardez combien je souffre, vous devriez faire quelque chose pour moi. »

De plus, se percevant comme responsable de rien, tout est la faute des autres ou d'un monde injuste et cruel. Elle passe donc son temps à **blâmer les autres ou le monde qui l'entoure**, ceci plus ou moins subtilement et avec des styles différents selon les caractères, passivement ou agressivement. Blâmer les autres est le seul vrai plaisir de la victime.

Francine et son mari Robert partageaient quelques jours de vacances avec les parents de Robert, M. et Mme Legris. Or Mme Legris est atteinte de victimite aiguë.

Pour les achats de nourriture, le quatuor avait décidé d'un commun accord de faire bourse commune. Un jour, Francine et Robert font les commissions et achètent un paquet de biscuits qu'ils n'aimaient pas beaucoup, mais qu'ils savaient devoir plaire spécialement à Mme Legris. Au retour, ils rangent les achats à leur place respective et le paquet de biscuits bien en évidence, prêt à être utilisé. Pendant plusieurs jours ce paquet reste intact. Francine et Robert ne s'en préoccupaient pas puisqu'ils n'aimaient pas spécialement ce genre de biscuits.

Lors d'un après-midi arrivent des visiteurs imprévus. On sert le thé, et Francine, voyant la boîte de biscuits intacte, l'ouvre pour les invités. Les biscuits sont appréciés et disparaissent rapidement de la table. Tout le monde est de bonne humeur sauf Mme Legris qui devient de plus en plus silencieuse et taciturne. Une fois les invités partis, Robert, inquiet de voir sa mère dans une humeur de plus en plus épouvantable, la prend à part et lui demande si elle est malade, ce qui ne va pas. Alors Mme Legris explose. « Comment avez-vous osé offrir ces biscuits à des étrangers ? Vous savez que ce sont mes biscuits préférés. Vous n'avez pas ouvert le paquet pendant une semaine, et quand vous l'ouvrez c'est pour offrir mes biscuits à d'autres. Vous êtes des brutes insensibles et des ingrats. Vous savez très bien ce qui me fait souffrir et vous le faites exprès, méchants que vous êtes ! » Robert, malheureux de voir sa mère dans cet état, essaya bien d'expliquer que depuis une semaine ces biscuits étaient à son entière et seule disposition, que dès le lendemain il pouvait aller en racheter d'autres, que cela n'avait en aucun cas été dirigé contre elle, rien n'y fit. Mme Legris, persuadée que c'était un coup monté contre elle, imposa son humeur massacrante pendant les jours suivants, faisant sentir les autres, et plus spécialement son fils, coupables d'un grand méfait, persuadée que ses enfants lui voulaient du mal et qu'elle avait raison de se plaindre et de souffrir.

Mme Legris, fortement atteinte de victimite, s'invente automatiquement un scénario à l'intérieur d'elle-même et y croit malgré toutes les évidences, afin de pouvoir justifier la frustration générale de sa vie et sa souffrance. Il lui est effectivement impossible de percevoir les intentions des autres autrement qu'en fonction de ce que ses programmations mentales lui dictent. Et chacun de nous fait cela à sa façon, plus ou moins subtilement, lorsque l'on interprète et juge ce que font ou disent les autres et que l'on est persuadé que l'on a raison et que les autres ont tort. J'entends déjà des protestations véhémentes s'élever à la lecture de ces lignes, ou des fous rires si tout à coup on se rend compte à quel point on avait pris notre scénario au sérieux...

— « C'est encore la faute des autres. »

Quand on est dans une crise de victimite on devient donc des experts du jugement et du blâme. En particulier on blâme constamment les autres pour nos propres réactions émotionnelles. Ce sont les autres qui nous font de la peine ; ce sont les autres qui nous mettent en colère ; ce sont les autres qui nous rendent heureux(ses) ou malheureux(ses). Nous citerons un extrait d'une conférence de Paul Solomon à ce sujet qui nous paraît très juste :

> *Vous est-il déjà venu à l'esprit que 99 % des habitants de cette terre croient qu'ils sont des victimes ? C'est probablement le cas de la majorité d'entre nous... Il est en effet particulièrement inusité de rencontrer quelqu'un qui ne se croie pas victime. Presque tout le monde croit fermement que s'il est heureux, c'est que quelqu'un ou quelque chose l'a rendu ainsi. Nous avons besoin d'une excuse pour être heureux ; on fait reposer notre bonheur sur les choses ou les événements. Et presque tout le monde blâme quelqu'un d'autre lorsqu'il est en colère ou malheureux. Nous croyons dur comme fer que quelqu'un nous a rendu heureux ou malheureux.*
>
> *Lorsque nous expérimentons de la colère, nous tenons à croire que quelqu'un autour de nous a causé cette colère. Nous aimons apparemment vivre en tant que victimes et nous le faisons probablement parce que nous ne voulons surtout pas prendre la responsabilité de nos émotions et de notre état. On veut pouvoir se dire, « Puisque je me sens coupable de sentir et d'exprimer ma colère, je refuse donc d'en prendre la responsabilité. Je veux pouvoir dire que c'est la faute de l'autre et qu'il m'a mis en colère. »*
>
> *Le problème avec cette façon de penser, c'est qu'il est impossible de fuir la responsabilité de nos émotions sans aussi donner à d'autres le pouvoir sur celles-ci. De plus, si une personne agissait délibérément de façon à nous faire fâcher, elle deviendrait notre ennemie et ce, par définition. Dès que quelqu'un poserait un geste délibéré pour nous mettre en colère, il deviendrait notre ennemi à cet instant-même. Alors, si vous choisissez de fuir la responsabilité de vos émotions et de donner à d'autres*

le pouvoir sur ce que vous vivez, il faut bien comprendre que vous mettez ainsi votre ennemi en charge de vos émotions. N'est-ce pas là une situation absurde ? Voilà pourtant comment nous vivons...

Mettre les autres en charge de notre état émotionnel et les blâmer lorsque ça ne va pas est en effet une mécanique psychologique faisant partie de notre éducation et de notre culture, donc fortement ancrée dans la conscience collective. On ne nous a jamais appris que nous pouvions apprendre à maîtriser notre cheval (nos émotions). On nous a bien montré par contre comment faire pour blâmer quelqu'un quand il énerve notre cheval, attitude tout à fait inefficace en terme de paix intérieure et de bonheur. Souvent nos parents mêmes nous ont donné l'exemple en nous faisant sentir coupables et en nous accusant de les rendre malheureux pour une raison ou une autre.

Par tous les moyens on nous a appris à vivre comme des victimes dépendantes (« Chéri(e), rends-moi heureux(se) »...) ou des victimes sans défense contre les méchants qui nous « font du mal » et bouleversent notre cœur « sensible ». La victime met les autres en charge de ses émotions (positives ou négatives) et peut ainsi allégrement blâmer presque tout le monde, à un moment ou à un autre, pour ne pas lui avoir donné satisfaction et l'avoir déçue. C'est le scénario de l'enfance qui se joue et se rejoue sans cesse.

Cet état d'esprit ne permet pas d'apprentissage ni d'évolution consciente puisqu'on a décidé que ce qui se passait à l'intérieur de nous dépendait des autres et donc que nous n'y pouvions rien. La seule chose qui semble rester à faire alors c'est, d'une part, de développer des exigences émotives face aux autres et, d'autre part, de se méfier, de se protéger et de blâmer les autres pour nos attentes déçues. Ceci fait partie des caractéristiques du comportement de la victime.

En définissant le nouveau paradigme permettant de se libérer de la victimite, nous verrons que l'on peut fonctionner différemment et retrouver notre propre pouvoir, non seulement sur nos émotions, mais sur l'ensemble de notre personnalité et sur notre univers ; nous redécouvrons alors notre liberté et notre capacité de jouir pleinement de la vie.

— « Attention, ils sont là pour m'avoir... »

Lorsqu'une personne est dans l'état d'esprit de victime, elle se sent séparée des autres. Il y a elle d'un côté et de l'autre côté, le monde extérieur qui est plutôt malveillant, décevant, dont il faut se méfier et se protéger. Ces sentiments de **méfiance** et de **séparation** bloquent sa capacité naturelle d'aimer et de recevoir de l'amour librement. La victime vit intérieurement une grande **solitude**.

Elle est toujours prête à accuser le monde de mille méfaits, et perçoit la vie à travers le filtre du **soupçon.** Elle se méfiera particulièrement des gens qui réussissent et qui sont heureux, car pour une victime cela est très suspect. Pour être « correct » il faut être malheureux ou, au moins, frustré.

Une conséquence directe de cet état d'esprit est la **peur de se faire avoir**. Ayant perdu contact avec son propre pouvoir et sa force intérieure, mettant les autres en charge de ses émotions, la victime vit dans la peur qu'un(e) grand(e) méchant(e) arrive et profite de sa « faiblesse ». En fait, nous verrons plus loin que la victime est loin d'être faible et vulnérable. Mais dans son esprit agit l'équation suivante : Impuissance + C'est la faute des autres = Peur de se faire avoir. C'est pourquoi elle vit dans la séparativité et la méfiance systématique.

En réalité, lorsqu'on est dans l'état d'esprit de victime, on se fait avoir, mais non pas par les autres comme on le craint, mais par nos propres programmations négatives. Car effectivement, tant que l'on est soumis à la mécanique d'un mental-émotionnel pré-programmé et non maîtrisé, on est coupé de notre sagesse intérieure, on est incapable de rester centré, et tout ce qui peut activer les programmations va conditionner notre vie. C'est notre cheval qui nous dirige et celui-ci peut effectivement être activé par n'importe quoi ou n'importe qui. Certains médias se servent très habilement de cela.

La seule façon de ne plus être manipulable n'est pas de demander aux autres d'arrêter de nous manipuler (il y aura toujours toutes sortes de gens sur cette planète), mais plutôt de bâtir une force intérieure qui nous permet de développer sagesse, discernement et conscience, nous donnant ainsi la possibilité de faire face au monde tel qu'il est de façon centrée, équilibrée et appropriée.

— **« J'ai raison, les autres ont tort. »**

Souvent, la personne atteinte de victimite **se trouve parfaitement « correcte »**, bien bonne, gentille, agréable, serviable, intelligente et même très évoluée, mais les autres !... les autres sont si bêtes et si méchants ! La preuve, regardez tout ce qui lui est arrivé dans sa vie à cause de gens « méchants », « égoïstes », « stupides », « malhonnêtes » ou n'importe quoi d'autre de pas joli. Et ainsi, du haut de sa position « **J'ai raison** et ce sont les autres qui ne sont pas corrects », la personne développe l'arrogance s'appuyant sur l'agressivité et le ressentiment qu'elle considère tout à fait « justifiés », contre toutes sortes de gens avec qui elle a été en relation et avec qui elle n'a pas obtenu ce qu'elle voulait : contre son conjoint ou ex-conjoint (le vilain !), son patron (le tyran !), ses enfants (les ingrats !), sa famille (tous des égoïstes !), ses ex-amis (les traîtres !), son garagiste (l'exploiteur !), la société (injuste !), le gouvernement (pourri !), la température (mauvaise !), son dernier maître spirituel (trop humain !), Dieu le Père (absent !), etc., n'importe quoi pourvu qu'elle puisse se plaindre de quelque chose et nourrir la rancune et la colère qui habitent en son cœur inconsciemment et la font souffrir depuis si longtemps.

Cette tendance à mettre les autres en tort, à juger les autres comme n'étant pas corrects quoi qu'ils fassent, ou à trouver toujours quelque chose à critiquer dans ce que font les autres, est une compensation au sentiment de manque d'estime de soi et un effort désespéré pour retrouver le sentiment d'être correct, perdu au moment des expériences de l'enfance. Ce n'est pas toujours exprimé ouvertement, loin de là. Cela peut se manifester par des remarques à double sens, des sous-entendus, des petits sabotages à propos de toutes sortes de situations. Cela peut se présenter de façon fort subtile et tout à fait acceptable selon les conventions sociales, mais cela n'en est pas moins actif. Combien de personnes essaient ainsi de construire une estime d'elle-même bien fragile à partir d'un dénigrement systématique des autres.

— « La réalité, je l'invente. »

Une personne vivant dans l'état d'esprit de victime peut devenir un danger public. En effet, elle se trouve constamment dans un état émotionnel à fleur de peau, prête à faire exploser ses émotions négatives sur n'importe qui et à propos de n'importe quoi. Elle utilisera n'importe quel prétexte pour cela, au moment où on s'y attend le moins. Elle-même d'ailleurs n'a pas le contrôle de ses réactions. Elle est **incapable de sagesse, de discernement, d'objectivité et encore moins d'intégrité**. Il faut que le monde soit conforme à ses programmations. Elle va donc déformer, mentir, interpréter, etc., de façon à faire coller son image de la réalité à la réalité. Elle le fera d'autant plus intensément qu'il faut qu'elle se convainque elle-même. Étant dans cet état émotionnel extrêmement négatif et la plupart du temps inconscient, la victime peut devenir très violente et détruire bien des choses autour d'elle. Elle fait tout cela en ayant l'impression qu'elle est tout à fait dans son droit, et qu'elle a parfaitement raison.

Suzanne était mariée depuis plusieurs années et avait trois jeunes enfants. Son mariage s'avérait être un fiasco, son mari étant très violent avec elle. Au cours d'une conférence à laquelle elle était allée pour se changer les idées dans une ville voisine, elle rencontre un jeune cadre dynamique qui était en train de monter son entreprise. Ils se plaisent, elle tombe amoureuse, ils se revoient de plus en plus souvent et Suzanne décide de quitter son mari et sa famille et de déménager en ville pour être plus proche de son bien-aimé. Celui-ci, un peu pris de vitesse, demande à Suzanne de rester près de ses enfants mais elle, tout feu tout flamme, abandonne tout d'un coup.

Suzanne était atteinte de victimite. Elle attendait donc que le bien-aimé la rende heureuse pour la vie. Celui-ci n'y était pas tout à fait disposé et, au bout de quelques mois, il lui fit savoir qu'il n'était plus intéressé à la relation. Suzanne se sentit trahie, injustement abandonnée, « blessée » au plus profond de son cœur. Elle s'était arrangée pour recréer encore une fois le scénario de son enfance : dépendance émotive suivie de déception. Elle se mit donc à haïr celui qu'elle avait tant aimé, à lui reprocher tous ses malheurs et toutes les décisions qu'elle avait prises « par amour pour lui ».

Après la haine et le blâme, Suzanne, en tant que bonne victime, passa à la vengeance. Elle essaya par tous les moyens possibles de ternir la réputation de ce vilain en racontant des histoires à dormir debout par toute la ville. Elle y passa la plus grande partie de son énergie pendant plusieurs années : aucune intégrité, aucune sagesse, une réaction émotionnelle violente due à une crise de victimite aiguë. Jusqu'au jour où, épuisée par tant d'émotions négatives, elle finit par tomber malade. Et tout cela était évidemment la faute des autres...

La personne atteinte de victimite peut devenir tellement prise dans son scénario émotionnel qu'elle en perd tout discernement, tout bon sens, tout respect des autres et aussi d'elle-même. Elle n'est plus capable de percevoir les choses sainement, et ne peut les percevoir qu'à travers son filtre mental fortement coloré par sa victimite. Elle est tellement sûre qu'elle a raison qu'elle perd tout sens des proportions.

— « Les gens sont méchants. »

Lorsque le virus de la victimite est actif chez une personne, celle-ci, percevant le monde à travers son filtre mental déformant selon lequel tout le monde est là pour l'avoir, souffrira souvent d'un **complexe de persécution,** étant convaincue que sa perception de la réalité est la réalité. Elle voit le monde exactement comme elle croit qu'il est.

C'est ainsi qu'elle peut devenir un danger public à d'autres titres. En effet, si cette personne se trouve le moindrement dans une position de pouvoir, elle aura tendance à faire subir aux autres ce qu'elle-même pense avoir subi et exercer ainsi une vengeance inconsciente. Et tout le monde, à un moment donné ou à un autre, a une position de pouvoir, ne serait-ce que face à ses propres enfants... C'est pour cela que les personnes qui ont été battues durant leur enfance auront tendance à battre ou violenter leurs enfants comme exutoire à l'agressivité issue de leurs propres souffrances. La dynamique de la violence se propage ainsi de génération en génération comme cela est bien connu.

Lorsque la charge émotionnelle est très forte, la victime peut devenir elle-même persécutrice, en général sous couvert d'une « bonne cause », ce qui lui permet de trouver une justification à ses sentiments négatifs qui soit acceptable pour elle-même et les autres. Cela peut créer de sérieuses difficultés lorsque, pour une raison ou une autre, la personne possède une certaine influence, car elle peut entraîner avec elle toute une masse de gens qui, vivant eux-mêmes plus ou moins inconsciemment dans l'état d'esprit de victime, répondent facilement aux arguties que le persécuteur leur présente. Il est bien connu que les grands persécuteurs de ce monde souffraient eux-mêmes d'un complexe de persécution. Les grandes victimes deviennent très facilement de grands bourreaux. Lorsqu'elle se présente sous forme d'épidémie et est sous-jacente à des mouvements de masse, la victimite peut être une source de grande violence dans le monde.

— « Si tu m'aimes, tu devrais... »

Toutes ces émotions négatives qu'elle porte en son cœur depuis longtemps, de façon plus ou moins violente et plus ou moins exprimée, la personne prisonnière de l'état d'esprit de victime ne peut pas faire autrement que de les projeter en permanence sur tout son environnement. En particulier, elle les projette sur toute relation nouvelle ou situation nouvelle que la vie lui apporte, puisque c'est émotivement ce qui l'habite, quelles que soient les circonstances extérieures.

Le scénario est toujours le même. Cela commence bien, avec beaucoup d'idéalisme, d'espoir et d'attentes, pour ne pas dire **d'exigences inconscientes**, et cela doit toujours finir par de la déception en conformité avec son système de base. Que ce soit dans une relation intime, dans un travail ou dans une quelconque activité, la personne atteinte de victimite devra **être, tôt ou tard, toujours déçue,** car elle en demande toujours plus. Le vide intérieur est impossible à remplir car il provient d'une programmation construite dans le passé, et ce n'est qu'en désamorçant cette programmation que la personne a des chances de retrouver la satisfaction de sa vie, quelles que soient les circonstances. Ce genre de satisfaction vient d'un état de liberté intérieure qui est inaccessible lorsque l'on fonctionne dans l'état d'esprit de victime. Dans cet état, toute situation devient tôt ou tard insatisfaisante, car même si la personne bénéficie de circonstances extrêmement favorables, elle trouvera toujours quelque chose qui ne lui convient pas ; elle en demandera toujours plus, de façon à ce qu'à un moment donné elle reçoive un refus soit d'une personne, soit de la vie elle-même. À ce moment-là, la programmation a fait son œuvre et la personne est de nouveau frustrée et insatisfaite. Elle s'est arrangée pour provoquer les situations ou pour percevoir les situations de façon telle qu'elle puisse encore jouer à avoir raison, à blâmer les autres et à être frustrée. Elle continue malheureusement ainsi à alimenter sa souffrance.

Dans cet état d'esprit, la personne nourrira souvent un sentiment permanent selon lequel **les autres lui doivent quelque chose**. Elle attend toujours quelque chose de plus des autres. Cela produit de vrais désastres dans les relations de couple.

Joseph, atteint de victimite depuis l'enfance, est marié depuis quelques années avec Louisette. Au début tout allait bien. Louisette semblait pouvoir combler tous les espoirs de Joseph. Pourtant, au fur et à mesure des années, Joseph se sentait de plus en plus insatisfait. Il était persuadé que c'était la faute de Louisette. Elle ne lui donnait pas assez d'affection, elle devenait trop indépendante, etc. En tant que bonne épouse, elle aurait dû, en toute priorité, se comporter d'une façon qui le satisfasse et à laquelle il avait droit. Si elle ne le satisfaisait pas, c'est parce qu'elle n'était pas correcte ; elle devait *le satisfaire. Il ne lui était évidemment jamais venu à l'esprit de se poser la question sur ce qu'il pourrait faire, lui, pour rendre la relation satisfaisante et nourrissante. Joseph devenait de plus en plus maussade, désagréable et même agressif, au point qu'un jour Louisette s'est trouvée un compagnon plus drôle et a quitté Joseph. Il put se sentir alors encore plus victime d'une femme ingrate, lui qui était si aimant...*

Joseph n'a fait que recréer la dynamique installée durant son enfance dans sa relation avec sa mère. Ayant eu une mère qu'il a perçue comme manquant de tendresse et d'amour, ayant souffert de ce manque d'affection maternelle, il a développé à ce moment-là beaucoup de rage et d'agressivité envers les femmes (car le mental généralise lorsqu'il bâtit des systèmes) et en même temps beaucoup d'attentes et d'espoirs. Dans sa relation avec Louisette, il ne fit que reproduire le système qu'il avait construit dans l'enfance, à savoir que les femmes desquelles on attend le plus d'amour (ce que la victime appelle aimer...) sont froides ou incapables de vous comprendre et ne répondent pas à votre affection.

On peut imaginer facilement comment la victimite dans un couple est source de bien des souffrances. Attentes et exigences inconscientes, mais pas moins énormes, provenant des relations parentales, rancune, frustration, ressentiment, colère, se projettent facilement sur le conjoint. En fait, la personne atteinte de victimite n'est pas mariée avec son conjoint, mais en général avec son père ou sa mère ; cela est bien connu maintenant en psychologie. S'il y a insatisfaction, c'est toujours la faute de l'autre. Si l'autre est vraiment insupportable, la victime ne s'accrochera que plus à la relation, celle-ci lui donnant toutes les bonnes (et moins bonnes) raisons de se plaindre et de blâmer. Elle oublie complètement son pouvoir et sa liberté et reste prisonnière dans cette relation afin de pouvoir mieux souffrir. En effet, quelle meilleure situation pour souffrir à la journée longue que de s'accrocher à quelqu'un avec qui on ne s'entend pas ? C'est une bonne façon de se prouver son impuissance, que la vie est difficile et que les êtres humains ne sont pas drôles. S'il finit par y avoir divorce, cela se passe dans le drame, sur un fond très lourd d'émotions négatives, de jugement, de blâme et de vengeance.

Lorsque l'on vit dans l'état d'esprit de victime, on **détruit** ainsi **rapidement toute relation proche,** conjoint, relation au travail ou ami, car une relation est une opportunité d'expérience et d'apprentissage. Dans cet état d'esprit, on est incapable de faire fructifier une telle opportunité. Après la lune de miel vient automatiquement la déception, le jugement, la critique et la destruction.

La victime, éternelle déçue, n'a pas réalisé que ***toute déception implique jugement et donc manque de compréhension et de compassion, manque d'amour inconditionnel.*** Malheureusement, dans cet état d'esprit, on est absolument persuadé que l'on a de « vraies » raisons d'être déçu.

Pour savoir si on est atteint par le virus, on peut se demander par exemple : combien de personnes a-t-on jugées et blâmées pour nous avoir déçus ? On peut réaliser que chaque fois que l'on a expérimenté de la déception, ce n'était peut-être pas une preuve que l'autre n'était pas correct et que l'on avait raison, mais plutôt une démonstration de nos attentes à sens unique, de notre manque d'acceptation et de compréhension, de notre manque d'amour inconditionnel et de notre absence d'une perception plus large de la vie.

— « Je me sacrifie, les gens sont ingrats. »

Dans cet état d'esprit selon lequel les autres lui doivent quelque chose qu'ils ne lui donnent évidemment pas, la personne atteinte de victimite a souvent l'impression de vivre sa vie dans **le martyre ou le sacrifice**. Pour faciliter cette expérience, elle choisira souvent de « servir » ou d'« aider ». C'est en effet une très bonne façon, d'une part de jouer au sauveteur (une version de la victimite comme on le verra plus loin), et d'autre part de pouvoir se plaindre.

Le processus est le suivant : la victime sert dans un esprit de « don de soi » apparemment librement choisi, mais apparemment seulement. Car son service est du genre service-sacrifice, accompagné d'un sentiment de perte quelque part. Elle « aide », mais avec une espèce de lourdeur émotionnelle. Ses actions sont en effet chargées inconsciemment de tout l'arsenal des émotions négatives de la petite enfance : attente d'une reconnaissance infinie pour ce qu'elle a fait ou pour ce qu'elle est (chose qu'elle n'a jamais obtenue en tant qu'enfant), attente d'amour ou d'affection en retour, ceci accompagné d'un sentiment d'impuissance et de manque. Elle cherche inconsciemment à se nourrir des sentiments positifs qu'auront envers elle - au moins momentanément - ceux qu'elle a aidés. Malheureusement, aussi sincère et intense que soit ce qu'elle reçoit des autres, cela ne sera jamais assez.

Partant de là, elle attend constamment, et de plus en plus, quelque chose en retour, bien que consciemment elle ait l'impression de donner très généreusement. Elle donne mais avec un élastique, car la partie victime en elle tient les comptes. Elle calcule inconsciemment ce qu'on lui doit. Et si elle a l'impression de ne pas l'obtenir, comme cela finit toujours par être le cas étant donné ses programmations de base, elle décidera que les gens sont ingrats, qu'elle s'est faite « avoir » et aura ainsi un nouvel exutoire disponible pour ses émotions négatives refoulées depuis la plus petite enfance. Chaque interaction avec les autres ne servira, à un moment ou à un autre, qu'à augmenter son insatisfaction. Avoir toujours l'impression qu'elle en donne trop et n'en reçoit pas assez n'est qu'une transposition de la dynamique installée durant l'enfance face aux parents, laquelle était : je fais tout ce que je peux pour vous faire plaisir et je n'obtiens jamais satisfaction de mes besoins.

En réalité, la victime **cherche toujours à prendre** pour compenser inconsciemment le vide intérieur provenant des manques de l'enfance, et ceci se fait sous des formes plus ou moins subtiles et aussi détournées que le fait de servir. Elle est pourtant **incapable de recevoir** et **incapable d'apprécier ce qu'elle reçoit** (car son filtre mental inconscient lui dit une fois pour toutes qu'elle ne peut rien recevoir de vraiment satisfaisant provenant des autres). Le sentiment de gratitude (qu'elle exige si fort des autres et qui est une expression directe du Soi), ce sentiment lui est inconnu, ou bien si elle l'expérimente, c'est très épisodiquement et illusoirement lorsqu'elle se trouve dans les périodes d'espoirs avant la période des déceptions.

Le vrai don de soi et le vrai service provenant du Soi apportent en eux-mêmes tellement d'énergie et de satisfaction que l'on ne cherche pas de reconnaissance spécifique des autres. Si celle-ci se manifeste, on l'apprécie. Si elle n'est pas là, c'est correct. Le désir de servir est un désir naturel émergeant de l'intention, du Soi qui trouve sa récompense en lui-même. Il arrive souvent, lorsque le virus de la victimite est présent, que la pureté de cette intention, qui est réellement l'intention profonde du Soi de la personne, soit récupérée par le virus pour en faire une source supplémentaire de frustration et de souffrance. C'est dommage.

Sophie avait un grand cœur, mais était atteinte aussi de victimite. Malgré ses nombreuses occupations professionnelles et familiales, elle avait choisi de participer en tant que bénévole à un organisme de bienfaisance dont les objectifs et l'approche lui semblaient très louables. Pendant un temps, elle se rendit donc extrêmement disponible et les organisateurs appréciaient beaucoup sa contribution, sans se douter que quelque part l'élastique était là. La participation de Sophie était sincère, mais sa partie victime tenait les comptes en sourdine. Jusqu'au jour où Sophie eut la possibilité dans son travail de proposer un contrat d'affaires avec l'organisme en question. Les dirigeants examinèrent très attentivement la proposition de Sophie, mais aussi objectivement en fonction des besoins réels du groupe. Finalement, ils la jugèrent inadéquate. Ils déclinèrent donc la proposition. Sophie en fut offusquée. Comment ose-t-on lui faire cela à elle qui a tant donné? Inconsciemment, ce qu'elle demandait c'est qu'en reconnaissance de sa participation (qu'elle avait offerte librement dans le passé, personne ne l'y avait obligée de quelque façon que ce soit), l'organisation signe avec elle maintenant un contrat d'affaires qui était totalement inapproprié. De merveilleux qu'ils étaient, les organisateurs devinrent alors des égoïstes sans foi ni loi, et elle recréa ainsi le scénario préféré de la victime : exigences inconscientes, déception, trahison, ressentiment et souffrance. Elle s'était arrangée pour avoir des bourreaux dans sa vie et ainsi nourrir sa rancune envers le monde. Elle s'en sortit pourtant, car seule une partie de son esprit était atteinte. Après quelque temps, elle prit conscience du mal qu'elle se faisait à elle-même et aux autres et put choisir de retrouver la paix, le calme et la sérénité à l'intérieur de son cœur.

La victimite peut se manifester ainsi sous forme aiguë passagère et on peut s'en débarrasser ; on verra plus loin quelques bonnes façons pour y arriver.

— « Pourquoi moi ? »

Dans l'état d'esprit de victime, la personne atteinte peut être aussi habitée par un profond **sentiment d'injustice**. Grande question souvent provoquée par le virus : POURQUOI MOI ? Il n'y a qu'à moi que de telles choses arrivent ! Ce n'est pas juste ! Afin de renforcer ce sentiment, la personne atteinte pourra compatir bruyamment lorsqu'elle perçoit quelques personnes dans son environnement qui lui semblent aussi victimes qu'elle d'un sort injuste et d'un monde méchant. C'est la chanson : « Pauvre moi - pauvre toi, gémissons et dénigrons ensemble ». De cette façon elle nourrit ses propres insatisfactions, et la seule chose qu'elle peut partager, ce sont ses sentiments négatifs envers le monde.

Ce sentiment d'injustice générera un sentiment permanent de **jalousie** et un sentiment d'être **toujours perdant(e) au jeu de la vie**. Se sentant toujours perdante, rien ne lui sera plus insupportable que de voir les autres jouer gagnant et être heureux. Elle essaiera donc par tous les moyens, conscients et inconscients, de faire perdre l'autre. Sa philosophie inconsciente est : « Puisque moi je ne peux pas gagner, alors personne ne gagnera ». C'est pourquoi elle passera bien du temps à dénigrer et détruire, interprétant tout ce qu'elle voit sous le jour négatif que lui présente son filtre mental plutôt que d'utiliser son énergie pour se construire une vie heureuse.

Cette tendance à dénigrer ne se présente d'ailleurs pas toujours de façon ouverte. Il y a des façons subtiles de dénigrer sous couvert de compétence ou de connaissance qui sont très bien acceptées, et même encouragées, socialement. Il n'en reste pas moins que la source est la même, et les résultats tout aussi négatifs autant pour la personne elle-même que pour ceux qui l'entourent.

— « Pauvre « petit » moi... »

Dans cet état d'esprit, la personne atteinte de victimite se déclare souvent non seulement impuissante, mais aussi **faible et vulnérable**. Elle n'a aucun sens de ce que peut être un libre choix, puisqu'au niveau inconscient cela lui a été refusé dès le départ de sa vie. Partant de là, il lui sera facile d'accuser les autres de l'avoir manipulée, de l'avoir bien souvent « obligée » à faire quelque chose qu'elle ne voulait pas faire. Se déclarant intérieurement sans pouvoir, **elle se présente comme un petit être sincère et naïf, sans défense,** dont les grands méchants de ce monde pourront abuser. Cette attitude lui permet de blâmer encore plus facilement les autres pour ses propres échecs et ses propres manques, et d'avoir un peu plus de gens autour d'elle à détester. Il ne lui vient évidemment jamais à l'idée de se demander pourquoi elle-même s'est mise ou reste dans cette situation, quels ont été ou quels sont encore ses espoirs inavoués et ses motivations cachées.

En fait, une personne atteinte de victimite n'est ni naïve ni sincère, comme elle veut se le faire croire à elle-même et aux autres. Elle est tout au plus inconsciente d'elle-même, inconsciente du fait qu'elle rejoue constamment le scénario de son enfance. En effet, sous cette pseudo-naïveté et cette pseudo-sincérité se cache une violente exigence face aux autres, issue des frustrations passées. Ayant espéré de la vie, comme tout enfant le fait, et ayant ensuite expérimenté la déception face à ses parents et face à la vie en général (nous verrons plus tard que c'est en fait un choix que fait la conscience à ce moment-là), elle projette ses espoirs idéalisés sur n'importe qui ou n'importe quoi. Soyez avertis si c'est vous qui en êtes l'objet, car pendant un certain temps la victime vous adorera. Mais après l'adoration « naïve et sincère » viendront nécessairement la déception et la rancune.

La victime n'est en général ni faible ni vulnérable. Il suffit de voir quelles montagnes d'énergie et de créativité elle manifeste dès que vient le temps de critiquer ou de détruire. L'histoire de Suzanne présentée précédemment peut illustrer ce point également. L'idéalisation et l'amour « sincère » de Suzanne se sont rapidement transformés en haine, ressentiment et vengeance très active. L'énergie dépensée pour détruire la réputation de l'ex-bien aimé ne provenait certainement pas d'un « petit être naïf et sans défense »...

— « Au secours ! »

Lorsque la victimite amène la personne à se croire faible, vulnérable et sans défense, la personne atteinte aura alors souvent tendance à **chercher un sauveur**, qu'elle finira par trouver évidemment ; le monde en est plein. C'est une variante de la victimite, comme nous le verrons plus loin. Projetant inconsciemment ses images parentales, elle mettra tous ses espoirs dans cette personne qui devra la rendre heureuse ou la satisfaire pour le restant de sa vie (conjoint, patron, employé, ami, maître spirituel, etc.). Elle espère ainsi, sans s'en rendre compte, trouver enfin une compensation à ses frustrations et manques issus du passé. Étant donné son système de perceptions fortement ancré, la mécanique mentale se mettra en action comme dans l'enfance : après les espoirs, la déception. Aussi, au bout d'un certain temps, le sauveur s'avérera souvent être simplement humain, donc haïssable comme l'ensemble du monde. Ou bien, il la mettra en face de sa propre responsabilité. Dans les deux cas, elle aura de bonnes raisons de lui en vouloir pour avoir déçu ses espoirs. Un bourreau de plus à haïr, juger, condamner, et dont on devra éventuellement se venger... Et la liste s'allonge ainsi d'année en année.

C'est pour cela qu'il sera, au départ, assez difficile à une personne atteinte de victimite de faire un vrai travail sur soi, car il faut qu'elle déclare intérieurement qu'elle peut changer. Or, pour elle, puisque tout est la faute des autres, il est évident qu'elle n'a rien à changer à l'intérieur d'elle-même. D'autre part, même si elle le voulait, sa déclaration de base face à sa propre impuissance lui enlève toute énergie pour le faire, sans qu'elle s'en rende compte.

Pourtant la victimite n'atteint pas toujours toutes les parties de l'être, heureusement. C'est pourquoi la personne atteinte, chargée de tout ce bagage d'émotions négatives et se sentant bien mal dans sa peau, s'adressera à une autre partie d'elle-même qui l'amènera à chercher un moyen de retrouver son énergie et sa joie. On va donc finalement en trouver beaucoup dans les cabinets de thérapeutes ou dans les cours de croissance. En général, ce sera au départ pour chercher une aide extérieure, quelqu'un ou quelque chose qui la sauvera de l'extérieur sans qu'elle ait besoin elle-même de se remettre en cause. Si le thérapeute est compétent, ou le cours bien fait, la première étape du travail consistera à mettre la personne en face de ses propres mécanismes d'impuissance; on lui proposera de retrouver tout d'abord son propre pouvoir. Cela pourra être une libération remarquable si la personne est d'accord pour faire ce changement et sortir du piège de la victime. Elle pourra, à partir de là, faire un travail très rapide et efficace de découverte de toutes ses possibilités intérieures personnelles et transpersonnelles. Sinon, elle quittera le cours ou le thérapeute, en leur reprochant de ne pas l'avoir aidée, et en développant un peu plus de frustration.

Partout dans le monde maintenant, les meilleurs cours de croissance ou de formation aux techniques alternatives de guérison ou de travail avancé sur soi, considèrent le principe de responsabilité (qui sera présenté au chapitre suivant comme un antidote efficace à la victimite) comme un pré-requis au travail entrepris. Car effectivement, il n'y a pas de travail sur soi ou sur les autres qui soit possible et réellement efficace tant que l'on est dans l'état d'esprit de victime.

C'est cet aspect qui explique souvent que les thérapies traînent des années sans vraiment aboutir à quelque chose de solide et de concret, et tendent à garder le client dépendant du thérapeute. Quel que soit le type de thérapie suivie, si la personne ne prend pas la responsabilité, d'une façon ou d'une autre, de ses difficultés et de son bien-être, la thérapie est vouée, sinon à l'échec, au moins à des résultats très maigres et très incertains. De plus en plus de thérapeutes le comprennent et travaillent ce point aussi intensément que les autres aspects de la thérapie, sachant qu'il est la clé de la libération de la personne. Redonner le pouvoir à la personne est essentiel, car il est une grande loi de l'univers, à savoir que l'**on ne peut vraiment guérir que soi-même**. Ceci se fait avec le soutien et l'aide de personnes compétentes bien sûr, mais au départ il faut que soit prise la responsabilité de l'état que l'on veut guérir. Sinon on tourne en rond. Soit on s'attache au thérapeute, comme mentionné plus haut, ou bien, s'apercevant que la thérapie piétine, on quitte le cabinet du thérapeute déçu et frustré que quelqu'un ou quelque chose n'ait pas encore pu nous « sauver ». La frustration s'accumule encore une fois, et le mécanisme intérieur négatif s'aggrave.

— « Vengeance ! »

La personne passera donc son temps et toute son énergie à se créer des sources de souffrance, se plaindre, blâmer les autres pour ses malheurs. Or, en blâmant les autres pour ce qu'ils ont ou n'ont pas fait, elle les considère automatiquement comme coupables. Ainsi un autre sentiment émerge de tout cela, c'est le désir de vengeance qui peut prendre différentes formes. La personne se positionne donc comme **juge, condamne et exécute la sentence** au maximum de ses moyens, car elle **pense qu'elle a raison**. Elle y mettra toute son énergie car elle est persuadée qu'elle est dans son droit le plus absolu. C'est là que l'on voit que la victime n'est ni faible ni vulnérable, loin de là, et qu'elle n'avait fait que contenir une énergie énorme sous forme de rage et de colère refoulées.

Pierrette et Jean-Claude sont mariés depuis quelques années. Pierrette est souvent bien fatiguée ; la vie ne lui paraît pas facile. Jean-Claude vient d'avoir une promotion à son travail et est invité à une réunion générale durant la fin de semaine suivante au siège social de sa compagnie, à quelques centaines de kilomètres de chez lui. Le vendredi matin, Pierrette l'accompagne jusqu'à sa voiture, bien inquiète de le voir partir si loin dans un endroit inconnu. Au tout dernier moment, alors que Jean-Claude est occupé à vérifier qu'il a bien ses documents les plus importants, elle lui demande de l'appeler durant la soirée pour la rassurer. Jean-Claude dit oui et part, bien heureux de ce voyage qui représente un grand succès dans sa carrière. Quant à Pierrette, atteinte de victimite chronique depuis longtemps, cette situation réactive tout d'un coup violemment le virus.

À peine rentrée chez elle, elle commence à regarder l'heure. Petit à petit, elle se met à penser à toutes les catastrophes qui pourraient arriver à son conjoint. Il peut tomber en panne d'essence et être immobilisé plusieurs heures avant de pouvoir repartir. Il peut avoir un accident… elle le voit tout d'un coup à l'hôpital, s'imagine recevant un coup de téléphone désespéré de sa part et lui donnant tout son amour et ses encouragements par téléphone. Elle, si douce et sensible, se trouve forte et courageuse, elle le soutient, elle est héroïque. Au fur et à mesure que le temps passe, les possibilités empirent. Oui, peut-être même qu'il est mort dans cet accident, et il ne pourra même plus me parler, lui qui m'aime tant. Et que vais-je devenir sans lui, moi, pauvre femme vulnérable et sans défense, dans ce monde si dur ? Pauvre moi, pourquoi devrais-je subir un sort aussi cruel ? Quelle terrible épreuve de perdre un époux si merveilleux...

Pourtant, à l'heure qu'il est, il doit être arrivé à l'hôtel depuis longtemps déjà, et s'il y avait eu un accident je l'aurais su. Donc il est sain et sauf, je suis encore mariée, mais la brute pourquoi ne m'appelle-t-il pas ? Les idées tournent de plus en plus vite dans la tête de Pierrette. Il y a des femmes dans ce congrès... Il est minuit passé, cela fait six heures que j'attends à côté du téléphone, il est certainement dans les bras d'une autre. Les émotions négatives commencent à envahir l'esprit de Pierrette et vont aller en crescendo pendant tout le reste de la fin de semaine.

Jean-Claude, trop occupé par le travail, ne l'appellera pas durant les deux jours de son absence. Lorsqu'il entre, tard, le dimanche soir, Pierrette fait semblant de dormir (en fait, elle n'a pas fermé l'œil depuis deux jours, et elle a noté précisément l'heure à laquelle il est entré).

Le lendemain matin, la vengeance commence. D'abord, il n'y a plus rien dans le réfrigérateur pour son petit déjeûner. Pierrette, apparemment très pressée de partir au travail, lui dit que sa réserve de yogourts préférés a été utilisée lors d'une visite des enfants de la voisine. Il s'aperçoit alors que le beau petit poisson rouge qu'il aime tant est en train de mourir de faim. Il n'aurait apparemment pas été nourri de la fin de semaine… En allant chercher une paire de chaussettes propres dans la salle de lavage, il aperçoit sa casquette de base-ball préférée, celle qu'il avait eue en trophée lors d'un match glorieux. Mais elle a une drôle d'allure. C'est comme si, par erreur, elle était passée à la sècheuse car elle est toute ratatinée...

Le lundi soir Pierrette rentre très tard sans avoir donné une seule explication et va directement se coucher. Quand Jean-Claude essaie d'amorcer une conversation, elle se déclare trop fatiguée pour parler et encore plus fatiguée quand il s'agit de propositions plus intimes. C'est la grève. Cela durera des semaines : mauvaise humeur, non-communication, grève du sexe et sabotages de toutes sortes. Après plusieurs années, l'insulte toute créée dans la tête de Pierrette est toujours présente, non ou mal communiquée et surtout, non pardonnée. Cette charge émotionnelle continue à nourrir en permanence toute une série de sabotages à longueur d'année. Inlassablement et la plupart du temps inconsciemment, mais avec une énergie et une détermination sans faille, Pierrette s'activera à détruire. La vengeance est un plat qui se mange froid...

— « Je ne dirai rien. »

La « victime » évite de communiquer ses sentiments réels. De toute façon, elle en est rarement consciente. Elle ne cherche d'ailleurs pas à en prendre conscience, ayant décidé une fois pour toute qu'elle est impuissante à changer quoi que ce soit, que ce sont les autres qui ont tort et elle qui a raison, les autres qui ne sont pas corrects et elle qui est correcte. Moins elle communique et plus elle peut souffrir longtemps.

La victime de type passif restera plus longtemps sans communiquer. Cela peut même durer toute une vie. Bloquée dans sa souffrance, elle ne peut pas communiquer et préfère se détruire elle-même intérieurement avec ses espoirs déçus et les frustrations accumulées. En particulier, elle n'exprimera pas clairement ses besoins, d'une part, parce que lorsqu'elle a demandé étant enfant, elle s'est faite rejeter et cela a entraîné la souffrance. D'autre part, en ne demandant rien, elle est sûre de ne rien obtenir. Elle peut alors se sentir frustrée et blâmer les autres pour ne pas lui donner ce dont elle a besoin (mais qu'elle a oublié de demander clairement...).

Lorsque la victime de type agressif-actif « communique » (ce qu'elle fait plus souvent que celle du premier type), ce sera la plupart du temps de façon fort agressive pour mettre l'autre personne en tort et la rendre responsable de ses malheurs. Or il est bien connu que la meilleure façon de bloquer une communication est de commencer à mettre l'autre en tort. En fait, la victime n'est pas intéressée à une vraie communication qui implique une expression responsable de soi-même et l'écoute de l'autre. La seule chose qu'elle se permet, si tant est qu'elle communique (en général quand la charge émotionnelle est trop forte et explose), c'est de blâmer l'autre comme exutoire à l'insatisfaction qui l'habite depuis si longtemps. Ceci se fait à propos de n'importe quelle circonstance ou événement qui a pu agir comme détonateur pour la charge explosive qu'elle porte à l'intérieur.

À part ces moments d'agitation violente, la victime vit dans un état d'**isolement** et de **non-communication**. Chaque personne nouvelle est considérée à priori comme un ennemi ou un bourreau potentiel à qui on ne peut en aucun cas faire confiance.

Les seuls moments où la victime a l'impression d'être en relation est lors de rencontres avec d'autres victimes et qu'alors elles peuvent ensemble gémir, se plaindre ou critiquer en chœur. Le blâme et la critique renforcés par d'autres personnes lui donnent l'impression qu'elle a vraiment raison et justifient ses sentiments négatifs. Cette activité, qui lui permet de faire de la collusion, lui plaît beaucoup. Étant donné que presque tout le monde est plus ou moins atteint de victimite, c'est une activité très populaire, très répandue au travail, par exemple, et partout où les gens se retrouvent ensemble pour une raison ou une autre. Cela ne demande pas beaucoup d'effort à une personne atteinte de victimite pour trouver des gens autour d'elle qui auront bien du plaisir à trouver un exutoire à leur propre négativité en blâmant et critiquant les autres. Malheureusement cela ne fait que renforcer pour tous cette vision étroite de la vie.

À part ces moments d'échanges illusoires qui ne sont basés que sur une similitude de programmations négatives, la victime se coupe des autres et s'isole dans son scénario. Ce n'est que lorsque la souffrance devient trop grande que la personne peut se réveiller et éventuellement commencer un travail de libération personnelle.

— « J'arrive ! »

Une variante de la victimite classique consiste à sauter les stades de plainte et de blâme personnels pour prendre directement le rôle du défenseur de la veuve et de l'orphelin, du **sauveur,** comme expression détournée de la haine et de l'agressivité envers des bourreaux personnels refoulées dans l'inconscient (la plupart du temps issues des images parentales). Dans certains cas, jouer au sauveteur sert également à la personne atteinte de victimite à retrouver superficiellement un sentiment de pouvoir pour compenser le réel sentiment d'impuissance ancré au fond de l'inconscient.

Il peut donc advenir que la victime parte en campagne pour défendre non seulement elle-même, mais tous les « faibles » et les « opprimés » de cette terre auxquels elle s'identifie. Elle fait cela en général sous le couvert d'une bonne cause, mais en réalité avec le cœur plein d'agressivité, car c'est une occasion de protester et éventuellement de se venger inconsciemment de l'écrasement subi dans l'enfance. Ce n'est évidemment pas une façon efficace de venir en aide aux vrais faibles et réels opprimés de cette planète. Le seul moyen de leur venir en aide serait de leur redonner leur pouvoir, ce que la victime est incapable de faire puisqu'elle a perdu elle-même le sens de son propre pouvoir.

Fait dans cet état d'esprit, une telle attitude ne fait qu'alimenter la peur et la haine qui existent déjà sur la planète. Beaucoup de mouvements de revendication, qui en eux-mêmes sont très valables, nourrissent des victimes inavouées qui utilisent ces organisations comme exutoires à leur colère contre ce monde injuste et ingrat. Il y a d'autres façons beaucoup plus efficaces de revendiquer, en utilisant la sagesse, le discernement, l'écoute et le sens de son propre pouvoir, ce que la personne atteinte de victimite est incapable d'expérimenter. Dans son état d'impuissance, elle s'agite beaucoup mais n'est pas très efficace en terme de résultats positifs et harmonieux à long terme.

— « À bas le pouvoir ! »

Paradoxalement, en même temps que sa déclaration d'impuissance, la personne atteinte de victimite développe dans certains cas un sentiment d'**arrogance** et d'orgueil comme une compensation au manque d'estime de soi et à la peur sous-jacente. La personne hait le pouvoir sous toutes ses formes, réelles ou imaginées. Elle perçoit tout « pouvoir » comme une menace réactivant inconsciemment ses traumatismes d'enfance. Résistant au pouvoir des autres et n'ayant pas d'expérience réelle de son propre pouvoir, elle essaiera de prouver à elle-même et aux autres qu'elle a du pouvoir en développant l'arrogance, la critique et une résistance automatique à toute forme d'autorité.

Le pouvoir, le sien et celui des autres, lui fait terriblement peur et elle est **incapable de coopérer** d'une façon saine et adulte. Elle se retrouve toujours, lorsque mise face au pouvoir (le sien ou celui des autres), dans une situation inconsciemment parentale. Soit elle joue à l'autorité en développant l'arrogance, soit elle subit l'autorité en développant l'agressivité. Dans aucun des cas elle n'y trouve de vraie relation, de vrai pouvoir, de vraie liberté.

— « Ne riez pas, la vie n'est pas drôle. »

En général, la victime **se prend très au sérieux**. Elle cherche à tout dramatiser, ses expériences comme celles des autres. (Cette tendance à dramatiser est fortement exploitée par les détenteurs des pouvoirs actuels.) Imbue de sa propre importance ou de l'importance de ses propres drames et souffrances, la victime vit sa vie comme un drame permanent. Cela lui permet de mettre l'emphase sur « sa souffrance », puisque c'est ce qui justifie l'ensemble de son comportement.

Cet état d'esprit fait que la victime est **incapable de prendre plaisir au jeu de la vie**. Ceci, s'ajoutant à la méfiance et à la jalousie, renforce le fait que le bonheur, le succès, la prospérité et la liberté des autres la dérangent et même la mettent en rage. Il faut que les autres se sentent aussi frustrés et brimés, soient aussi pauvres et malheureux qu'elle, pour qu'elle se sente bien. La joie de vivre, la légèreté et l'humour sont considérés presque comme des offenses au « terrible drame de sa vie ». Et même si ce n'est pas aussi évident, beaucoup d'entre nous traînons avec nous ce sens triste et fatigué de la vie.

— « Réussir n'est vraiment pas facile... »

Lors d'une crise de victimite, étant donné que, consciemment ou inconsciemment, on se déclare impuissant, on est incapable d'action efficace. En effet, si on réussissait facilement, cela voudrait dire que le monde n'est pas si pourri. Dans cet état d'esprit, on **bloque tout processus créatif** qui pourrait faire apparaître des solutions intelligentes et efficaces pour faire face aux problèmes ou défis du moment. Donc, en général, on s'arrange pour **échouer dans toute entreprise**, ou si on réussit, c'est en ayant travaillé, combattu et s'étant défendu comme un beau diable afin de justifier sa perception d'un monde spécialement dur et ingrat. La vie doit être difficile pour que l'on puisse avoir raison. Au bout du compte, on s'arrange toujours pour ne pas avoir satisfaction de nos besoins ou pour devoir faire une « colère » (c'est-à-dire dépenser énormément d'énergie) pour obtenir ce que l'on veut comme au temps de l'enfance. Donc au menu pour la victime : pas de plaisir, beaucoup de travail et de la peine, de la souffrance, de la déception, de la frustration et peu de succès.

Mais dans cet état d'esprit on est persuadé que si on échoue, c'est la faute des autres, des circonstances ou de n'importe quoi d'extérieur. Alors on peut toujours avoir au moins le plaisir de blâmer ou de se plaindre...

— « Est-ce que je souffre assez ? »

Le virus de la victimite fait qu'à partir de l'écrasement psychologique et des frustrations de l'enfance, la personne construit un fort sentiment de manque d'estime de soi. On lui a dit qu'elle était incapable, impuissante, coupable, pas correcte, et d'une certaine façon une partie d'elle-même a fini par le croire. Ceci fait que, paradoxalement, en même temps que la personne atteinte blâme les autres, elle se blâme aussi elle-même et se sent coupable. Cela ne lui donne que plus d'énergie pour blâmer son entourage.

Les autres, réagissant à son attitude de blâme et de mise en tort, ne vont pas se gêner en général au niveau des interactions courantes de la vie, pour lui renvoyer la balle et lui faire sentir à quel point elle n'est pas correcte et la faire sentir coupable. Cela ne fera donc que renforcer le peu d'estime que la victime a d'elle-même et le peu de confiance qu'elle peut avoir en son propre pouvoir. La **non-acceptation de soi, le manque d'estime réel de soi et la culpabilité** minent la victime de l'intérieur.

— « Quelques bourreaux supplémentaires pour être certain que ma souffrance est bien réelle. »

Une fois la structure de victime bien installée et le processus bien enclenché, la personne se sent mal à l'aise quelque part à l'intérieur d'elle-même. Son sentiment de culpabilité et son incertitude face à elle-même deviennent de plus en plus aigus avec le temps. Sa conviction que le monde n'est pas correct devient de plus en plus forte également. Alors, dans un effort désespéré, mais bien malhabile, pour se débarrasser de ces sentiments vagues et confus mais fort désagréables, elle s'arrangera pour souffrir plus encore et ainsi se donner raison au niveau de ses programmations inconscientes. Pour cela elle **se trouvera quelques bourreaux supplémentaires,** réels ou simplement perçus comme tels, afin de **justifier les blâmes** et tout l'arsenal d'émotions négatives qu'elle porte en elle. Le cycle recommence ainsi au départ, simplement un peu plus fort car alimenté de quelques frustrations nouvelles. C'est un cercle vicieux qui devient de plus en plus lourd avec les années si on ne fait rien pour l'arrêter.

On peut ainsi décrire **le cycle classique de la victime** de la façon suivante.

1) Elle se trouve un (ou des) bourreau(x) — réels ou perçus comme tels dans sa tête — afin de projeter sa réalité intérieure sur l'extérieur.
2) Elle est insatisfaite, frustrée et très fâchée.
3) Elle se plaint passivement ou agressivement.
4) Elle blâme les autres ou les circonstances, silencieusement ou bruyamment.
5) Elle juge et condamne ses propres « bourreaux », ainsi que tous ceux de l'univers, et tous les gens qui, d'après elle, ne sont pas corrects.
6) Elle se venge (violence directe ou indirecte, sabotage évident ou subtil).
7) Elle se sent coupable.
8) Afin de justifier et consolider le scénario, elle se génère ou s'invente quelques autres personnes qu'elle peut juger comme pas correctes ou quelques autres bourreaux qui « la font souffrir ».
9) Retour au 1).

— Et pour finir, toutes les variantes possibles, allant de la simple mauvaise humeur passagère à la folie furieuse.

On reconnaît évidemment de nombreuses variantes dans la manifestation de cette « maladie » (maladie dans le sens d'inharmonie dans le système, dans le sens de mal-être). Chaque personne atteinte réagira au virus à sa façon et ne présentera pas nécessairement tous les symptômes. Tel que mentionné plus haut, il existe des cas graves et des cas bénins, des crises aiguës et des cas chroniques. De plus, le virus est souvent camouflé sous une apparence extérieure très positive qui craque, par contre, dès que des conditions de stress émotionnel surviennent. Il y a des versions très subtiles et très sophistiquées de la victimite. Tous les comportements ne sont pas aussi évidents, en surface, que ce que l'on a décrit. Mais derrière les façades, le virus est en action.

Intégrant les variantes personnelles, nous avons signalé au début que l'on peut observer deux catégories générales : la victime dépressive **passive** qui a plutôt tendance à s'auto-détruire, et la victime agressive **active** qui a plutôt tendance à vouloir détruire les autres. Dans cette dernière catégorie on trouve encore deux types :

— **la victime agressive refoulée**
— **la victime agressive exprimée.**

La personne du premier type a plutôt tendance à gémir, à jouer le « pauvre moi », à refouler sa frustration et son agressivité, à mettre les autres en tort et les faire sentir coupables, mais ceci indirectement et subtilement. Elle a un comportement « normal » dans la vie de tous les jours. Elle explosera ouvertement seulement quand elle se sent assez en sécurité et est sûre de recevoir assez d'approbation pour pouvoir le faire. Elle vit essentiellement ***dans la peur.***

La personne du deuxième type a plutôt tendance à blâmer, râler, rouspéter, protester, critiquer, tout cela ouvertement, à être toujours mécontente pour une chose ou une autre, à mettre les autres directement et constamment en tort et déclarer bruyamment qu'elle a raison. Elle vit essentiellement ***dans la colère.***

Dans cette catégorie en particulier, on trouve tous ceux et celles qui veulent jouer au sauveur et au justicier à partir d'une base d'agressivité, avec toujours évidemment de bonnes raisons ou de bonnes causes pour couvrir cela.

Il est intéressant d'observer aussi comment la victimite se développe plus ou moins, du premier ou deuxième type, selon les pays. Les caractéristiques nationales sont intéressantes et souvent drôles à observer de ce point de vue. Nous pouvons nous permettre d'observer tout cela avec humour et compassion car nous nous souvenons que ce ne sont que des mécaniques et non pas ce que nous sommes réellement dans notre essence. En essence, quels que soient notre style, notre nationalité ou notre sexe, nous sommes tous un, issus de la même lumière.

Nous avons remarqué également que la victimite est loin d'être toujours évidente. Elle peut être présente à un état latent et subtil, et en ce sens, considérant notre culture et notre éducation, nous en sommes tous plus ou moins atteints. En effet, même si les symptômes ne sont pas aussi clairs et aigus que ceux décrits précédemment, nous pouvons malgré tout observer jusqu'à quel point nous avons l'habitude de nous plaindre, de nous sentir insatisfaits ou frustrés, de blâmer les autres ou les circonstances lorsque les choses ne se déroulent pas à notre goût ; comment nous jugeons, nous critiquons, en pensant que le monde et les autres devraient être autrement que ce qu'ils sont ; comment nous jalousons et avons un vague sentiment latent de l'injustice de ce monde. Tout cela peut ne pas se présenter de façon dramatique, et pourtant miner la plénitude de notre vie à la petite semaine, nous entourer constamment de vibrations négatives sans que nous nous en rendions vraiment compte.

Avantages et coûts de la position de victime

Examinons maintenant ce que cet état d'esprit rapporte et ce qu'il coûte. S'il rapporte plus que ce qu'il coûte, nous pourrons le conserver car il nous rend gagnant. S'il coûte plus que ce qu'il rapporte, le simple bon sens nous incitera à chercher un autre état d'esprit plus rentable. On ne veut introduire ici aucune notion de bien ou de mal. Nous cherchons simplement à observer des faits, et à partir de cette observation, à tirer nos propres conclusions afin d'être en mesure de choisir ce qui nous apportera le plus de bien-être dans notre vie.

Avantages de la position de victime :

On peut se plaindre.

On attire l'attention et la sympathie des bonnes gens. Les « victimes » professionnelles sont très bien vues dans notre société.

On possède une excellente justification pour nos échecs et pour ne rien entreprendre pour améliorer notre vie.

On peut blâmer les autres et trouver ainsi un exutoire inconscient à l'insatisfaction de sa vie et à tout notre bagage d'émotions négatives.

On peut faire de la collusion et avoir l'impression que les autres nous donnent raison.

On peut partir en guerre et se venger en se sentant apparemment dans notre droit, autre exutoire à la violence intérieure provenant du bagage émotionnel négatif refoulé.

On peut juger les autres comme n'étant pas corrects et ainsi se donner l'illusion d'être correct (compensation du sentiment de ne pas être correct soi-même, acquis dans l'enfance).

On peut se sentir supérieur aux autres (compensation du manque d'estime de soi).

En surface, on évite le sentiment de culpabilité personnelle puisque c'est toujours la faute des autres (compensation d'un fort sentiment de culpabilité refoulé).

On peut manipuler en faisant sentir les autres coupables, dans la mesure où ceux-ci tombent dans le panneau ; mais cela est très fréquent dans notre culture de victimes, donc relativement efficace...

Coûts de la position de victime :

La description des symptômes présentée plus haut a été en soi une description du coût. En résumé :

Stress, peur, anxiété, insécurité.

Emotions négatives : ressentiment, colère, agressivité, méfiance, arrogance, jalousie, désespoir, etc., bagage qui devient de plus en plus lourd au fil des années. Ceci entraîne des souffrances émotionnelles de toutes sortes.

Frustration, impression de manque.

Insatisfaction permanente exprimée ou refoulée.

Sentiment de « pauvre moi ».

Manque de maîtrise de l'état émotionnel (c'est la faute des autres), entraînant en particulier des conflits sans fin dans les relations.

Déception constante dans les relations. Difficulté à maintenir des relations saines et agréables.

Incapacité de communiquer sainement. Refoulement ou explosion d'agressivité.

Incapacité de rester centré.

Absence de sagesse.

Incapacité d'objectivité et de discernement.

Manque d'intégrité.

Peur de se faire avoir.

Solitude, sentiment d'être séparé des autres. Fermeture.

Complexe de persécution.

Incapacité d'aimer inconditionnellement.

Impression d'être un martyr se « sacrifiant » pour les autres.

Sentiment de vivre dans un monde ingrat.

Incapacité de recevoir.

Sentiment d'injustice.

Sentiment d'impuissance.

Incapacité à coopérer. Résistance à toute forme d'autorité.

Dramatisation.

Échec.

Hautement manipulable par tout ce qui active les programmations négatives.

Manque d'estime de soi.

Culpabilité.

Beaucoup de travail, peu de succès, peu de plaisir.

Incapacité d'expérimenter la joie, la légèreté, l'humour, la paix, la vraie détente, la gratitude pour la vie.

Incapacité de saisir la beauté et de jouir du moment présent.

Fatigue, maladies (insomnies, maux de tête, problèmes cardiaques, problèmes digestifs, dépression nerveuse, arthrite, ulcères, cancer, etc.).

La victimite peut être une maladie mortelle...

Le choix

En examinant les avantages et les coûts de cet état d'esprit de victime, peut-être déciderons-nous (et ceci est un choix strictement personnel) que le coût est bien trop élevé pour ce qu'il rapporte. Dans ce cas, nous nous poserons la question : « Y a-t-il un autre état d'esprit que nous pourrions utiliser et qui serait plus rentable en terme de bien-être, d'énergie, de paix, de joie, de santé, d'épanouissement et de bonheur, personnellement et collectivement ? Y aurait-il une façon de percevoir la vie et les choses qui serait plus proche de la réalité du Soi et nous permettrait ainsi de vivre plus en paix avec nous-mêmes, avec les autres, avec la vie ? » Ou bien, formulé différemment : « Peut-on guérir de la victimite, et si oui, comment ? »

C'est en essayant de répondre à cette question que nous allons être amenés à définir un nouveau contexte de pensées, un nouveau paradigme, un nouvel état d'esprit, qui, à l'expérience, s'est révélé générateur de plus de liberté, de bien-être, de sérénité et de possibilités d'évolution, donc fort probablement plus proche de la réalité finale issue de l'expérience de notre Soi.

Rappelons encore une fois avant de terminer, que la description de ce fonctionnement psychologique a été faite dans un but d'observation compatissante et objective de notre mécanique humaine. Il est important de ne pas s'en servir pour blâmer les personnes atteintes de victimite et de ne pas se blâmer soi-même lorsque l'on se fait prendre dans ce type de réaction. Quels que soient les ratés de notre mécanique ou de celle des autres, nous pouvons garder présent dans notre cœur notre amour inconditionnel pour nous et pour les autres. Une personne atteinte de victimite n'est tout simplement plus en contact avec son centre, son être réel, source d'équilibre, de sagesse et d'amour. Cette personne (y compris nous-mêmes) a donc droit à toute notre compréhension et notre compassion car elle souffre vraiment, mais ne connaît pas les causes réelles de sa souffrance. Nous ne jugerons en aucune façon, mais au contraire nous lui offrirons notre amour inconditionnel et notre respect pour ce qu'elle est vraiment, car c'est en fait ce dont elle a cruellement manqué au début de sa vie.

À l'intérieur de cette personne, comme à l'intérieur de chacun de nous, vit un Soi qui est tout amour, toute sagesse, toute joie, toute puissance et toute lumière, un Soi qui veut aimer, qui veut donner et recevoir, qui veut jouer comme un enfant au grand jeu de la vie, mais qui se heurte encore à la rigidification intérieure d'une personnalité avant de pouvoir s'exprimer totalement. Nous devons reconnaître l'existence de ce Soi à l'intérieur de chaque personne, quelle qu'elle soit, et à l'intérieur de nous-mêmes. C'est parce que nous voulons libérer cette force créatrice extraordinaire en nous, et aider d'autres à le faire également, que nous acceptons de reconnaître nos limites et nos barrières, de les voir bien en face afin de pouvoir les dépasser, et retrouver la lumière, la liberté et le pouvoir de notre propre Soi.

CHAPITRE V

LA MAÎTRISE DES ÉMOTIONS PAR L'ASSOUPLISSEMENT DU MENTAL

Au cours du chapitre précédent, nous avons observé à quel point les émotions négatives peuvent déterminer notre comportement et notre expérience de la vie lorsque nous fonctionnons dans un état d'esprit du type victime avec toutes ses variantes. Changer cet état d'esprit pour celui de responsabilité-attraction-création que nous présenterons plus loin suffira-t-il à dégager ces mêmes émotions ? Faire un travail conscient sur nos états d'esprit, apprendre à choisir nos pensées au lieu de continuer à penser mécaniquement comme nous avons été programmés à le faire, peut effectivement faciliter grandement le travail de dégagement émotionnel.

On peut définir les programmations mentales-émotionnelles « négatives » comme étant celles qui ne nous apportent pas de bonheur et nous coupent des autres : peur, agressivité, ressentiment, haine, colère, jalousie, égoïsme, arrogance, prétention, orgueil, etc. Elles constituent la base des structures mentales-émotionnelles qui se sont rigidifiées dans le passé, la plupart du temps au cours d'expériences désagréables, difficiles ou traumatisantes (psychologiquement ou physiquement). Les plus profondément ancrées se sont installées en général durant la petite enfance, lors de la naissance, durant la vie intra-utérine ou même avant. Elles sont en général soigneusement refoulées mais n'en conditionnent que plus fortement le comportement dans la vie quotidienne.

Le dégagement de l'emprise des émotions négatives peut se faire à l'aide de deux approches qui se complètent et se combinent efficacement.

1 - Le dégagement des émotions négatives : approche énergétique et approche en conscience

- ***La première façon*** de désamorcer ces programmations est de travailler directement au niveau énergétique afin d'atteindre certaines couches de l'inconscient. En effet, ces structures rigidifiées se manifestent au niveau énergétique sous formes de blocages. L'énergie ne circule plus librement et naturellement dans le corps comme elle pourrait le faire. C'est un sujet qui fait l'objet de recherches depuis de nombreuses années et certaines découvertes actuelles sont des plus intéressantes. L'être humain, en plus d'être une unité physique, est aussi une unité énergétique. Nous nous contenterons seulement ici de reconnaître ce principe. D'excellentes études et de très bons ouvrages, alliant l'ouverture aux mondes subtils à la rigueur scientifique, commencent à être disponibles sur le marché et présentent cet aspect de la question de façon plus exhaustive.*

Nous avons observé que si l'on arrive à débloquer l'énergie ainsi retenue au niveau inconscient, il s'ensuit un dégagement émotionnel, car tous nos corps (physique, énergétique, émotionnel et mental) sont étroitement reliés et dépendants les uns des autres. C'est ce qui explique l'intérêt de toutes les techniques de psychothérapie ou de croissance travaillant d'une façon ou d'une autre avec le corps énergétique (travail avec le souffle, bioénergie, « Core energetics », massothérapie, chelation, etc.). Ces approches, excellentes en elles-mêmes, s'avèrent pourtant souvent incomplètes. Il en est de même des méthodes travaillant directement, mais uniquement, sur le dégagement émotionnel.

L'une des raisons à cela est que, pour qu'il y ait dégagement ***durable***, il faut qu'il y ait non seulement décharge émotionnelle, mais également changement de conscience. C'est l'état de conscience qui va permettre de maintenir la clarté émotionnelle après le

---

* Barbara Ann Brennan, *Hands of Light,* éd. Bantam, New-York (version française à paraître aux éditions Sand, Paris) ; Rosalyn Bruyère, *Wheels of Light,* éd. Bon Productions, Sierra Madre, Californie ; Dr Valerie Hunt, *Mind Fields : The Science of Human Vibrations.*

dégagement. Or si un déblocage énergétique peut amener aussi un changement de conscience, cela ne se produit pas nécessairement toujours. Autant le travail énergétique-émotionnel peut être efficace lorsqu'il est accompagné d'un travail de conscience (et plus précisément d'un travail de ***centrage de la conscience***), autant utilisé seul, il peut être peu efficace à long terme et même, dans certains cas, nuisible.

En effet, nous avons observé que, dans le cas où aucun travail de centrage de la conscience n'est entrepris parallèlement à la technique énergétique, il semblerait qu'au bout d'un certain temps s'installe un genre d'accoutumance, de récupération ou d'apprivoisement de la technique par la structure mentale-émotionnelle qui en fait une expérience « connue ». À partir de ce moment-là, la technique quelle qu'elle soit (nous en avons observé de très nombreuses et de très diverses), est utilisée par le mental inférieur pour en faire une programmation de survie et ainsi renforcer ses propres programmations au lieu de les dégager. C'est pour cela que l'on voit des personnes utiliser la même technique (qui au départ est très valable) intensivement pendant des années et tourner en rond sans avancer vers une libération permanente. Il arrive souvent même que ces personnes deviennent de plus en plus émotives, de moins en moins maîtresses de leurs émotions, ce qui est contraire au but recherché. Cet inconvénient est évité si l'on fait un travail de centrage de la conscience parallèlement au travail de dégagement énergétique et émotionnel qui retrouve alors toute son efficacité.

- ***La deuxième façon*** de travailler pour désamorcer les programmations du passé est donc le travail en conscience qui permet au travail de dégagement énergétique-émotionnel de produire des résultats sûrs et plus permanents. Le travail sur les contextes de pensées fait partie du travail en conscience.

Remarquons que là aussi, un travail sur le système mental complètement isolé du travail de dégagement émotionnel peut être également inefficace, car il risque fort de ne pas être accepté par l'inconscient. Dans ce cas, on bâtit de belles théories et de nouveaux systèmes de croyances par-dessus les blocages émotionnels du passé.

On refoule alors encore plus profondément les vraies émotions, spécialement les négatives (mais même les positives perdent alors de leur clarté et de leur pureté), et on vit dans des systèmes mentaux rigidifiés, que l'on croit souvent très spirituels. Pourtant, lorsque soumis à un stress au cours de la vie quotidienne, on perd rapidement la maîtrise apparente que l'on pensait avoir et on se retrouve incapable de faire face sereinement et harmonieusement à la situation qui se présente. On se voit alors, selon les styles, devenir agité(e), fermé(e), agressif(ve), arrogant(e), etc. Il n'y a pas eu de réel dégagement émotionnel mais simplement un système de pensées qui en a remplacé un autre sans être vraiment intégré. *C'est dans l'expérience de la vie quotidienne que l'on peut mesurer notre degré de maîtrise et de liberté* et non pas dans un système philosophique, aussi brillant soit-il.

Le dégagement émotionnel par l'approche énergétique permet de diminuer les risques d'excès d'usage du mental (ce à quoi sont portées les personnes qui, voulant faire un travail d'évolution, ont malgré tout très peur de leurs émotions ; ces personnes sont plutôt attirées par les enseignements de types philosophiques ou « spirituels »). Ce travail de dégagement émotionnel est la plupart du temps indispensable et, allié au travail de conscience, il permet une intégration plus complète de celui-ci ; il lui donne la profondeur et des racines solides jusque dans l'inconscient.

L'approche en conscience, par contre, permet de diminuer les risques d'envahissement émotionnel. Elle est indispensable pour permettre à la conscience de rester centrée et claire lors du travail sur les émotions, travail qui peut amener des perturbations momentanées tout à fait bénéfiques si on maintient clairement celles-ci dans l'espace du Soi.

De plus, les deux façons de travailler ne sont pas indépendantes. Un déblocage énergétique peut apporter un changement de conscience, et une prise de conscience produit tôt ou tard un déblocage énergétique, car énergie et conscience sont deux aspects de la même réalité. Mais leur emploi combiné permet d'éviter certains pièges et produit des résultats plus sûrs, plus profonds, plus rapides aussi, plus nuancés et plus durables. C'est ce que nous avons observé à travers nos expériences, nos recherches et notre pratique professionnelle.

Nous présenterons un des aspects fondamentaux du travail en conscience en proposant, à partir du prochain chapitre, un contexte de pensées conscient permettant le dégagement de la structure de victime avec toutes ses conséquences. Étant donné la puissance de ce contexte, cela peut permettre directement un dégagement important au niveau émotionnel. Cela peut aussi soutenir toute démarche de croissance que l'on choisit de faire, quelle que soit la méthode choisie.

Avant de présenter ce contexte, nous allons clarifier, d'une façon générale, en quoi le travail en conscience facilite le dégagement émotionnel. Ceci nous permettra de pouvoir mieux utiliser les chapitres suivants.

2 - Le travail en conscience, l'utilisation de l'énergie mentale

Changer d'état d'esprit facilite la transformation de nos réactions émotionnelles, car, au niveau d'évolution où est l'être humain actuel, ***derrière toute émotion réactivée, il y a toujours une pensée,*** rudimentaire ou élaborée, consciente, inconsciente ou éventuellement supraconsciente. Le système émotionnel est constitué d'énergie brute sans différenciation au départ. C'est le contenu de notre mental (inférieur ou supérieur, conscient et inconscient selon le niveau d'évolution de la personne) qui oriente cette énergie dans un sens ou dans un autre.

Il est très à la mode de travailler sur ses émotions et de nier l'importance du mental, de refuser même d'accepter la moindre action du mental dans ce travail, de peur qu'il utilise instantanément cette ouverture pour réprimer ou nier les émotions, comme cela est souvent le cas. Or il y a là une confusion regrettable qui enlève aux meilleures intentions une grande efficacité dans le travail. Il est vrai que nous ne voulons pas utiliser cette partie inférieure du mental, conscient et inconscient, qui nie et refoule les émotions. Pourtant, afin de transformer les émotions, nous devrons travailler sur la transformation même de notre système mental, c'est-à-dire sur notre niveau de conscience, et apprendre à utiliser l'énergie mentale efficacement et harmonieusement pour maîtriser nos émotions.

On se méfie en général du processus de transformation des émotions par le mental car il y a confusion quelque part. La confusion vient de ce que l'on ne fait pas la **différence entre réprimer et maîtriser**. Maîtriser veut dire faire sien, s'approprier. ***Maîtriser*** ses émotions veut dire s'approprier, à l'aide de notre mental éclairé, la puissance et l'énergie de nos émotions afin ***d'utiliser*** celles-ci consciemment pour notre bien-être et celui des personnes qui nous entourent. C'est être capable d'utiliser l'énergie d'une émotion selon notre propre volonté et notre propre intention, ou la volonté et l'intention de notre Soi. ***Réprimer*** c'est garder l'énergie de l'émotion ***bloquée*** quelque part dans notre corps physique et nos autres corps. C'est tout à fait différent. Nous savons, dans ce cas, combien cela crée de malaises psychologiques et de maladies physiques.

Toutes les traditions ésotériques décrivent le processus de libération et d'illumination comme étant la lumière du Soi se reflétant dans un mental apaisé et clair qui, à son tour, influence le système émotionnel.

Le travail de concentration, de rigueur, de compréhension et de discipline mentale facilite la maîtrise réelle des émotions lorsque la substance mentale utilisée est de qualité supérieure. Mais il est tout à fait vrai que le même travail, fait à partir du mental inférieur, risque d'apporter beaucoup plus de répression que de libération. De là provient la confusion. Il est important de clarifier la différence. Le problème n'est pas dans l'utilisation du mental. Le problème est de savoir quelle partie du mental on utilise. Si on utilise le mental inférieur pré-programmé par nos peurs et traumatismes passés, il est fort probable que nous ne ferons qu'empirer les choses. Si on utilise la partie du mental qui est en contact avec le Soi, ce qu'on appelle aussi le mental supérieur, nous aurons à notre disposition un instrument puissant et efficace pour transformer nos émotions et apporter paix et sérénité réelles à l'intérieur comme à l'extérieur de nous. Cela n'est pas un simple processus intellectuel, loin de là. **C'est un processus de conscience qui infuse l'intuition et la connaissance directe du Soi dans notre expérience de la vie.** Il est vrai que le mental est l'entrave lorsqu'il est très peu développé et pré-programmé par les expériences traumatiques du passé, mais il est aussi la porte lorsqu'il est dégagé et clair.

Une des représentations symboliques de l'être humain - l'analogie de la charrette - que nous avons présentée au premier chapitre, illustre facilement ce point. Si le cocher n'écoute pas les directives du maître (lequel, rappelons-le, est le seul à avoir la connaissance du chemin), c'est-à-dire si on utilise la partie inférieure pré-programmée de notre mental, l'ensemble de notre personnalité va être guidée par un cocher tyrannique et ignorant. Celui-ci, à partir de certaines expériences du passé, perçoit le cheval comme dangereux et fera tout pour l'étouffer, l'affamer et saboter son énergie. Cela s'appelle refouler ses émotions. On devient de plus en plus insensible, rigidifié intérieurement, anesthésié face à la vie. Ou bien le cocher, toujours ignorant, fouette le cheval de façon désordonnée et inefficace (systèmes de pensées étroits issus d'expériences passées). Le cheval alors rue dans les brancards et s'emballe. D'une façon ou d'une autre, notre vie devient très limitée et insatisfaisante. Soit on piétine sur place en refoulant nos émotions, soit on se trouve sans cesse à la merci d'une émotion qui nous envahit (c'est-à-dire d'un cheval qui rue, s'emballe et s'en va où il veut aux moments les plus inopportuns) sans que l'on ait la moindre maîtrise sur tout cela.

Si au contraire le cocher a une vue large et ouverte du chemin, et est à l'écoute des directives du maître de façon souple et permanente (mental supérieur), le cheval sera conduit intelligemment et harmonieusement. Il donnera alors toute sa puissance et toute son énergie pour nous faire avancer le plus rapidement et le plus efficacement possible sur le chemin de notre évolution.

Notre état émotionnel dépend de **la qualité de la substance mentale** que nous utilisons. Si nous utilisons des croyances (la plupart du temps inconscientes) et des systèmes de pensées étroits et issus de la séparation et de la peur, nous allons générer ce qu'on appelle des émotions négatives. Si nous utilisons une substance mentale plus raffinée, et c'est là qu'intervient le processus d'évolution de la conscience et l'élargissement de contexte, alors nos émotions seront plus saines et plus harmonieuses dans leur expression et dans leurs résultats concrets.

Remarquons bien qu'une substance mentale plus raffinée ne veut pas dire nécessairement « pensée positive ». La pensée positive est un premier effort pour améliorer la qualité de nos pensées. Mais cela peut rester superficiel et peut même être une façon de refouler les émotions si un réel travail d'ouverture de la conscience et d'élargissement de contexte de pensées n'est pas fait simultanément. Les « pensées positives » émergent naturellement et sans effort lorsque les contextes de pensées sont plus larges et donc plus en accord avec la réalité fondamentale de l'univers. Comme nous l'avons mentionné au cours du deuxième chapitre, élargir son contexte de pensées, c'est se rapprocher de plus en plus de la connaissance et de la compréhension réelle de l'univers qui nous entoure. Ayant acquis plus de connaissance et de compréhension, nous acquérons automatiquement plus de maîtrise.

En fait, l'utilisation de cette substance mentale plus raffinée fait que nous fonctionnons de moins en moins à partir de la volonté de la personnalité et de plus en plus à partir de celle du Soi, via le mental supérieur. C'est ce qui nous permet de **rester centré** quels que soient les aléas émotionnels. Cette capacité de rester centré est l'élément essentiel, permettant de faire un travail sur soi efficace et intelligent.

Opposer mental et émotions n'est donc pas très pertinent. Laisser notre vie être dirigée par un cocher ignorant n'est certes pas source de grand épanouissement. Laisser le cheval galoper n'importe comment n'apporte pas grand chose de bon non plus dans notre vie, à part dans un premier temps pour libérer le cheval de l'oppression d'un cocher inintelligent. Mais ce n'est qu'un premier pas et il est important de ne pas en rester là.

Pour éviter le risque de refoulement par le mental, on nous a recommandé de « vivre nos émotions ». Cela demande à être précisé, car là aussi règne une certaine confusion et cette suggestion mal comprise peut tout simplement ne faire qu'empirer les choses. C'est pourquoi nous examinerons maintenant trois façons possibles de faire face à nos émotions, et comment commencer à en acquérir la maîtrise.

3 - La maîtrise des émotions

Lorsqu'on expérimente des émotions négatives, trois façons d'y répondre sont possibles :

— ***Ignorer, nier et réprimer cette émotion*** avec le coût élevé que cela entraîne au niveau du bien-être et de la santé, comme on le sait. Apparemment à court terme cela apporte une certaine tranquillité, mais très superficielle. On est « tranquille » parce qu'on se fait mourir à petit feu intérieurement. Cela coûte très cher à long terme. Cela demande un contrôle de tous les instants et brûle une énergie énorme. Les drames et les émotions négatives sont là mais soigneusement camouflés, ne se manifestant en général que plus tard, et souvent trop tard, sous forme de maladies graves (cancers, crises cardiaques, dépressions et autres) quand la suppression a duré trop longtemps pour que le corps puisse continuer à y résister. Beaucoup de personnes en sont là, et il est bon pour elles de commencer à oser faire une incursion dans la deuxième façon, et passer rapidement à la troisième façon si elles veulent avancer dans leur vie en étant plus heureuse et en meilleure santé.

— ***S'identifier à cette émotion***, ne pas la refouler, mais la « vivre », dans le sens d'agir en fonction de ce qu'elle nous pousse à faire, ou dire ou exprimer d'une façon ou d'une autre. On crie, on hurle, on fait des scènes ou on ne dit rien, mais on se venge, car on s'identifie à notre émotion. De rigide et constipé, souriant ou grimaçant selon les styles, on devient « émotif ». Cela ne facilite pas beaucoup la vie non plus et crée même beaucoup de drames ; ceux-ci sont simplement plus apparents que dans le premier cas. C'est malgré tout plus sain car cela devient tellement insupportable parfois que l'on a peut-être une chance de vouloir s'en sortir et de découvrir la troisième façon.

Pourtant il est bon d'observer que cette deuxième façon de procéder, si elle devient systématique, s'avère plus pernicieuse qu'elle ne le paraît de prime abord. Car il est un principe bien connu, à savoir que **chaque fois que l'on agit en fonction d'une émotion, on renforce le système de pensées ou de croyances, conscient et/ou inconscient, qui est à la base de cette émotion**. Donc, lorsque l'on agit en fonction d'émotions négatives, non seulement on fait bien du bruit et du dégât autour de nous, mais aussi on renforce notre potentiel pour faire encore plus de bruit et de dégât à chaque nouvelle fois. Chaque fois que l'on agit en fonction d'une émotion sans aucune maîtrise consciente, notre état émotionnel intérieur empire, même si, sur le moment, on a l'impression d'un dégagement. Car le dégagement qui se fait est un dégagement énergétique momentané seulement, alors que le système mental qui a généré l'émotion a été renforcé.

— ***Reconnaître cette émotion*** et l'énergie qu'elle véhicule, la « vivre » dans le sens de *se permettre de ressentir* la totalité de ce qui est là ; faire cela sans blâme ni jugement, sachant que le mécanisme émotionnel fait partie du véhicule humain et que c'est tout à fait correct d'avoir des émotions négatives ; et *choisir* consciemment ce que l'on décide de faire. C'est à ce moment-là que la capacité de rester centré que nous apporte le travail en conscience, devient nécessaire.

On prend conscience, autant que l'on en est capable, des pensées et des croyances qui nourrissent ces émotions. Ce n'est pas si difficile. Lorsqu'une émotion émerge, on peut choisir d'écouter tout ce que l'on se dit à soi-même, tout ce que l'on pense à propos des autres ou de la vie à ce moment-là. On prend la position de témoin.

Cette position de témoin se pratique dans toutes les vraies disciplines spirituelles et aussi à travers différentes techniques psychologiques largement disponibles au public maintenant. C'est une position accessible à tout être humain. Prenant cette attitude d'observateur compatissant et aimant, on observe ce qui se passe en nous, avec toute notre intelligence, notre sagesse et notre amour pour nous et pour les autres. Avec l'aide de l'énergie de notre Soi, et éventuellement l'aide de professionnels compétents sur le chemin, on regarde ce que l'on peut faire avec nos ressources du moment pour mettre en action les meilleurs contextes de pensées qui nous sont disponibles, afin de rediriger cette énergie dans un sens que l'on choisit pour notre propre bien et celui des autres. Être en mesure de changer son contexte de pensées consciemment et volontairement, c'est commencer à maîtriser la mécanique mentale. Ceci est fait dans un espace d'amour inconditionnel pour soi-même et d'acceptation de nos propres limites du moment.

Quelquefois on réussira facilement à changer le contexte de pensées, à penser différemment (n'oublions pas que tout être humain a, en potentiel, le pouvoir de choisir ses pensées) et par là-même, à transformer l'émotion. Chaque fois que l'on réussira, on aura diminué le pouvoir de cette émotion sur notre personnalité. Quelquefois la programmation est trop forte ou trop inconsciente pour que l'on puisse le faire sur le champ. Alors on en prend note et on sait qu'il nous faudra faire un travail spécifique pour désamorcer la programmation de base. Mais déjà le simple fait d'avoir été capable d'observer et donc de se désidentifier, ne fut-ce que quelques instants, de l'émotion ressentie, affaiblit la charge énergétique de cette émotion. Et ainsi, pas à pas, expérience après expérience, on construit la maîtrise.

Afin d'illustrer ces trois attitudes possibles nous donnerons une image. Nous allons comparer le fait d'expérimenter une émotion négative au fait d'avoir une baignoire qui se vide mal et dont l'un des robinets n'arrête pas de couler : on a des problèmes de plomberie. Nous nous apercevons tout d'un coup que la baignoire déborde. Il y a trois types de réactions possibles :

— *On nie l'évidence*, on fait comme si cela n'existait pas. Lorsque des amis nous rendent visite et nous demandent si tout va bien dans notre maison, on leur dit que tout est parfait, tout en amoncelant les serviettes au bas de la porte de la salle de bain pour que l'eau qui commence à déborder ne rentre pas dans le salon, et que rien ne paraisse. Car il est très mal vu dans la société d'avoir des problèmes de plomberie (ressentir des émotions négatives, cela remonte aux traumatismes parentaux). Et plutôt que de profiter de cette visite et jouir de la vie, on a hâte que les amis s'en aillent, qu'ils repartent avant que le gâchis ne soit découvert... Cela demande beaucoup d'énergie pour arriver à contenir toute cette eau et faire bonne figure.

C'est ainsi en général que l'on nous a appris à faire face aux émotions négatives : refouler, nier, faire semblant que tout va bien.

Quelquefois la mécanique de refoulement et de négation est tellement automatique et profondément installée que l'on ne se rend même pas compte que l'on supprime nos propres émotions. Il nous semble vraiment que tout va bien et que l'on ne ressent rien de spécial. On a l'illusion de la maîtrise jusqu'au moment où la pression de l'eau, devenant trop forte, fait sauter la porte de la salle de bain. Cela se présente en général sous la forme d'une grave maladie physique ou nerveuse.

Quel que soit le degré de suppression, il n'en reste pas moins que ces émotions refoulées conditionnent notre expérience de la vie et nos relations avec les autres. La plupart du temps c'est ainsi que l'on a été éduqué, pour ne pas dire programmé.

— *On reconnaît le problème de plomberie, mais on ne pense pas que l'on puisse faire quoi que ce soit pour le régler.* On ne nous a jamais appris comment faire. Alors, lorsque les amis viennent en visite, on leur parle de tout ce qui nous arrive à cause de cette baignoire. Si les amis fonctionnent de la même façon, ils seront très intéressés et auront hâte de nous parler de leurs propres problèmes de plomberie. Personne ne pensera à faire quoi que ce soit pour chercher à les réparer. Au contraire, on déclare que l'on n'y peut rien, que c'est ainsi que sont faites les salles de bains (la nature humaine).

Cette attitude peut provenir de plusieurs sources. Soit à travers notre éducation on nous a bien fait comprendre que l'on ne peut absolument pas réparer ce genre de choses, il faut cacher et endurer. Soit selon certaines techniques de thérapie des années 60, qui à l'époque représentaient un progrès, on pense qu'il ne faut surtout rien faire pour essayer de changer cela, ce serait aller contre la nature des choses ; il faut laisser déborder. Soit plus récemment, selon d'autres techniques réactivant les émotions mais sans travail de conscience, on croit que plus les réactions émotionnelles sont nombreuses (plus il y a d'eau dans le salon) et plus le travail de dégagement qui se fait est efficace. C'est loin d'être toujours le cas. Cela peut-être simplement un autre tuyau qui a sauté, et si on continue à ne rien faire pour maîtriser la situation, il y aura de plus en plus d'eau dans la maison. Quel que soit le cas, on nage allégrement dans l'eau de la baignoire qui déborde dans le salon. On se dit alors : plus il y a d'eau, mieux c'est, au moins on est vivant ! C'est vrai dans un certain sens ; on est vivant, mais dans quelles conditions ? On expérimente la vie à partir d'émotions non maîtrisées, et cela ne facilite pas toujours la paix, l'harmonie et le bien-être à l'intérieur et à l'extérieur de nous. Certaines personnes se complaisent dans cet espace émotionnel mouillé. C'est leur libre choix, si elles y trouvent leur bonheur. Par contre, si nous sommes intéressés à vivre dans une maison plus belle, plus agréable et plus harmonieuse, il existe des moyens pour y arriver.

Cette attitude représente malgré tout un progrès par rapport à la première, car elle fait apparaître clairement les endroits où une réparation est nécessaire. Au moins on se dit la vérité. On cesse de faire semblant et de tout contrôler à partir d'un mental qui refuse de nous laisser ressentir toute émotion, celle-ci pouvant menacer les murs de la forteresse intérieure bâtie pour se protéger de la vie. Mais ce n'est évidemment pas suffisant. Il faudra peut-être se décider à réparer, c'est-à-dire à passer au troisième stade :

— *On reconnaît que notre baignoire ne fonctionne pas, mais on ne se déclare pas impuissant(e) devant ce problème.* On regarde ce que l'on peut faire, soit personnellement, soit avec l'aide d'un spécialiste (c'est là que peut intervenir un bon plombier, en l'occurrence un bon thérapeute, ou un bon cours de développement personnel). On apprend à réparer et à entretenir la maison de façon à ce que cela ne se reproduise plus. On débouche les canalisations, on nettoie les dégâts (déblocage énergétique) et on met une tuyauterie neuve (changement de contexte de pensées). On devient de plus en plus maître de notre maison et il fait bon y vivre.

Cette attitude de travail conscient et de bonne volonté face à nos émotions négatives, qui peut être alliée à des techniques de dégagement des traumatismes d'enfance ou de vies passées, apporte une libération réelle et durable de l'influence que ces émotions peuvent avoir sur nous. Ce travail permet de se libérer de l'emprise du mental inférieur contrôlant et limitant toute sensibilité émotionnelle pour acquérir la maîtrise à l'aide du mental supérieur. **Lâcher le contrôle pour acquérir la maîtrise** est le travail de conscience qui mène à la libération intérieure. La prise de conscience de ceci peut être instantanée. L'intégration dans la vie de tous les jours se fait au cours du temps, si on le veut vraiment et si on est prêt à pratiquer et à expérimenter consciemment et sincèrement.

***Il est possible de transformer notre énergie émotionnelle en acquérant la maîtrise de nos systèmes de pensées.* Apprendre à changer de contexte de pensées est une partie essentielle du travail de conscience.**

Nous pouvons donc chercher à utiliser notre puissance mentale sans crainte, car si nous l'utilisons de la bonne façon nous obtiendrons la maîtrise de notre vie et, avec cette maîtrise, la joie de toutes les émotions agréables, l'amour, la compassion, la certitude et une jouissance de la vie au-delà de nos plus beaux espoirs. Loin de minimiser notre potentiel émotionnel, la maîtrise de notre mental nous permet de jouir pleinement de ce potentiel dans ce qu'il a de plus positif pour nous et pour les autres.

La structure de pensées que nous présenterons à partir du chapitre suivant sous la forme du contexte de responsabilité-attraction-création permet la transformation d'un grand nombre d'émotions négatives. Les résultats d'apaisement et de libération intérieurs, résultats concrets obtenus par des milliers de personnes partout dans le monde qui ont bien voulu y ouvrir leur conscience, font que nous pouvons y voir un nouveau paradigme qui peut faire avancer la conscience de l'humanité d'une façon très positive.

DEUXIÈME PARTIE

LE PARADIGME DE RESPONSABILITÉ-ATTRACTION-CRÉATION

ou

Comment guérir de la victimite

Toute vérité passe à travers trois étapes.
Elle est d'abord ridiculisée.
Ensuite elle est violemment contestée.
Finalement, elle est acceptée comme évidente.

Arthur Schopenhauer

CHAPITRE VI

DÉFINITION DU PARADIGME DE RESPONSABILITÉ-ATTRACTION-CRÉATION

Ce paradigme ne pourra pas être présenté de façon linéaire, logique et rationnelle, au sens de la logique ordinaire. Il s'agit d'un concept faisant appel à la fois à l'intelligence et à l'intuition, à la rigueur mentale en même temps qu'à une ouverture de l'esprit vers des dimensions non habituelles. Nous l'approcherons donc de diverses façons et chacun pourra, à partir de cela, prendre ce qui l'intéresse, laisser le reste et faire sa propre synthèse. Parfois certaines phrases ou paragraphes ne prendront tout leur sens pour certains que lorsque rapprochés d'autres phrases ou d'autres paragraphes quelques pages plus loin. Nous espérons simplement que cette présentation favorisera le processus de réflexion de chacun.

Nous présenterons ce paradigme de la façon la plus progressive possible, en trois étapes, l'approfondissant chaque fois un peu plus. À chaque approfondissement il nous faudra élargir encore un peu plus nos contextes de pensées habituels, et chacun pourra s'arrêter là où cela lui semble approprié. Chaque aspect supplémentaire inclura le précédent, il n'y aura donc aucune contradiction et la progression pourra se faire aisément.

Rappelons à nouveau que le terme « responsabilité », utilisé dans l'ensemble responsabilité-attraction-création, ne l'est pas dans le sens habituel du mot. Le mot responsabilité employé seul est un vieux mot lourdement chargé. La définition habituelle appelle aussitôt la culpabilité alors qu'ici ce sera tout l'opposé. Si nous nous référons au dictionnaire, la seule partie de la définition de ce terme qui pourrait s'approcher du nouveau sens que nous voulons lui donner serait la suivante : « Capacité de prendre une décision sans en référer préalablement à une autorité supérieure ». En fait, pour ce qui est des deux premières approches, nous donnerons au terme responsabilité la signification très simple de « ***Capacité de choisir librement notre réponse*** **».** Au cours de la troisième approche, nous devrons redéfinir cette capacité de choisir encore plus largement, en association avec les termes attraction et création.

1 - Le pouvoir de choisir notre action

Ceci est un premier état d'esprit, le plus simple, permettant de limiter les dégâts causés par la victimite et qui peut être résumé par la phrase suivante :

Ce n'est pas ce qui arrive qui détermine notre vie,
mais plutôt
ce que l'on choisit de faire avec ce qui arrive.

Si on arrive à installer cet état d'esprit assez solidement dans notre conscience mentale, nous avons déjà une bonne base pour limiter l'impact des réactions émotionnelles de la victimite. En effet, à partir de cela, lorsqu'un événement défavorable se présente dans notre vie, au lieu de passer notre temps et perdre notre énergie à nous plaindre et à blâmer les autres, on peut **choisir** de regarder la situation bien en face et **agir** de façon à changer les choses. On choisit consciemment de créer la suite des événements au meilleur de nos ressources, ou d'agir afin que les événements tournent en notre faveur d'une façon ou d'une autre. Ceci se fera non pas dans le sens d'une résistance à ce qui est là, mais plutôt dans le sens d'une satisfaction de nos besoins réels. C'est apprendre à couler avec le flot de la vie au lieu d'y résister. C'est déjà tout un art. C'est très bien si on y arrive directement. Pourtant les situations de la vie sont souvent confrontantes, et il nous faut des contextes de pensées plus spécifiques et plus puissants pour pouvoir y faire face de façon positive et bénéfique. Pour faciliter cela, il sera nécessaire de faire un deuxième pas pour franchir l'étape suivante.

2 - Le pouvoir de choisir notre réponse

Il est possible d'acquérir la maîtrise sur nos réactions intérieures face à ce qui se présente dans notre vie. Autrement dit, nous pouvons choisir notre réaction intérieure (mentale et émotionnelle) face aux différentes situations qui se présentent dans notre vie. Sous cet aspect, nous définirons la responsabilité comme « **la capacité de *choisir* notre réponse** » (mais ce n'est qu'un aspect, car nous verrons plus loin un aspect encore plus large). Étant donnée une situation, nous choisissons de considérer que nous ne sommes pas soumis à cette situation, mais au contraire que nous avons la possibilité de choisir notre réaction, de choisir notre réponse, en particulier notre réponse émotionnelle. Et nous pouvons dire alors :

Ce n'est pas ce qui arrive qui détermine notre vie, mais la façon dont on choisit de réagir intérieurement à ce qui nous arrive.

Quand on est atteint de victimite, on pense que nos états émotionnels sont dus aux comportements des autres ou aux circonstances. Ici nous proposons de changer notre façon de percevoir les situations ou événements. On choisit de prendre totale responsabilité de ce qui se passe dans notre corps émotionnel. Si on se sent perturbé émotionnellement, c'est qu'on laisse notre cheval s'agiter à cause de circonstances extérieures (personnes ou événements). Il ne tient qu'à nous, alors, d'apprendre à le conduire de façon souple mais ferme (il ne s'agit pas de refouler, évidemment, mais de maîtriser ; ceci a été clarifié au chapitre V). On ne nous apprend malheureusement pas à faire cela à l'école, mais c'est à l'école de la vie que nous pouvons faire notre propre apprentissage si nous le voulons bien.

En particulier, on cessera de se croire faible et vulnérable, à la merci du premier grand méchant qui peut bouleverser nos émotions. On considérera que si on a une réaction émotionnelle, la colère par exemple, ce n'est pas parce que quelqu'un nous a mis en colère en ayant fait ou dit telle chose. C'est nous qui nous mettons en colère avec ce que la personne a fait ou a dit.

Tant que l'on blâme les autres (position de victime), donc qu'on les considère comme responsables de nos réactions émotionnelles, la seule chose que l'on peut faire est de leur demander de changer pour pouvoir nous sentir mieux. Or, on le sait, on ne peut pas changer les autres. Il y aura toujours des plaisantins plus ou moins drôles sur la route qui essaieront de provoquer notre cheval. Soit on laisse celui-ci réagir sans direction, et alors on perd le contrôle de notre vie, soit on apprend à le conduire élégamment et harmonieusement, quels que soient les aléas du chemin. Cela commence en cessant de blâmer les autres pour nos réactions émotionnelles et **en prenant responsabilité totale de notre état intérieur.**

On apprend alors à développer la conscience de notre réalité intérieure et à modifier nos systèmes de pensées afin d'être en mesure de faire face à n'importe quelle situation dans la paix, l'ouverture et la sérénité.

Il s'agit bien là d'ouverture. La prise en charge de nos états émotionnels permet une réelle ouverture aux autres, libre et consciente, alors que le blâme nous met dans un état de crainte et d'impuissance permettant aux autres et aux circonstances de nous ballotter facilement à tous vents. Souvent on confond les réactions émotionnelles avec de la sensibilité. Être réactivé émotivement par n'importe qui ou n'importe quoi n'est pas ce que nous appellerons de la vraie sensibilité, laquelle impliquerait une réelle ouverture à la vie. Ce n'est, en fait, qu'une absence de maîtrise.

Cela ne veut pas dire qu'en déclarant que l'on est en charge de notre vie, on obtiendra instantanément la maîtrise. Il nous arrivera encore de nous sentir ballottés d'un côté ou de l'autre, apparemment à cause des autres ou des circonstances. Mais le fait de savoir que ces réactions nous appartiennent nous permet de commencer à faire un travail conscient sur nos mécanismes intérieurs et d'obtenir, pas à pas, une plus grande maîtrise de notre vie.

Piero Ferrucci, en page 133 de son livre *La Psychosynthèse,* offre un excellent exemple de cet état d'esprit. Il rapporte comment Assagioli, fondateur de la Psychosynthèse, fit face à son emprisonnement en 1938 par les fascistes à cause de ses idées pacifistes, en présentant un extrait des notes qu'Assagioli écrivit alors qu'il était en prison :

Je réalisai que j'étais ***libre*** *d'adopter une attitude parmi plusieurs vis-à-vis la situation, de lui accorder une valeur ou une autre, de m'en servir d'une façon ou d'une autre. Je pouvais me révolter intérieurement et maudire la situation ou je pouvais m'y soumettre passivement, végétativement, ou je pouvais m'attarder au plaisir morbide de l'apitoiement et prendre le rôle de martyr, ou je pouvais prendre la situation sportivement et avec sens de l'humour, la considérant comme une expérience nouvelle et intéressante... Je pouvais en faire une cure de repos ou une période de pensée intense, que ce soit sur des questions personnelles — revoir et évaluer ma vie passée — ou sur des problèmes scientifiques et philosophiques; ou je pouvais tirer profit de la situation pour entreprendre un entraînement psychologique personnel, ou enfin, je pouvais en faire une retraite spirituelle. J'ai eu la perception pure et claire que c'était entièrement ma propre affaire, que j'étais* ***libre de choisir*** *l'une ou plusieurs de ces attitudes et activités, que ce choix aurait des effets inévitables que je pouvais prévoir et dont j'étais pleinement* ***responsable.*** *Il n'y avait aucun doute dans mon esprit quant à ce pouvoir et à cette liberté essentiels et à leurs privilèges et responsabilités inhérents.*

Cet état d'esprit que nous venons de définir, cette façon de nous percevoir nous-mêmes comme étant totalement en charge de nos états intérieurs et de nos choix d'action quelles que soient les circonstances, est un bon antidote contre la victimite. Nous redéclarons notre pouvoir sur notre vie et cela nous amènera à faire un travail de transformation intérieure (transformation de nos contextes de pensées) au lieu de vouloir changer les autres ou le monde.

Cet état d'esprit peut être pourtant enrichi par un autre aspect plus large du principe de responsabilité-attraction-création, que nous appellerons de façon abrégée principe de responsabilité. Ce principe offre un moyen de transformation de contexte de pensées efficace et peut nous redonner une confiance absolue en ce que nous sommes et en ce que nous devenons. C'est ce que nous présenterons maintenant et cela demandera une réflexion plus approfondie.

3 - Le principe de responsabilité-attraction-création

Nous devrons nous livrer à un examen attentif pour arriver à constater que ce contexte de pensées est celui qui permet d'harmoniser notre vie au maximum, et génère des conséquences très positives dans notre façon d'expérimenter la vie. Selon le principe suivant lequel plus un contexte génère de paix, de pouvoir, d'harmonie et de bien dans la vie, plus il s'approche de la réalité, il est fort probable que cette approche soit celle qui nous donne une vision du monde plus complète et plus réelle. Cette approche inclut évidemment les deux premières, il n'y a pas de contradiction. C'est simplement une façon beaucoup plus large de voir les choses qui finalement nous donnera plus de pouvoir et de liberté.

Ce contexte a non seulement le pouvoir de nous libérer de la victimite (il en est en fait l'antidote idéal), mais il fera plus encore : **il nous permettra de faire face aux situations réellement difficiles de la vie** (celles où nous pouvons nous sentir « victimes », dans le sens d'épreuves réelles à passer), et ceci **d'une façon saine et sereine**. Il permet même, dans certains cas, de tirer de ces situations des bonus insoupçonnés. Ainsi, lorsque nous parlerons de victime dans ce chapitre, cela pourra s'adresser aussi bien aux personnes ayant vécu ou vivant des situations réellement difficiles, qu'aux personnes atteintes de victimite, dont le filtre mental est programmé pour percevoir et interpréter la réalité en fonction de la position de victime permanente, qui se plaint de tout, de n'importe qui et de n'importe quoi. Bien que les deux situations soient différentes, l'état d'esprit que nous présenterons maintenant, permettant de maintenir paix, sérénité et confiance en la vie, est le même.

Nous avons déjà mentionné combien il est difficile de changer nos contextes de pensées, surtout ceux qui sont véhiculés collectivement depuis longtemps. C'est pourquoi, même si ce point de vue vous paraît, au premier abord, étrange, exagéré ou incompréhensible, nous vous invitons à une réflexion plus profonde sur le sujet afin d'en découvrir la réelle richesse et, en fait, le profond bon sens. Souvenons-nous que lorsque Galilée soutenait que la terre tournait autour du soleil, tout le monde trouvait cela absurde et ridicule. Il s'est même fait mettre en prison pour cela, étant considéré comme un individu dangereux véhiculant des idées bizarres qui pouvaient troubler la quiétude des bonnes gens. Et pourtant....

Le point de vue « **responsabilité-attraction-création** » consiste à considérer que, non seulement nous avons le pouvoir de choisir nos réponses à ce qui se présente dans notre vie, mais que :

Nous sommes à la source de tout ce qui nous arrive
et de tout ce qui se présente dans notre vie,

ou

Il n'y a pas de hasard,
c'est nous qui attirons tout ce qui se présente
dans notre univers
(personnes, circonstances, événements...)

ou encore,

Rien ne peut se présenter à nous dans notre univers sans que nous ayions donné une permission,
au niveau conscient (en général 2 %), ou au niveau inconscient ou supraconscient (environ 98 % pour la moyenne des gens).

Lorsque nous disons être à la source de tout, cela veut dire vraiment **de tout**. En particulier, lorsque nous partons de ce point de vue, nous considérons que nous *(le « nous » reste évidemment à définir)* avons attiré dans notre vie nos parents, notre condition sociale, notre état physique à la naissance et durant la suite de notre vie, notre conjoint, nos enfants, nos talents et capacités, les merveilleuses expériences de notre vie comme les plus difficiles, les planifiées comme les totalement imprévues (au niveau conscient), les plus belles opportunités comme les plus « malheureux hasards »... Tout est parfaitement ordonné suivant une certaine dynamique, qui certes dépasse notre entendement ordinaire, mais dont on peut avoir un sens malgré tout. Rien ne serait laissé à un hasard capricieux et injuste.

La bombe est lancée...

Oui, la terre tourne autour du soleil !

Mais comment est-ce possible ?

Lorsque notre mental entre en contact avec cette déclaration pour la première fois, cela nous semble en général absolument insupportable, ridicule, dénué de sens et à rejeter immédiatement sans examen supplémentaire. En effet, cela remet en question la forme pensée de la victime et de l'irresponsabilité qui est véhiculée, entretenue, nourrie et exploitée depuis des siècles dans notre culture. Le mental inférieur se révolte à cette idée de responsabilité, qu'il assimile instantanément à la culpabilité (alors qu'en fait il en est l'antidote absolu), et va tout faire pour y résister. Il faut s'y attendre. Heureusement, il y a en chaque être humain une connaissance innée (même si elle reste très inconsciente) des réels mécanismes de la vie, un désir de connaître vraiment, issu de son être profond via le mental supérieur, une curiosité qui lui donne envie d'aller voir un peu plus loin que tout ce qu'il a appris dans le passé. C'est évidemment à cette partie plus ouverte et plus consciente en chacun de nous que l'on s'adresse ici pour neutraliser les mécanismes de la partie inférieure. En effet, une fois les automatismes de celle-ci dépassés par une compréhension à la fois rigoureuse et intuitive du principe en question, il n'y aura plus aucune difficulté d'intégration. En fait, on découvre à l'usage que **ce principe est en harmonie avec notre nature profonde et que, personnellement et collectivement, nous avons tout à gagner et rien à perdre en l'adoptant.**

Il est certain que nous avons besoin de comprendre. Aussi nous allons maintenant nous efforcer d'amener quelque lumière sur la question pour que ce point de vue, qui au départ paraissait peut-être complètement farfelu, s'avère intéressant dans une perspective plus large.

Remarquons bien que ce concept n'est pas nouveau. Il est connu par les maîtres de la sagesse et les intuitifs depuis que le monde est monde. Depuis longtemps, tous les vrais maîtres de la sagesse connaissent et enseignent le fait que nous sommes à la source de notre expérience, sous des formes diverses peut-être, mais le principe sous-jacent a toujours été présent. Il a commencé à émerger dans la conscience du grand public sous la forme de « pensée créatrice » (ici nous élargirons grandement cette approche, mais elle est effectivement incluse dans le principe de responsabilité), et maintenant il émerge de plus en plus sous la forme directe du principe de responsabilité.

Nous observons ainsi que les enseignements les plus intéressants émergeant sur la planète en cette fin du XXe siècle, incluent ce concept de façon plus ou moins élaborée, mais néanmoins présente. (Pat Rodegast, Ram Dass, Anne et Daniel Meurois-Givaudan, Sanaya Roman, Barbara Ann Brennan, Eva Pierrakos, pour n'en citer que quelques-uns.) Il semblerait que la conscience humaine soit prête à commencer une intégration de ce concept au niveau personnel et collectif.

Il y a deux façons d'approcher ce paradigme, cette manière de percevoir la réalité : *l'intuition directe* et la *compréhension mentale.*

Pour certains, le principe de responsabilité-attraction-création paraîtra « intuitivement » évident. Les explications détaillées ne seront que la confirmation d'une perception intuitive déjà clairement présente dans leur esprit.

Pour d'autres, au contraire, il n'y aura aucune évidence dans ces propos. Il sera nécessaire de passer par la réflexion menant à une compréhension mentale, pour accepter le bien-fondé d'un tel point de vue. Cette ouverture mentale pourra éventuellement ouvrir la porte de l'intuition qui viendra confirmer et élargir la perception logique.

Il est parfaitement sain de vouloir comprendre. Les vérités intuitives, faisant appel à une qualité supérieure d'intelligence, peuvent et doivent finalement être comprises par le mental rationnel, ou si ce n'est totalement comprises, au moins être rendues acceptables. C'est une façon de raffiner notre substance mentale et de fonctionner à un niveau d'intelligence et de compréhension de plus en plus élevé.

Il ne s'agit donc pas de croyances ici. Soit le concept de responsabilité fait résonner en vous une perception déjà présente intuitivement ou, après réflexion, en utilisant bon sens, discernement et ouverture d'esprit, ce point de vue vous paraît valable. C'est très bien.

Soit après tous ces examens, mais seulement après examen, ce concept ne vous paraît pas valable, alors il est tout à fait approprié pour vous de le rejeter. Et c'est très bien aussi.

Pour fonctionner à partir du concept défini par le paradigme de responsabilité-attraction-création, il ne faut pas « y croire ». Il suffit d'en avoir une perception personnelle soit par l'intuition, soit par l'intelligence ou le bon sens, nous permettant de percevoir, **selon notre propre discernement et notre expérience**, le degré d'intérêt de ce concept et ainsi d'avoir **la possibilité de faire un choix conscient à propos de la façon dont nous voulons percevoir la vie**. Car, d'une façon ou d'une autre, nous devons nous placer dans un certain contexte pour aborder les expériences de la vie. Si, après réflexion et examen, le contexte de responsabilité nous semble apporter de meilleurs résultats dans la vie que d'autres contextes que l'on s'était appropriés dans le passé (souvent sans s'en rendre compte, y compris celui de la victime), alors nous aurons la possibilité, si nous le voulons, de fonctionner à partir de ce nouveau contexte et d'expérimenter personnellement ce qu'il produit. Comme pour tout contexte de pensées, ceci est un choix personnel.

Avant de nous livrer à un examen plus détaillé de ce nouveau paradigme, nous observerons qu'il y a ***deux façons d'évaluer l'intérêt d'un contexte de pensées :***

La première, la plus simple et la plus pratique, est d'observer ce que cette façon de penser génère dans notre vie. Si ce contexte génère plus de bonheur et de bien-être dans notre vie que ceux que l'on a l'habitude d'utiliser, alors, très pratiquement, nous pouvons choisir de l'utiliser (sauf si nous sommes intéressés à continuer à souffrir, dans ce cas nous choisirons un contexte qui nous maintient dans la souffrance, c'est notre droit le plus absolu, mais, au moins, nous le ferons consciemment). En ce qui concerne les résultats produits par l'utilisation du principe de responsabilité-attraction-création, nous avons pu les observer au cours de nos douze dernières années d'activité professionnelle à partir de milliers d'expériences vécues. Ces observations seront présentées au cours des chapitres X et XI, et si l'on veut, on peut passer directement à ces chapitres. Ceci serait, en un sens, suffisant au niveau pratique pour nous permettre de faire notre choix de contexte en en observant les conséquences dans la vie quotidienne.

La deuxième méthode pour évaluer l'intérêt d'une façon de penser sera peut-être plus satisfaisante pour certains et pourra être aussi un approfondissement intéressant de la première. Cela consiste à rendre ce contexte acceptable pour notre mental par une réflexion sur certains principes de la sagesse universelle, et les conséquences qu'impliquent ces principes. Ceci est présenté au cours des chapitres VII à IX qui suivent.

C'est donc pour faciliter cette compréhension et l'exercice de notre discernement que nous allons maintenant éclairer ce concept du mieux qu'il nous sera possible au cours des quatre chapitres suivants.

Pour cela nous allons tenter de répondre à deux questions :

1) **Pourquoi** serait-ce nous qui attirons tout ce qui se présente dans notre vie ? Quel serait le but de cette loi d'attraction-création ?

2) **Comment** se fait ce processus d'attraction-création ? Selon quels principes, selon quelles lois ?

Le hasard
est le chemin que Dieu emprunte
quand il veut voyager
incognito.

Albert Einstein

CHAPITRE VII

LA DYNAMIQUE D'ÉVOLUTION DE L'ÊTRE HUMAIN

ou

Pourquoi est-ce nous qui générons le contenu de notre vie?

Il est important et possible de comprendre, au moins partiellement, ce qui sous-tend ce processus de responsabilité-attraction-création que nous avons défini au chapitre précédent. Car il y a effectivement une dynamique spécifique qui dirige le mécanisme de l'évolution de l'être humain, et ceci de façon précise et dans un but bien déterminé. Ayant défini cette dynamique dans la mesure où cela nous est possible, il sera plus facile de comprendre pourquoi nous attirons certains événements, personnes ou circonstances dans notre vie.

Pour éclairer cet aspect de la question, il nous sera utile de répondre à une autre question tout d'abord, à savoir : **MAIS QUE FAIT-ON ICI SUR CETTE PLANÈTE ?**

1 - Le processus d'involution et d'évolution de l'humanité

Pour comprendre le concept de responsabilité de la façon la plus claire possible, il est bon de rappeler ce que l'on entend par « le processus évolutif de l'humanité ». Toutes les philosophies et enseignements spirituels du monde s'entendent pour décrire l'homme comme en processus d'évolution, de transformation, de changement (beaucoup d'autres noms ont été donnés : rédemption, purification, illumination, etc.).

Les enseignements ésotériques les mieux fondés, issus de toutes les traditions, nous disent que depuis des milliards d'années, l'humanité est partie pour un grand voyage que l'on appelle processus d'involution, suivi d'un processus d'évolution.

Au départ de ce grand processus, la conscience « divine » s'est séparée en une multitude de parcelles puis, pendant une très longue période d'involution, est descendue dans la matière, abaissant progressivement son taux vibratoire afin de se construire des instruments de manifestation, des « corps » pour expérimenter chaque niveau. Elle s'est ainsi « perdue » dans la matière, s'identifiant de plus en plus à celle-ci.

Cette conscience divine, qui est l'essence de ce que nous sommes, a maintenant terminé son mouvement involutif et amorce un processus d'évolution. Dans certaines traditions, on l'a appelé « le chemin du retour ». Nous en sommes au point où, étant descendue au maximum de matérialité prévue, la conscience divine s'est par là-même construit un instrument de manifestation approprié jusque dans le monde physique (ensemble des véhicules physique, émotionnel et mental). Nous possédons actuellement une personnalité relativement bien structurée, capable de volonté. La prochaine étape, ou le prochain mouvement, que nous avons déjà quelque peu entamée, est un travail « d'ascension », un travail de retour vers la conscience de notre divinité, de retour vers la lumière, vers l'unité, de retrouvailles avec notre vraie nature, de reconnaissance de notre être profond réel ; on peut utiliser la phraséologie qui nous convient.

Le but de ce long voyage est d'une part de diviniser la matière, d'autre part d'adjoindre l'auto-conscience à la conscience divine que nous avions au départ et que nous avons dû perdre momentanément. Nous sommes donc partis, il y a des milliards d'années, avec un plan bien défini, et ce plan se déroule étape par étape.

Ainsi il fut un temps, au cours du processus d'involution où expérimenter la séparativité n'était en aucun cas une « faute ». C'était au contraire excellent puisque cela allait dans le sens du plan à ce moment-là. C'était dans l'ordre des choses d'oublier la conscience divine, d'oublier notre sens d'unité avec les autres et avec l'Univers. C'était très bien de nous expérimenter de plus en plus comme étant séparés; il le fallait. Ce n'est pas parce qu'on n'a pas été corrects. C'était prévu dans le déroulement des opérations. Seul le mental inférieur, pris dans la dualité, a introduit la notion de bien et de mal et a faussé les esprits pendant quelque temps. Mais cela aussi était approprié. Tranquillisons-nous, il n'y a jamais eu de «péché», ni de «chute» qui n'aurait pas dû avoir lieu. Tout a eu lieu selon le Plan. Et si nous avons soi-disant «péché», oublié qui on était, expérimenté la séparation — on peut exprimer cela sous la forme que l'on veut (phraséologie chrétienne ou nouvel âge) — c'est tout simplement parce que nous avons parfaitement réussi notre processus d'involution, en particulier le processus d'acquisition du mental inférieur. À nous de réussir maintenant notre processus d'évolution qui est un processus d'illumination de tous les corps. C'est en ce sens que l'on «divinisera» la matière. Ainsi, ce qui est «bien» maintenant, c'est-à-dire ce qui se conforme au sens général du Plan, c'est de travailler à retrouver notre conscience divine. Ce qui était «bien» il y a des milliards d'années (si tant est que l'on puisse s'exprimer ainsi), c'était de la perdre. Tout est une question de perspective.

Le travail à faire maintenant, ou le jeu à jouer, après être descendus dans les trois mondes inférieurs et s'être vêtus de corps faits de la matière de ces mondes, est donc de ***choisir librement*** d'élever à nouveau notre conscience, emportant avec nous une expérience unique de la matière et ayant acquis, au cours de ce grand voyage, ce qu'on appelle l'auto-conscience par l'individualisation. Il s'agit bien là d'un choix libre, car au cours de ce grand voyage nous est donné aussi **le pouvoir de choisir** notre chemin du retour et la façon dont nous voudrons bien l'expérimenter.

Cela peut également s'exprimer en disant que nous sommes en train de travailler sur notre personnalité et la conscience habitant notre personnalité, pour rendre celle-ci de plus en plus réceptive à la volonté de notre Soi (véhicule de la conscience supérieure) afin que celui-ci puisse posséder l'instrument le plus adéquat possible pour manifester dans la vie physique toutes ses qualités (amour, sagesse, puissance, harmonie, etc.) que l'on peut qualifier de « divines ». Le travail, ou le jeu, est d'acquérir la maîtrise du véhicule de manifestation (physique, émotionnel et mental), d'harmoniser la volonté de ce véhicule avec la volonté du Soi. La conscience s'est identifiée pendant longtemps au véhicule afin d'assurer sa construction. Un travail de désidentification est maintenant à faire afin d'amener la conscience de notre personnalité au niveau de celle du Soi. C'est donc un travail d'adaptation de ce véhicule à notre conscience supérieure, pour que notre Soi puisse s'exprimer totalement et librement dans la vie concrète.

Nous considérons donc que nous sommes actuellement sur cette planète pour évoluer, ou, comme on l'a dit parfois, mais souvent mal interprété, pour amener le royaume de Dieu sur la terre. Amener le royaume de Dieu sur la terre, ce n'est pas instaurer l'autorité d'une religion de quelque sorte que ce soit. C'est arriver à faire en sorte que chaque être humain se manifeste concrètement au meilleur de lui-même sans barrières intérieures, c'est-à-dire manifeste son essence divine dans ses pensées, ses paroles et ses actions avec toutes ses qualités du cœur et de l'esprit. Ce sera alors effectivement le paradis sur la terre, issu naturellement de la qualité de notre manifestation concrète. Il est évident que pour l'instant nous ne pouvons décrire cette manifestation qu'en termes limités par notre conscience actuelle. En fait, elle dépassera de loin tout ce que l'on peut imaginer en termes de liberté, de puissance, d'amour, de lumière, etc., car cela s'effectuera au niveau vibratoire de l'essence divine et non plus au niveau de la personnalité. Cela ne prend paraît-il que quelques milliards d'années. Mais on en a déjà fait un bon bout...

Considérant ceci, il devient évident que ce Plan, ce travail ne peut pas se réaliser en une seule vie physique et nous sommes amenés à évoquer la possibilité d'une série de vies plutôt que d'une seule afin de pouvoir faire notre apprentissage.

La reconnaissance de cette possibilité de plusieurs vies pour avoir la chance d'évoluer n'est pas absolument indispensable pour fonctionner à partir du point de vue du principe de responsabilité, mais cela permet d'en comprendre beaucoup plus facilement et profondément le sens et la valeur. Mieux on comprend les bases d'un principe, plus il est facile de l'intégrer dans notre vie.

Nous choisissons donc de considérer, pour l'instant, que l'être humain ne dispose pas seulement d'une seule vie pour évoluer, mais de toute une série de vies et d'expériences successives. Ce principe, celui de la réincarnation, devient de plus en plus évident au fur et à mesure que la conscience s'ouvre à des réalités plus larges. C'est en fait, en lui-même, un élargissement de contexte de pensées émergeant naturellement dans la conscience actuelle de l'humanité. Ne faisant qu'émerger dans la conscience collective occidentale, ce principe est souvent présenté de façon simpliste et déformée. Il est bon de pouvoir le considérer dans une juste perspective. Nous n'élaborerons pas plus sur ce sujet, car tel n'est pas le propos de ce livre. Par contre, nous utiliserons cette approche, car d'une part, elle est évidente pour un nombre de plus en plus grand de personnes, et d'autre part, c'est un modèle beaucoup plus satisfaisant que le modèle ordinaire d'une seule vie, du point de vue rigueur logique comme du point de vue intuitif et spirituel, et on peut difficilement ne pas en tenir compte.

Si ce principe ne vous est pas familier mais que vous êtes ouverts et curieux de découvrir, il existe maintenant une littérature abondante et de qualité sur le sujet qu'il est difficile de nier ou d'ignorer en cette fin du XXe siècle.*

Pour l'instant, si ce principe ne vous est pas familier, vous pouvez toujours le considérer comme une hypothèse de départ, qui devra être vérifiée par la suite, et qui sera testée par les conséquences qu'elle entraîne. Ceci est le mode de fonctionnement de la recherche scientifique habituelle.

Nous pourrions comparer notre Soi à une merveilleuse danseuse de ballet qui désire explorer les fonds sous-marins pour le plaisir, pour la joie de la découverte. Elle commencera par mettre un scaphandre pour descendre sous l'eau. Elle ne pourra certainement

---

* Un classique : Gina Cerminara, *De Nombreuses Demeures,* éd. Adyar, Paris.

pas faire son meilleur numéro de pointe une fois arrivée au fond de la mer et elle le sait. Mais par contre, le scaphandre, aussi inconfortable et rigide qu'il soit, lui permet d'explorer un monde complètement nouveau. La limitation volontaire de ses mouvements lui permet de faire d'autres expériences. De façon semblable, le Soi est limité par son incarnation physique (le scaphandre), mais cette limite lui permet d'explorer les trois mondes inférieurs, dont la matière, chose qu'il ne pourrait pas faire autrement. À chaque descente, notre danseuse apprend à manier son scaphandre de plus en plus habilement et à le transformer même dans sa nature. Au début c'était un gros scaphandre très lourd, rigide et encombrant qui lui dictait presque tous ses mouvements. Petit à petit, notre danseuse améliore le scaphandre qui se transforme par exemple en combinaison de plongée beaucoup plus souple et lui permet d'être de plus en plus libre chaque fois qu'elle descend dans les profondeurs de la mer (chaque fois que nous descendons en incarnation).

Au cours de siècles d'évolution, l'objectif du Plan, qui est aussi celui de notre propre Soi, est donc, comme nous l'avons mentionné précédemment, de se construire un véhicule de manifestation de plus en plus adéquat qui lui permette de manifester sa volonté dans le monde physique. Depuis le départ de notre processus d'involution puis d'évolution, l'objectif est le même. **Cet objectif est progressivement atteint par un apprentissage qui se fait lentement mais sûrement à travers le long pélerinage des vies successives.**

Dans cette optique, notre vie, **nos vies, et notre évolution, loin d'être soumises au hasard, sont dirigées par le Plan d'évolution général de l'humanité.** Notre Soi, ayant la connaissance du Plan, et nous représentant en tant qu'individualité, agit en accord avec ce Plan. Pour cela **il supervise les conditions de nos vies afin que celles-ci nous permettent de faire l'apprentissage désiré**. C'est ainsi que nous allons retrouver le principe de responsabilité-attraction-création.

2 - Le principe de responsabilité-attraction-création, agent de réalisation du Plan d'évolution

En ce qui concerne notre travail en tant qu'être humain de cette fin du XXe siècle, c'est-à-dire le travail d'apprentissage de la maîtrise de la personnalité, une des lois qui préside à la réalisation du Plan est la loi que nous avons présentée précédemment, la loi de la responsabilité-attraction-création, à savoir :

Nous attirons tout ce qui se présente dans notre vie comme étant les ***conditions appropriées pour évoluer,***
c'est-à-dire pour apprendre à intégrer de plus en plus l'énergie du Soi dans les trois mondes inférieurs et ainsi expérimenter l'essence de notre vraie nature au niveau de ces trois mondes.

Dans cet énoncé, le « nous » reste à définir. Car dans notre conscience ordinaire on n'a en général pas du tout l'impression, ni le moindre souvenir, d'avoir choisi ou attiré consciemment quoi que ce soit. Ce « nous » qui choisit, qui attire, est essentiellement notre Soi. Si nous étions conscients de notre Soi, nous percevrions le fil des événements de nos vies comme étant parfaitement cohérent avec notre plan d'évolution. À ce niveau, nous avons donc **le pouvoir de choisir.**

Mais nous avons également le pouvoir de choisir au niveau de la personnalité. Car à ce niveau nous avons toujours le choix de ce que nous décidons de faire avec les circonstances de notre vie. Et en fonction de ces choix, notre Soi attirera d'autres circonstances. Rien n'est donc décidé d'avance. Tout se décide par contre, d'instant en instant, en fonction du processus d'apprentissage. Ceci est la ligne directrice sur laquelle se base le Soi pour attirer, et ainsi proposer à notre personnalité, les circonstances appropriées, en fonction des choix qu'a fait la personnalité précédemment.

Au cours du processus évolutif, au fur et à mesure que notre conscience s'identifie à notre Soi et que la personnalité devient de plus en plus réceptive à la volonté du Soi, les deux volontés, celle du

Soi et celle de la personnalité, deviennent une. De créateurs inconscients au niveau de la personnalité, nous devenons de plus en plus créateurs, conscients des circonstances d'apprentissage.

Nos vies sont construites en vue d'effectuer notre apprentissage.

Au niveau du Soi nous ne voulons pas gaspiller notre énergie, car l'univers spirituel est soumis à une loi de l'économie de l'énergie. Si nous choisissons de revêtir une fois encore un corps physique, ce n'est pas par hasard ni pour rien; c'est parce que nous avons décidé au niveau du Soi que c'était le temps encore une fois pour nous de travailler à parfaire notre véhicule de manifestation et d'intégrer un peu plus de notre divinité dans ce véhicule. Nous sommes donc, à chaque vie, dans un processus d'évolution, d'apprentissage, de construction, de rodage, de raffinement, d'harmonisation, d'intégration des différentes parties de notre véhicule. Pour que cet apprentissage soit possible et ***adapté à nos possibilités*** et au pas suivant que nous avons à effectuer, nous allons, par l'intermédiaire de notre Soi et au cours de chacune de nos vies, attirer à nous les circonstances, événements et personnes spécifiques qui nous permettront de faire les expériences appropriées pour notre apprentissage.

Ce que nous voulons expérimenter dans nos vies, ou plutôt ce que, au niveau de notre Soi, nous sommes intéressés à expérimenter dans nos vies, ce sont toutes les situations qui nous sont nécessaires pour apprendre et développer des qualités à tous les niveaux de l'être. Les circonstances de nos vies sont donc soigneusement choisies, au niveau du Soi au moins, afin de permettre un apprentissage approprié.

Au niveau de la personnalité (sauf si elle est alignée avec le Soi) ce que l'on désire en général c'est le plus de sécurité, de confort, de pouvoir et de plaisir possible, et cela immédiatement.* Notre Soi

---

* Le livre *Manuel pour une Conscience Supérieure* de Ken Keyes, paru aux Éditions Universelles du Verseau, décrit très bien ce fonctionnement plus en détail lorsqu'il présente les trois centres inférieurs de conscience dirigés par la personnalité et non utilisés par le Soi.

nous laissera vivre cela afin d'expérimenter les limites de notre personnalité mais non pas comme but ultime de nos existences. C'est pourquoi nous attirons des événements à partir de deux sources : d'une part, en fonction de la volonté consciente ou inconsciente de notre personnalité, et d'autre part, surtout pour les événements majeurs, à partir de la volonté de notre Soi, chef d'orchestre de l'ensemble de notre processus évolutif. Cette double source sera explicitée un peu plus en détail lors du chapitre suivant. Le tout est toujours sous le contrôle du Soi.

Ce qui se présente dans notre vie est donc déterminé par notre processus évolutif auquel notre Soi collabore consciemment et joyeusement. La mise en scène de chacune de nos vies est déterminée par notre Soi, donc ultimement par nous, en fonction de ce que nous devons expérimenter pour évoluer. Notre personnalité peut jouer et improviser ***librement*** en fonction du matériel théâtral qui lui est offert. Car, ainsi que nous l'avons mentionné plus haut, tout n'est pas fixé d'avance, puisque l'avenir se crée en fonction des choix que nous faisons à chaque instant. Dans ce sens nous avons **le pouvoir de choisir,** le pouvoir de choisir la vitesse avec laquelle nous voulons bien évoluer.

Pour illustrer simplement le propos de ce chapitre, nous pouvons présenter ici l'histoire de Jeanine, histoire vécue par une participante à nos ateliers.

Jeanine était une jeune femme à qui tout souriait dans la vie. Jeune, belle, heureusement mariée à un homme charmant lui apportant affection ainsi qu'une position sociale confortable, tout allait bien pour elle.

Tout allait bien en fait jusqu'au jour où elle mit son premier enfant au monde; car il s'avéra que cet enfant serait anormal, mentalement et physiquement. Ce fut un choc, un coup de tonnerre dans le ciel serein de cette si belle vie. Pendant quelque temps, Jeanine se sentit victime d'un sort injuste : pourquoi cela lui arrivait-il à elle? Pourquoi ne pouvait-elle pas avoir un bel enfant normal comme en avait toutes ses amies? Elle commença à faire une dépression.

Puis un jour quelque chose se réveilla en elle, quelque chose de plus profond. Elle comprit qu'il devait y avoir une raison à la présence de cet enfant dans sa vie ; elle ne saurait peut-être jamais pourquoi, mais cela n'était pas important. Elle décida de cesser de se plaindre et choisit de s'occuper de cet enfant. Et jour après jour, se mit à fleurir dans son cœur l'amour inconditionnel et le don de soi. Sa vie se mit à changer. Elle sortit complètement de sa dépression, devint encore plus belle et radieuse. Et quelques années plus tard, elle nous confia qu'elle avait compris pourquoi cet enfant était venu à elle dans cet état.

Elle nous dit qu'avant la venue de cet enfant, sa vie paraissait satisfaisante de l'extérieur, mais une chose lui manquait sans qu'elle sache quoi exactement. Sa vie était superficielle et facile, mais elle n'avait jamais appris à aimer vraiment. La venue de cet enfant lui permit de découvrir la richesse des royaumes intérieurs, la joie et la liberté de l'amour inconditionnel réellement expérimenté et vécu qu'elle aurait définitivement laissées de côté si la vie avait continué à tout lui donner avec facilité. Elle prenait conscience maintenant qu'elle avait attiré cet enfant dans son univers pour apprendre la grande leçon de l'amour. Elle eut suffisamment de conscience pour se réveiller à temps et pour ne pas laisser passer l'occasion que son Soi (en fait elle-même) lui présentait.

Jeanine aurait pu rester durant toute sa vie dans la dépression et l'état d'esprit de victime, se sentant injustement frappée par le sort, et développer jour après jour plus de colère, de ressentiment, d'agressivité et de frustration. Elle aurait pu ruiner sa vie et celle de sa famille. Et la leçon n'ayant pas été apprise à ce moment-là, elle l'aurait attirée de nouveau, peut-être sous d'autres formes, et aurait dû la confronter encore une fois lors de circonstances possiblement différentes extérieurement, mais semblables en essence. Cela aurait pu se représenter dans cette vie-ci, ou dans une vie prochaine. **La leçon ne se représente plus lorsqu'elle est apprise**, comme à l'école... Et **elle se présente lorsque l'on est prêt à l'apprendre**, comme à l'école... Nous sommes à l'école de la vie toujours avec le même but : grandir en conscience, en sagesse et en amour, apprendre à connaître les grandes lois de l'Univers, afin de créer un monde à l'image de notre Soi, un monde de paix, de joie et d'abondance pour tous sur cette planète.

Dans cet exemple, Jeanine a été capable de conscientiser la (ou une) raison d'être de cet événement qui s'est présenté dans sa vie, et de comprendre (au moins en partie), dans sa conscience ordinaire, le type d'apprentissage proposé. Il n'est pourtant pas nécessaire de connaître tous les « pourquoi » de ce qui se présente dans nos vies pour en intégrer l'apprentissage . Ces « pourquoi » se situent en effet la plupart du temps dans des dimensions supérieures de la conscience, inaccessibles à la conscience ordinaire en général limitée par la logique du mental linéaire rationnel. Cela ne diminue en rien l'utilité et la puissance du principe. Ce point sera développé lors du dixième chapitre.

La Vie (faite de vies successives) n'est qu'une grande école, avec des classes, des niveaux, des examens et des tests, et même des vacances ! Lors de certaines vies on apprend intensivement, les choses bougent, les événements se précipitent, on est soumis à des épreuves incessantes. Durant d'autres vies, c'est plus tranquille, on prend une pause, on intègre...

Par contre, même si cette image est valable, il est évident que l'apprentissage « cosmique » auquel nous sommes soumis de vie en vie est infiniment plus complexe que l'apprentissage que l'on peut faire à l'école. En effet ce n'est pas un apprentissage au niveau mental ou intellectuel auquel nous sommes soumis, mais un apprentissage global s'adressant à la totalité de l'être. Il se fait donc d'une façon synthétique, dépassant de loin la connaissance ou la mécanique rationnelle intellectuelle. **C'est une intégration de plus en plus profonde, à tous les niveaux de l'être, de la réalité de notre propre divinité**, si tant est que l'on puisse en donner une définition. Cela va bien au-delà de nos notions de bien et de mal, et de toute notion de dualité. Cela intègre le paradoxe dans une logique divine que nous ne sommes pas aptes à comprendre avec notre logique rationnelle linéaire limitée. Nous pouvons pourtant soit avoir un « sens » inné, soit avoir eu une expérience intérieure de la complexité lumineusement simple de la réalité du Soi.

Cette intégration se fait donc de façon globale et pas à pas, du point de vue de la personnalité. Certaines personnes naissent par exemple avec une qualité d'intégrité, ou de compassion ou de créativité ou de conscience supérieure, indépendamment des circonstances familiales (on sait comment deux frères ou sœurs, élevés dans le même contexte familial, peuvent être différents). Ces personnes ont travaillé ces qualités, qui représentent une certaine manifestation du Soi, lors d'expériences passées, et ces qualités sont maintenant intégrées dans toutes les parties de leur être, aux niveaux conscient, inconscient et supraconscient. On dit que c'est « naturel » pour eux. Ils reviennent maintenant pour relever d'autres défis, mais on emporte toujours avec nous la moisson de notre passé. On ne régresse jamais dans l'évolution. Comme disait l'un de nos maîtres : « Un raisin mûr ne redevient jamais vert ». Pourtant cette intégration ne provient pas d'une accumulation d'expériences au fil du temps, car cela serait encore un processus linéaire. On pourrait dire que c'est comme un mûrissement qui se fait à partir de l'action des énergies de la vie, comme le soleil fait mûrir le raisin. Aussi, lorsque nous parlerons plus loin d'apprentissage ou d'évolution, c'est dans ce sens large d'intégration des qualités et, plus globalement encore, d'intégration de la conscience du Soi, que nous l'entendrons.

On nous dit souvent que ce qui est important, c'est de vivre cette vie pleinement, et non pas de se soucier du passé ou de l'avenir. C'est parfaitement vrai dans un certain sens. Quand je suis à l'école en deuxième année, l'important est que j'étudie ce que j'ai à étudier à ce moment-là, dans le programme de deuxième année. Il serait inutile, et même nuisible et impossible pour moi, de vouloir être en cinquième année et inutile de repasser les leçons de première année que j'ai déjà apprises. L'important est d'intégrer la leçon que la vie nous propose maintenant, donc d'être présents à notre vie de maintenant, et de la conduire de la façon la plus consciente et la plus harmonieuse avec nos ressources du moment. **Le travail est à faire ici et maintenant, exactement là où nous sommes, exactement dans les conditions où nous sommes.** En effet, ce sont celles qui ont été précisément choisies par notre conscience supérieure afin de donner le maximum d'opportunités d'évolution à notre personnalité.

Par contre, d'une part, là où nous sommes dépend de là où nous avons été dans le passé, et, d'autre part, **il est bon de se rendre compte qu'un travail d'apprentissage doit se faire**. Car si nous ne le faisons pas de bon gré, volontairement et consciemment, la vie peut se charger de nous le faire faire « malgré nous », c'est-à-dire par des moyens que nous n'aurons pas nécessairement choisis consciemment au niveau de la personnalité. Mais ces moyens seront toujours définis par notre Soi. En fait, ce n'est que lorsque nous nous identifions en conscience momentanément (moment qui peut durer quelques siècles...) à notre ego et à notre mental pré-programmé par le passé, que nous rechignons à l'étude. Car notre Soi, fondamentalement nous-mêmes, est totalement d'accord. C'est à ce niveau en fait que l'on détermine le programme, en fonction de la bonne ou mauvaise volonté de l'ego, ou, pourrait-on dire aussi, en fonction du degré de réceptivité du véhicule mental-émotionnel et physique.

Il nous arrivera de mentionner la volonté du Soi et celle de l'ego, créant ainsi une apparente dualité. Notre vocabulaire nous contraint à ce genre de limitation. Pour éviter cette confusion, nous devons réaliser que ce que nous sommes en conscience dépend de la place à laquelle on s'identifie en conscience. Si je m'identifie à ma personnalité, ma volonté devient la volonté de ma personnalité, soit essentiellement celle de mon mental inférieur. Si je m'identifie en conscience à mon Soi, ma volonté devient celle de mon Soi. En fait, je peux être ce que je veux ; je peux expérimenter la conscience à tous les niveaux (il existe des niveaux encore supérieurs à celui du Soi, mais pour notre propos, il n'est pas utile de développer cet aspect). Notre conscience peut jouer sur toute une gamme d'états vibratoires. À la fin de ce processus particulier d'évolution, toutes ces volontés seront une et on choisira possiblement alors de jouer à un autre jeu.

En ce sens, la volonté éternelle de notre Soi inclut la volonté éphémère de notre personnalité. La contradiction entre les deux n'est qu'apparente et temporaire, induite momentanément par le processus d'évolution. En fonction de la place où j'identifie ma conscience, j'expérimente la vie de façon limitée et pénible ou de façon libre et harmonieuse. Tout travail d'évolution, y compris le travail de changement de contexte de pensées, peut être perçu comme le voyage de la conscience à travers différentes dimensions. Mais ce voyage a un but, et les conditions en sont supervisées en permanence par notre Soi.

À ces situations que notre conscience supérieure a choisies pour nous, nous pouvons répondre avec conscience et responsabilité en utilisant toutes les circonstances pour apprendre sur nous-mêmes et sur la vie, nous développer et grandir, nous harmonisant ainsi avec la volonté de notre Soi. Ou bien en tant que victime, lorsque la vie n'est pas comme on voudrait qu'elle soit, nous pouvons choisir de lui résister, de nous plaindre, de blâmer le monde entier, identifiant ainsi notre conscience à la mécanique de notre mental inférieur et perdant l'occasion qui nous est donnée d'évoluer et d'élargir notre conscience.

Au niveau du Soi, nous proposons les leçons, mais c'est notre conscience, lorsqu'elle est prise dans la personnalité, qui détermine la vitesse avec laquelle nous voulons apprendre. C'est la même conscience qui s'expérimente elle-même différemment. Si, lorsque notre conscience est identifiée à la personnalité, nous refusons une leçon à un moment donné, elle nous sera présentée encore et encore, conformément à la volonté de notre Soi, qui existe dans un espace hors du temps. À ce niveau, nous ne sommes pas pressés, puisque, évoluant dans un espace multidimensionnel, le temps est pour nous un facteur beaucoup moins fondamental que lorsque nous sommes en incarnation, pris dans le monde phénoménal limité aux dimensions espace-temps. Au niveau de la personnalité, le temps devient une « réalité » car ce sont les limites que nous avons choisies pour notre champ d'expérience, en tant que conscience en incarnation dans un corps physique. C'est le jeu que nous avons choisi de jouer.

C'est notre honneur et notre privilège en tant qu'être humain d'avoir la possibilité d'être totalement créateur et responsable de notre vie. Nous avons le pouvoir de choisir nos conditions d'évolution (conscience du Soi) et le pouvoir de choisir notre réponse à ces conditions (conscience de la personnalité). Il nous a fallu beaucoup de temps pour être en mesure de faire cela de façon individuelle. D'autres règnes de la nature n'ont pas encore accédé à cette possibilité. En le reconnaissant, nous accélérons notre processus évolutif et nous nous rapprochons de plus en plus de la paix, de la lumière et de la liberté.

CHAPITRE VIII

LE PROCESSUS D'ATTRACTION DES ÉVÉNEMENTS

1- Capacité de création du mental

Les Maîtres de la sagesse nous disent que c'est à partir de l'activité de la substance mentale que l'être humain peut amener toute chose en manifestation. Le processus de création à partir du mental est un processus extrêmement complexe. Les règles précises et la connaissance complète des lois de la manifestation ne sont accessibles qu'à ceux qui sont suffisamment avancés en conscience, en connaissance des mondes subtils et en sagesse.* Cela est très bien ainsi et limite le pouvoir de création conscient de l'être humain en fonction de son niveau de conscience, évitant ainsi bien des bêtises, pour ne pas dire des catastrophes. On en crée déjà bien assez pour l'instant avec notre pouvoir limité.

Cette capacité d'attraction ou de création du mental aussi complexe qu'elle soit dans son ensemble, ne nous est pourtant pas complètement étrangère. En effet, grâce aux techniques de pensée créatrice, de visualisation et leurs résultats de plus en plus expérimentés et prouvés dans le domaine de l'éducation, des performances sportives, de la santé, de la prospérité et du bien-être en général, il est maintenant bien connu que nous avons la capacité d'attirer par la pensée certaines conditions dans notre vie. Ce n'est qu'une façon

---

* L'ouvrage d'Alice A.Bailey, *Traité sur la Magie Blanche,* éd. Lucis, Genève, donne un aperçu de cette complexité et du travail à effectuer sur sa propre conscience pour arriver à maîtriser quelque peu l'ensemble de ces lois.

limitée, mais déjà très intéressante, d'utiliser volontairement et consciemment le pouvoir d'attraction et de création que possède le système mental.

Il n'est pas dans notre propos ici d'approfondir ce sujet fort intéressant. Lorsque la conscience générale sera plus réceptive et que l'on sera capable de donner une description scientifique des processus qualifiés actuellement d'« ésotériques », il sera facile d'expliquer tous ces mécanismes d'attraction plus en détail. Néanmoins, les expériences actuelles faites à ce sujet, rejoignant les enseignements qui nous ont été transmis à travers diverses traditions depuis des millénaires au sujet des mécanismes de la conscience, nous donnent une idée globale et suffisante du processus. Ceci nous incite à expérimenter et nous permet d'observer les résultats concrets et positifs produits au niveau de notre vie quotidienne. La science, qui est actuellement la façon officielle de percevoir les choses, n'a toujours pas défini la nature de l'électricité. Cela ne nous empêche pas de nous en servir et de façon très utile. On a observé ses effets et on les utilise. De la même façon, ayant observé les effets du pouvoir créateur du mental, on pourra apprendre à le reconnaître et à l'utiliser.

Nous admettrons que nous possédons une structure mentale dont la fonction est de créer, d'attirer, d'amener à la manifestation physique certaines choses, certains événements, certaines conditions, cette hypothèse étant déjà partiellement mise en pratique et vérifiée actuellement.

Mais le principe de responsabilité-attraction-création va plus loin. Il nous dit que nous attirons non seulement certaines choses, mais que nous attirons **tout** ce qui est dans notre vie, que rien ne se présente par hasard, que nous attirons d'une façon ou d'une autre, pour une raison ou une autre, l'ensemble de toutes les composantes de notre existence. On peut comprendre assez facilement que l'on puisse attirer par la pensée certaines choses que l'on visualise ou auxquelles on pense (tel que cela est pratiqué dans les techniques de visualisation créatrice). Mais comment peut-on attirer absolument tout, sans en être conscient ? Quelle est la source de cette attraction si, consciemment, au niveau de la personnalité, nous ne l'avons pas désirée? Ou bien nous pouvons poser la question sous la forme suivante : si c'est l'activité de la substance mentale (consciente et subconsciente*) qui amène la manifestation concrète, par quoi est activée cette substance?

Notre système mental est composé non seulement d'une partie consciente mais aussi de parties inconscientes (mental inférieur programmé) et supraconscientes (mental supérieur en contact avec le Soi). Et il fonctionne ***en permanence*** à tous les niveaux, vingt-quatre heures sur vingt-quatre. Parallèlement donc à nos créations conscientes, se forment constamment des créations provenant de notre inconscient et de notre supraconscient. Notre Soi ainsi que notre personnalité vont se servir de cet instrument pour «créer», c'est-à-dire amener des choses en manifestation, en fonction de leur propre volonté. Le Soi doit passer par l'intermédiaire du mental pour pouvoir exprimer et manifester sa volonté dans le monde phénoménal. En particulier, **le Soi se sert du système mental pour attirer les circonstances et les situations qu'il juge appropriées pour notre évolution**.

On peut dire que le Soi utilise le mental de deux façons :

D'une part, directement, en infusant des structures mentales alignées avec sa propre volonté. Ceci est enregistré dans ce qu'on peut appeler le mental supérieur. Ces structures ne sont pas nécessairement toutes conscientes au niveau de la personnalité, loin de là. Elles sont construites et s'enrichissent de vie en vie. Une partie de ce que nous créons et attirons provient de ces structures. Par exemple, lorsque Mozart a choisi la vie qui nous a permis de le connaître, il a attiré à lui une série de conditions de vie de départ qui lui ont permis de manifester très tôt les talents qu'il avait développés dans de nombreuses vies passées. Son Soi, connaissant sa mission au niveau artistique, lui a donné les conditions appropriées pour qu'il puisse, d'une part, apporter sa contribution au monde et,

---

* Le terme subconscient englobe ici les termes inconscient et supraconscient.

d'autre part, réaliser le travail qu'il avait à faire au niveau de l'harmonisation et du développement de sa personnalité.

D'autre part, le Soi peut aussi laisser la mécanique du mental inférieur se programmer elle-même et ainsi attirer des circonstances plus ou moins harmonieuses en fonction des programmations enregistrées à partir d'expériences vécues dans le monde phénoménal. Ces programmations forment ce qu'on a appelé précédemment le filtre mental, réceptacle de tous nos systèmes de pensées, systèmes de croyances, conscients et inconscients. C'est là que se définit la volonté de la personnalité. Cela permet à la personnalité de s'expérimenter elle-même afin d'apprendre progressivement à s'aligner avec la volonté du Soi.

C'est pourquoi on nous a dit souvent au niveau de la pratique quotidienne : « Observez ce que vous attirez dans votre vie, et vous apprendrez à vous connaître vous-mêmes ». Ici nous dirons : « Observez ce que vous attirez dans votre vie, et vous apprendrez à connaître ce à quoi votre conscience est identifiée ». Il faut pourtant se garder de tirer des conclusions hâtives à partir d'observations superficielles. Souvenons-nous que la logique du Soi est loin d'être toujours accessible aux explications et aux observations de la conscience ordinaire.

Nous comprenons maintenant pourquoi nous avons dit, lors de l'énoncé du principe de responsabilité, que nous créons, nous attirons, en moyenne 2 % consciemment et 98 % inconsciemment ou supraconsciemment.

De plus, nous avons vu au deuxième chapitre que l'on perçoit la réalité ainsi « attirée » à soi à travers ce même instrument qu'est le mental. C'est ainsi que l'on crée à la fois notre réalité et notre perception de la réalité qui, nous donnant une expérience de la réalité, nous permet de travailler sur la clarté de notre perception. La réalité que nous créons ne l'a été en fait que pour nous permettre de faire un exercice de perception, donc de conscience.

Au chapitre précédent, nous avons vu que cette attraction ne se fait pas au hasard mais est déterminée par la force du processus d'évolution que sert la volonté de notre Soi. Les structures mentales, conscientes ou subconscientes, dont une personne dispose lors d'une vie donnée, sont donc déterminées par son niveau d'évolution et par la tâche à accomplir durant cette vie. Au fur et à mesure que l'on avance en conscience, nos structures mentales sont de plus en plus conscientes et sont une expression de plus en plus directe de la volonté du Soi. **Création de la réalité, perception de la réalité et expérience de la réalité sont intimement reliées et fonction du niveau de conscience déjà atteint.**

Un aspect intéressant de ce point de vue est qu'il nous fait entrevoir immédiatement les possibilités d'apprendre à créer plus consciemment. Ceci se fera, d'une part, en devenant conscient de nos structures mentales inconscientes avec la possibilité de les modifier à volonté, et d'autre part, en devenant conscient de la volonté de notre Soi afin de créer en harmonie avec notre Être profond et ainsi avoir la perception et l'expérience de l'infinie beauté de l'univers.

Ayant admis cette prémisse, à savoir que nous possédons, à l'intérieur de la structure de notre personnalité, un instrument dont la fonction est de créer et d'attirer sous la supervision du Soi, nous allons examiner maintenant les bases sur lesquelles fonctionne ce processus d'attraction.

Nous disposons de deux modèles qui peuvent apporter quelques lumières sur le fonctionnement du processus :

- le modèle ésotérique-psychologique, basé sur l'aspect conscience de l'unité humaine,

- le modèle énergétique, basé sur l'aspect énergie de l'être humain, que nous allons présenter dans les deux sections qui suivent.

N'oublions pas, pourtant, qu'un modèle n'est qu'un modèle et non la réalité. Par contre, comme nous l'avons vu précédemment, plus un modèle est large, plus il nous permet de générer de bien-être et d'aborder la réalité avec compréhension, pouvoir et liberté. Le modèle chimique de l'eau, à savoir H_2O, n'a pas grand chose à voir avec l'expérience que l'on peut avoir de boire un bon verre d'eau fraîche ou de contempler l'immensité de la mer. Pourtant ce modèle nous est extrêmement utile pour utiliser l'eau à des fins bénéfiques pour tous. Le modèle de la terre ronde n'est pas tout à fait exact, car en fait on sait qu'elle n'est pas tout à fait ronde. Il représente pourtant une amélioration remarquable par rapport au modèle de la terre plate.

Les deux modèles que nous allons présenter ici commencent à être acceptés en substance et utilisés déjà par un grand nombre de personnes, y compris d'éminents chercheurs scientifiques qui, devant les impasses de la science ordinaire, commencent à percevoir d'autres réalités au-delà du strict matérialisme. Ceci se fait évidemment avec beaucoup de variantes, car cela représente un champ de découvertes extrêmement riche et complexe, mais certaines hypothèses de base se retrouvent maintenant un peu partout. Citons comme exemple les travaux de Rupert Sheldrake, biologiste de réputation internationale .

> *« Sheldrake, au terme d'un ouvrage rigoureux, aboutit à la nécessité de faire intervenir en biologie l'efficacité causale d'un Soi conscient et l'existence d'actions créatives immanentes à la nature, ainsi que la réalité d'une source transcendante de l'univers. À l'inverse de la philosophie du matérialisme, qui débouche sur une impasse scientifique, on peut admettre que ce Soi conscient possède une réalité qui n'est pas simplement dérivée de la matière ».**

Nous présenterons ces deux modèles de façon très simple, nous basant sur les meilleures connaissances ésotériques classiques reconnues depuis des siècles (et non pas sur leurs déformations courantes ou interprétations simplistes que l'on trouve un peu partout actuellement). Ce sont des modèles qui représentent, selon nous, une amélioration très intéressante par rapport au modèle strictement matérialiste de la réalité. Ils nous permettront en particulier d'avoir une perception de la vie plus large et d'éclairer le principe de responsabilité, afin de pouvoir intégrer celui-ci plus facilement dans notre conscience si nous le désirons.

---

* Extrait de la page couverture du livre *Pour une nouvelle science de la vie,* de Rupert Sheldrake, éd. Du Rocher, 1985.

2 - Modèle ésotérique-psychologique
(aspect conscience)

Ce modèle s'appuie sur les prémisses mentionnées précédemment, à savoir que :

— la conscience est en évolution* vers une expression toujours plus large et plus parfaite d'elle-même au sein des trois mondes inférieurs (physique, émotionnel et mental) ;

— afin de permettre à cette évolution de se faire, nous attirons les conditions de la vie physique qui nous sont nécessaires pour apprendre à harmoniser de plus en plus la personnalité avec la conscience du Soi.

De quelle façon faisons-nous le choix des circonstances de départ de notre vie? (parents, conditions familiales, sociales, génétiques, astrologiques, etc.)

Selon ce modèle, avant l'incarnation physique, au moment où la conscience est immergée dans les sphères supérieures d'énergie, il y a d'abord un processus global de choix majeurs. (Nous simplifions ici volontairement, ne voulant pas entrer dans les détails du processus d'incarnation qui maintenant commencent à être bien connus.) Ce processus de choix avant l'incarnation a été très bien décrit par les auteurs classiques comme Max Haendel, Madame Blavatsky, Alice Bailey, Rudolph Steiner, etc.

Avant de commencer une nouvelle incarnation, notre conscience, identifiée à ce moment-là à notre Soi (à notre Être

---

* Petit intermède au sujet du temps : Nous allons nous appuyer sur le fait que l'être humain est en évolution, et qui dit évolution évoque aussitôt le concept de temps. Or, nous savons qu'au-delà du monde physique, le temps et l'espace sont transcendés et n'existent plus. C'est pourquoi certaines philosophies nous disent que le temps est une illusion, cela sous-entendant que tout ce qui s'appuie sur le temps n'a pas de valeur en soi. En fait, le temps n'est une illusion que dans le sens où c'est une création de l'esprit afin de pouvoir expérimenter un monde de temps et d'espace. Si nous voulons jouer le jeu de l'incarnation et de la divinisation de la matière, nous devons respecter les règles du jeu (et non pas les nier) afin de pouvoir les transcender. Donc même si le temps est une « illusion », c'est l'illusion au sein de laquelle nous avons choisi de jouer pour expérimenter. C'est un moyen qui va nous permettre d'expérimenter à fond une certaine réalité, et l'ayant expérimenté totalement, nous pourrons alors, et alors seulement, la transcender.

essentiel, à notre âme, on peut lui donner le nom que l'on veut), fait le bilan en quelque sorte de ce qui a été accompli jusque-là, puis choisit ce qui va devoir et pouvoir éventuellement être expérimenté et appris dans la prochaine vie.

À partir d'un certain degré d'évolution, il est proposé en particulier deux tâches à accomplir. Une première tâche, que l'on peut appeller « tâche personnelle », consiste à travailler sur notre personnalité pour l'harmoniser avec le Soi. Une deuxième tâche, que l'on peut appeler « tâche de contribution », représente ce que l'on peut apporter de positif au monde dès maintenant à partir de ce que l'on a déjà intégré de l'énergie du Soi. Les conditions de départ seront choisies pour donner des possibilités de réalisation de ces deux tâches.

Tout ceci est effectué par la conscience même de notre Soi, aidée de nos guides et de ce que l'on peut appeler les Seigneurs du Karma. Plus la personne est avancée dans son évolution et plus elle sera en mesure de faire un choix personnel, autrement dit de développer de plus en plus spécifiquement sa propre individualité. Pour une personne très peu développée, la conscience est très peu éveillée aux niveaux énergétiques supérieurs au sein desquels se prennent les décisions, et ce sont ce qu'on a appelé les Seigneurs du Karma — qui ne sont pas des personnages comme on voudrait l'imaginer mais simplement des énergies supérieures — qui déterminent les conditions. (Processus analogue à celui de prendre soin d'un enfant. Au début, par exemple, les parents ont la responsabilité de choisir la nourriture de l'enfant, et quand celui-ci grandit, c'est lui qui progressivement fait ses choix.)

Le choix des conditions de départ se fait à partir d'un principe que l'on peut décrire sous deux aspects : d'une part, l'aspect apprentissage par l'expérience directe, d'autre part, l'aspect apprentissage par la loi du Karma.

Ce principe régit également les événements devant se produire tout au long de la vie, mais ceux-ci dépendent également de la réponse que la personnalité choisira de donner aux conditions de départ et aux conditions induites qui suivront cette réponse. En conséquence, dans une vie donnée, rien n'est absolument fixé d'avance car l'être humain a toujours le choix de ses réponses aux circonstances, et donc la possibilité de modeler son futur. Le choix n'est en fait restreint que par les limitations de sa propre conscience, c'est-à-dire par son niveau d'évolution. Mais à priori, les possibilités sont presque infinies...

— Le principe d'apprentissage par expérience directe

Nous le présenterons volontairement de façon simple, sachant que tout cela se passe au niveau énergétique et dans une conscience supérieure et non au niveau mental comme les mots utilisés pourraient le faire croire. Mais comme, selon la loi des correspondances, « ce qui est en haut est comme ce qui est en bas », nous pouvons utiliser des images issues de notre monde pour illustrer ce qui se passe à un autre niveau.

Pour ce qui est du choix, tout comme dans une école, on observe ce qui reste encore à apprendre et à expérimenter pour arriver à la maîtrise du véhicule de manifestation, et on décide de certaines expériences nouvelles qui seront tentées lors de la prochaine vie afin d'accroître notre expérience et nos connaissances. Nous allons donc tout simplement choisir et attirer à nous les conditions physiques et psychologiques permettant ces expériences nouvelles. C'est ce que Max Heindel appelle l'épigénèse. L'être humain, au niveau du Soi comme au niveau de la personnalité, a la capacité de générer, accélérer ou ralentir sa propre évolution **selon son choix.**

Préparant les conditions de son retour, l'être humain, au niveau du Soi, choisira en particulier l'endroit où il s'incarnera, les conditions familiales, sociales, physiques, génétiques, astrologiques, etc., qui lui permettront de faire les expériences prévues au départ. Il n'y aurait donc pas de hasard. Toutes les conditions de départ à tous les niveaux sont, selon ce modèle, soigneusement choisies par le Soi afin de favoriser au maximum l'apprentissage devant être fait lors de cette période de vie physique.

Par la suite, la personne pourra réagir de différentes façons selon le niveau de conscience qu'elle a atteint, ce qui déterminera, à ce moment-là, d'autres possibilités d'expériences, et par là même d'autres conditions qui se présenteront. Au niveau de la personnalité, **on a toujours le choix de notre réponse** aux circonstances générées par le Soi, et **cette réponse déterminera ce que nous allons attirer par la suite,** toujours en fonction de la loi d'évolution.

Dépendant en particulier de la façon dont nous avons programmé notre mental au moment de la vie intra-utérine, à la naissance et dans la petite enfance, nous attirerons des événements selon le principe de la pensée créatrice. Mais c'est nous, au niveau du Soi, qui au départ avons attiré à nous les conditions facilitant ces programmations. Le processus est toujours « supervisé », si l'on peut dire, par l'énergie du Soi qui sait dans quelle direction doit se faire l'évolution globale au cours de cette incarnation.

En ce sens, même les conditions « traumatiques » de naissance ou de l'enfance sont parfaitement appropriées pour nous permettre de construire un système mental qui attirera à nous les circonstances dont on a besoin pour évoluer. Ces expériences plus ou moins traumatiques, sur lesquelles travaillent très bien beaucoup de psychothérapies et de techniques de libération intérieure actuelles, ainsi que les structures de caractères qui sont construites à partir de ces expériences (sur lesquelles travaillent d'autres techniques), ces expériences et ces structures ne sont pas là par un heureux ou malheureux hasard. Nous dirons même qu'elles sont « parfaites », car elles sont celles que notre Soi a volontairement provoquées pour nous permettre d'expérimenter la vie de la façon qui nous permettra de développer notre conscience au maximum, si nous le voulons bien. Que ces structures de caractères ou ces traumatismes soient « parfaits » ne veut pas dire que l'on doive rester pris dans leur piège. Ils sont parfaits dans le sens où ils représentent spécifiquement le matériel de travail dont nous avons besoin pour évoluer en fonction du point où nous sommes rendus dans notre évolution.

Considérer le travail sur soi dans cette optique nous permet en particulier de l'aborder sous un angle beaucoup plus positif, et avec beaucoup plus de pouvoir. D'abord on cesse de blâmer nos parents, les circonstances sociales ou n'importe quoi d'extérieur sachant que c'est nous qui avons choisi cela comme matériel de travail. Au lieu de perdre notre énergie en blâmes et regrets, on se met tout simplement et efficacement au travail qui est à faire sur notre propre conscience. Ensuite, au lieu de considérer que l'on n'est pas bon ou que l'on est malchanceux parce que l'on a certaines barrières, certaines structures de caractères rigidifiées, certaines difficultés à se sentir pleinement épanoui et heureux, nous pouvons observer tout ce fatras avec un peu plus de sérénité. Nous savons en effet que c'est le matériel choisi par notre Soi pour nous permettre de travailler à l'expression de la perfection de l'être que nous sommes vraiment. Et c'est en fait cette attitude qui nous permettra d'en être libérés le plus rapidement et le plus efficacement.

Ceci s'applique également au principe d'apprentissage par la loi du karma que nous présenterons maintenant.

— *Le principe d'apprentissage par la loi du karma*

Pour certains, cette notion est maintenant très familière. Pourtant, par le fait même que cette notion devienne de plus en plus connue, de nombreuses déformations et simplifications excessives sont venues en détruire le sens réel. Nous nous attacherons donc ici brièvement à en clarifier la signification fondamentale.

C'est une loi que l'on appelle aussi «loi du retour». Le principe lui-même commence à être bien connu et nous n'y reviendrons pas ici en détail.*

Par contre, nous avons ici à clarifier cette notion, car au fur et à mesure qu'elle a été présentée et vulgarisée, certaines interprétations simplistes en ont complètement déformé le sens, au point que certains rejettent cette notion, et cela avec raison. Pourtant, il est important de bien en saisir le sens réel, ce qui nous permettra ensuite d'éclairer le concept de responsabilité-attraction-création.

---

* Pour ceux qui sont peu familiers avec ce concept et aimeraient en savoir plus sur le sujet, parmi l'abondante littérature existante, le livre de Gina Cerminara, *De nombreuses demeures,* déjà cité, contenant de nombreux exemples, est un bon ouvrage de référence.

Tout d'abord, la loi du karma ou loi du retour, est communément présentée comme une loi selon laquelle on récolte ce que l'on sème. On a fait du bien, on récolte du bien ; on a fait du mal, on récolte du mal. Cette vision, trop simpliste, n'est pas vraiment fausse ; elle est par contre très insuffisante pour comprendre la réelle utilité de la loi du karma.

La loi du karma est une loi d'attraction, et ce que nous allons attirer est effectivement fonction de ce que nous avons déjà réalisé ou non réalisé dans le passé. Il est vrai que la loi du karma s'appuie sur notre passé, sur l'ensemble de nos vies passées, ou, si l'on ne veut pas faire intervenir la notion de temps, la loi du karma s'appuie sur un certain état de conscience afin de créer un état de conscience plus avancé. Mais le but de cette attraction n'est pas un retour mécanique. **Le but fondamental de l'action de la loi du karma est d'attirer des circonstances de vies telles que soit favorisé l'apprentissage de l'être humain en fonction de ce que celui-ci est prêt à faire dans son processus d'évolution** pour arriver à une maîtrise plus grande de son propre véhicule et à l'expression plus complète de son propre Soi. Le but de cette loi est essentiellement **un but éducatif et évolutif,** issu de la grande loi d'amour et d'harmonie de l'Univers.

En fonction de cela, il sera décidé quels types de situations, de conditions de vie et d'expériences devront être attirés énergétiquement dans notre vie. Nous disons bien énergétiquement, car ainsi que nous le verrons au chapitre suivant, tout ce processus d'attraction est un processus énergétique. Tout est mouvement d'énergie, et ces « décisions », ces « choix » ne sont pas faits de façon rationnelle linéaire comme nous devons le présenter ici, puisque c'est à travers l'intellect que nous nous exprimons par les mots, mais par action énergétique instantanée dirigée par l'intention de base qui est l'intention d'évolution.

Ceci étant précisé, nous trouvons deux erreurs courantes dans la façon de percevoir la loi du karma :

— Une première erreur est de croire que le karma fonctionne comme une punition ou une récompense. On croit que, si l'on a commis de « mauvaises » actions dans une vie passée, on devra le payer par des circonstances difficiles dans cette vie-ci, et que si on a été bon, on en sera récompensé. Ceci est une perception erronée de la loi du karma. La loi du karma est une loi éducative dans le meilleur sens du terme, et dans ce sens-là, la notion de punition n'existe pas.

En effet, qu'appelons-nous « mauvaise action » ? C'est en fait une action qui ne respecte pas les lois naturelles de l'univers, une action posée par la personnalité et contraire à la volonté du Soi, une action issue de la séparativité et de l'oubli de notre essence divine.

On peut alors se poser les questions suivantes : quelles sont les lois naturelles de l'univers, comment se libérer de la séparativité et retrouver l'unité, comment agir en accord avec la volonté de notre Soi ? C'est dans le processus d'évolution de la conscience que l'on découvre cela. Il n'existe donc pas quelque part une description rationnelle de ce qu'est la volonté du Soi, car cela dépasse de loin les possibilités de compréhension mentale, ni non plus une liste linéaire des lois naturelles de l'univers, car celles-ci deviennent de plus en plus complexes et subtiles au fur et à mesure que l'on avance en conscience. C'est le but de l'évolution : découvrir, conscientiser toutes les lois naturelles de l'univers, retrouver et expérimenter l'essence même de notre être, redécouvrir tous les mystères de l'univers afin de maîtriser totalement l'univers physique aussi bien que subtil au sein duquel nous vivons, expérimentons, évoluons.

Avec notre conscience de maintenant, connaissons-nous au moins quelques lois, connaissons-nous quelques aspects de la volonté du Soi ? Certainement, avec tout le biais que peuvent apporter les limitations de nos consciences actuelles. Mais nous pouvons donner quelques exemples d'approximation de certaines lois universelles. Une bonne partie de l'humanité est maintenant d'accord pour considérer que l'intégrité physique d'une personne doit être respectée. Tuer quelqu'un ou frapper physiquement une personne sans défense et qui ne nous menace en rien, c'est transgresser une loi universelle. Refuser d'aider quelqu'un dans le besoin par pur égoïsme, c'est transgresser une loi universelle. Voler, mentir, manquer d'intégrité, manquer d'amour, tout cela peut être considéré comme des trangressions de lois universelles à un niveau extrêmement simple. Rappelons que ce ne sont que des approximations que nous devrons raffiner et inclure dans des systèmes plus larges, au fur et à mesure que notre propre conscience s'élargira. On peut retrouver, dans cette recherche de la compréhension des lois universelles et de l'expérience de notre propre divinité, toutes les tentatives morales qui ont été faites par les religions, et qui étaient des pas, plus ou moins habiles, vers une conscientisation de ces lois et de cette expérience. (Il y a eu évidemment, il y a et il y aura encore bien des déformations, des interprétations étroites ou erronées, bien des faux-pas, mais cela est dû aux limites de la conscience humaine du moment et fait partie du jeu; on ne peut pas avancer autrement.)

La loi du karma est une loi d'amour, et n'est là que pour soutenir notre but fondamental d'évolution et d'épanouissement vers une manifestation plus parfaite de nous-mêmes. Ce que l'on appelle une « mauvaise action » n'est qu'une démonstration de l'absence de contact avec la volonté de notre Soi qui entraîne notre ignorance d'une certaine loi, et l'oubli de qui nous sommes. La loi du karma fera alors que nous attirerons dans notre vie des circonstances qui nous permettront de comprendre et de respecter la volonté du Soi tout en suivant naturellement cette loi, et ainsi retrouver un peu plus de notre essence. Donc si une « mauvaise action » dans le passé attire une circonstance fâcheuse dans notre vie actuelle, ce n'est nullement pour nous punir (le concept de punition est une invention du mental humain et n'existe pas comme loi de la nature), mais bien pour nous donner une occasion d'expérimenter et d'apprendre au sujet de la loi que l'on aurait éventuellement transgressée lors d'une circonstance passée.

> *« Quant au karma, ce que l'homme a fait il peut le défaire. C'est ce que l'on oublie souvent. Le karma n'est pas une règle stricte et inflexible. Il est susceptible de changement selon l'attitude et le désir de l'homme. Il présente l'occasion de changer; il découle d'activités passées*

qui, si on les affronte de manière juste et les traite de façon correcte, posent les bases d'un bonheur et d'un progrès futurs ». Alice A. Bailey, *Extériorisation de la Hiérarchie*, page 229.

Ceci est valable pour n'importe quelle action, que notre mental humain limité la juge « bonne » ou « mauvaise ». Cette action porte en elle une certaine énergétique ; les seigneurs du Karma (si l'on veut personnifier la dynamique énergétique de ce processus) en ont une perception d'une justesse absolue et **enclenchent instantanément la réponse parfaite** relative à cette action. Ceci est fait dans le but d'apprentisage et d'évolution de la personne concernée, ou du groupe concerné, mais jamais dans le but d'une punition quelconque. Il n'y a rien de « bien » ou de « mal ». Il y a la connaissance ou l'ignorance, l'unité avec le Soi ou la séparation. La loi du karma nous amène de l'ignorance à la connaissance, de la séparation à l'unité. Les notions de bien et de mal ont été une invention du mental humain pour tenter de décrire le phénomène plus large de l'ignorance et de la connaissance. Et même cette dernière description devra être dépassée puisqu'elle est encore dans le domaine de la dualité. Mais faisons un pas après l'autre pour ne pas risquer de devoir un jour retourner en arrière.

Au cours d'une expérience lui ayant permis de recontacter une de ses vies antérieures, Carl revécut un temps où il se livrait à d'intenses activités de propagande pour un parti politique de son pays, et ceci avec beaucoup d'arrogance et de fanatisme. Une fois son parti arrivé au pouvoir, il agit de façon terriblement dogmatique, brimant et même faisant condamner à de lourdes peines tous ceux qui n'étaient pas de son avis. Plusieurs vies s'étaient écoulées entre cette vie et la présente, et Carl était maintenant un architecte possédant beaucoup d'idées très originales qu'il voulait présenter au public. Pourtant, pour une raison ou une autre, toute une série de tracasseries administratives survenaient constamment lorsqu'il désirait réaliser concrètement l'un de ses projets. Carl faisait l'expérience de ce que pouvait être l'étroitesse d'esprit et l'abus de pouvoir. Ce n'était en aucun cas une punition, mais plutôt l'occasion pour lui de ressentir dans tout son être la valeur d'un esprit large et ouvert.

Carl avait évidemment le choix de sa réponse à ce facteur récurrent dans sa vie. Soit se victimiser avec cela et haïr le monde et par là-même entretenir cette situation, ou bien, sachant que tout cela n'était pas là pour rien, développer force, courage, souplesse, patience, ténacité et confiance pour finalement réaliser ses buts.

— Une deuxième erreur, découlant de la première, consiste à croire que l'on doit subir son karma. J'ai dû faire quelque chose de mal à un certain moment donné, ou bien j'ai eu une relation difficile, ou j'ai semé le désordre et la haine, donc maintenant c'est normal que je doive payer pour cela. Je n'ai qu'à attendre que ça se passe, et lorsque j'aurai assez souffert, j'aurai payé ma dette (variante sophistiquée de la position de victime). Or, comme on l'a dit plus haut, le Karma n'est pas là en tant que punition, mais bien en tant qu'occasion d'apprentissage. On peut bien souffrir tout ce que l'on veut, si on ne prend pas l'occasion de faire l'apprentissage qui nous est offert (en tant que prise de conscience, développement de qualité ou autre forme d'évolution), notre passé restera encore et encore avec nous, et nous nous générerons d'autres expériences de souffrance. Donc « endurer son karma » n'arrange en rien les choses. S'il y a vraiment situation karmique, c'est qu'il y a quelque chose à apprendre, donc quelque chose à faire. Se contenter de souffrir en attendant que le karma passe est une conception erronée du processus qui justifie l'inaction et frise la victimite. La souffrance n'est utile que si elle nous pousse à faire une prise de conscience que nous n'aurions peut-être pas faite sans cela.

Mais a-t-on besoin de souffrir pour évoluer ?

Deux questions : La souffrance fait-elle évoluer ? Est-il nécessaire de souffrir pour évoluer ?

Au sujet de la première question, pourquoi donc a-t-on dans l'idée malgré tout que c'est la souffrance qui nous fait grandir ? Dans notre culture judéo-chrétienne, c'est un point qui a été fortement développé, au point qu'avoir du plaisir et du bonheur dans la vie devenait suspect, et même contradictoire avec l'évolution spirituelle. En fait, il y a une petite partie de vérité là, mais comme disait un sage, il n'y a rien de pire qu'une demi-vérité, car elle porte en elle, dans son erreur, de quoi égarer le monde, et en même temps elle peut se servir de la force de la part de vérité qu'elle transporte pour égarer le monde encore plus efficacement.

La souffrance fait-elle grandir ? On peut répondre : cela dépend de chacun. Si, poussé par l'aiguillon de la souffrance, on utilise l'occasion qui nous est offerte pour faire un retour sur nous-mêmes, un questionnement intérieur et une transformation de notre conscience, la souffrance aura évidemment servi notre évolution. Mais en fait la souffrance n'aura été qu'un prétexte pour nous réveiller. Ce qui nous aura vraiment fait grandir, c'est notre volonté et notre choix de nous remettre en question, de remettre en question notre vieille façon de percevoir le monde et d'essayer d'entrer en contact avec la réalité avec des yeux nouveaux. C'est ce qu'on appelle évoluer par la méthode « mal gré ». On ne veut rien savoir jusqu'au jour où la souffrance nous donne un choc, nous réveille et, en un sens, nous oblige à faire quelque chose pour sortir de notre situation de souffrance. Mais évidemment, si l'on est très endormi et que l'on ne se réveille pas, la souffrance reviendra encore et encore, jusqu'au moment où on se décidera à bouger. On ne grandit pas automatiquement parce que l'on souffre : **cela dépend de ce que l'on choisit de faire avec la souffrance.**

En fait, la personne atteinte de victimite est le cas typique de la personne qui ne veut rien savoir, ni rien apprendre à partir de ce que le monde lui présente. Elle ne prend donc aucune occasion de changer par la souffrance puisque lorsqu'elle souffre, sa réaction est uniquement de blâmer les autres, d'accumuler de la frustration et d'attendre, si ce n'est d'exiger, que le monde change pour lui devenir plus favorable. Il est bien entendu que dans son cas, le monde est loin d'être prêt à changer, puisque l'on attire à l'extérieur ce que nous avons à l'intérieur. Quand on est atteint de victimite, il n'y a pas de possibilité d'évolution dans la souffrance, tant qu'on reste dans cet état d'esprit. Heureusement, il y a toujours l'Être qui veut se manifester et, tôt ou tard, on peut se réveiller et prendre responsabilité de son propre bonheur et de sa propre évolution. Pour ceux ou celles qui sentent qu'ils ont suffisamment tardé, peut-être ces quelques réflexions pourront-elles accélérer le processus de prise de conscience de cette mécanique qui nous maintient tous plus ou moins prisonniers et nous empêche d'avancer plus librement et plus joyeusement sur le chemin de notre vie.

Pour ce qui est de la deuxième question, « Est-il nécessaire de souffrir pour évoluer ? », on peut répondre oui et non ; cela dépend, là encore, du degré d'évolution de chacun. Si, comme on l'a vu au paragraphe précédent, on est très endormi dans notre inconscience et notre mental automatique, alors la souffrance nous sera nécessaire en tant que moyen de réveil. Ceci est la méthode « mal gré », ainsi que nous l'avons vu précédemment. Mais si on est déjà éveillé à la réalité de notre être profond, si on a décidé de travailler consciemment à notre propre évolution, que l'on a choisi de garder notre esprit ouvert et curieux au lieu de l'enfermer dans des systèmes de croyances étroits tout faits d'avance et dans tout l'arsenal du mental inférieur, alors on pourra choisir librement d'utiliser tout ce que la vie nous apporte pour approfondir et élargir notre conscience. La souffrance n'est alors plus automatiquement nécessaire. On avance par la méthode « bon gré », à partir de choix conscients et libres. Ceci inclut d'ailleurs les circonstances agréables de la vie comme les circonstances moins agréables. Par exemple, on peut avoir attiré dans cette vie des conditions très favorables au niveau matériel et vivre dans l'abondance. Ceci peut être expérimenté très égoïstement, ou bien on peut prendre cette occasion pour développer des qualités de partage et de détachement. Toute circonstance peut être utilisée pour grandir en conscience, et il n'est pas nécessaire d'attendre que les circonstances soient difficiles pour commencer à bouger.

Un aspect intéressant qui découle de cette observation est que l'on n'a même pas besoin de souffrir pour apprendre quelques leçons karmiques difficiles. En effet, si par un travail intérieur conscient sur soi-même, on fait les prises de conscience qui nous amènent à développer certaines qualités, à découvrir consciemment et à intégrer les lois que l'on avait transgressées dans le passé, et que nous choisissons maintenant de vivre au plus profond de nous, alors la loi du karma relative à ce sujet devient caduque instantanément. En effet, la prise de conscience a été faite, la transformation intérieure est effectuée, la loi du retour devient inutile. Elle ne sera donc pas mise en action. C'est ainsi, et ainsi seulement, que l'on peut « brûler du karma » selon l'expression habituelle, et personne d'autre ne peut le faire à notre place. La transformation de conscience doit être faite par l'individu lui-même, c'est son honneur, son privilège en tant qu'être humain, et c'est ainsi qu'il trouve sa joie et sa béatitude. Penser que quelqu'un d'autre peut nous sauver est aussi inutile et illusoire que pour un élève de piano espérer que son professeur jouera le concerto de Beethoven à sa place. La joie vient lorsque, avec l'aide de notre professeur bien sûr, nous arrivons nous-mêmes à jouer ce concerto. Cet apprentissage peut se faire dans la joie et non pas nécessairement par la souffrance. Réjouissons-nous donc, il n'est pas toujours nécessaire de souffrir pour évoluer. Le processus d'évolution peut être un processus joyeux, surtout si nous cessons d'y résister.

Le processus d'attraction de tous les événements de notre vie se fait donc selon le principe d'évolution et à partir de la volonté consciente de notre Soi. De vie en vie*, nous créons de plus en plus

* 2e petit intermède au sujet du temps (pour lecteur curieux et pas pressé) : Certains, considérant que le temps n'existe pas, soutiennent que le concept de vies successives n'est pas adéquat et que nous devons considérer que nous vivons toutes nos vies en même temps. Pourtant le concept même de vies simultanées implique la notion de temps, puisqu'il faut bien définir le temps pour dire que tout se passe en même temps. Pour harmoniser cette perception avec celle du temps linéaire, au lieu de vies passées, on peut parler d'expériences à faire à partir de certains états de conscience. Ces états ne se présentent pas, au niveau du Soi, successivement dans le temps, puisqu'à ce niveau le temps n'existe pas, mais comme un ensemble d'expériences avec lequel notre Soi joue en permanence à chaque instant, chaque instant contenant en soi toute l'éternité... Jolie philosophie qui peut nous ouvrir des horizons intéressants, dans la mesure où cela devient une expérience et non pas une nouvelle croyance à la mode. Ce que l'on peut dire, si l'on veut s'en tenir à cette approche, c'est que toute expérience est accessible à n'importe quel moment donné, et qu'à chaque instant nous avons la possibilité d'expérimenter l'éternité.
Cependant, à toute fin pratique, pour pouvoir amener un concept qui dépasse le niveau mental à une compréhension mentale cohérente, il est commode de considérer le processus d'évolution dans son optique temporelle, sachant que ceci n'est qu'une commodité, mais bien utile pour nous permettre de faire le travail qui doit être accompli, de jouer le jeu que nous avons choisi au départ et ceci sous tous ses aspects.

précisément les conditions optimales qui nous permettent de faire l'expérience totale de notre Soi à tous les niveaux de notre être. Il n'y a pas de hasard. Le monde tel qu'il est autour de nous est l'image exacte de l'état de notre conscience, au niveau personnel comme au niveau collectif. Au lieu d'y résister nous pouvons choisir d'utiliser ces circonstances (que nous avons créées selon les nécessités du plan d'évolution) comme des opportunités d'apprentissage en vue du développement de notre conscience et de notre retour à l'état de puissance et de liberté divines.

3 - Modèle énergétique
(aspect énergie)

L'univers est un vaste complexe énergétique, et rien dans cet univers n'est autre chose que de l'énergie manifestée sous des formes différentes. Les scientifiques matérialistes eux-mêmes ont découvert ce principe, au moins en ce qui concerne la matière physique, à savoir que toute matière est énergie. On peut donc dire que matière et énergie sont deux termes équivalents. Nous verrons que cela peut être appliqué non seulement à la matière physique, mais à la « matière », la substance, qui compose les autres mondes plus subtils (éthérique, astral, mental, causal, etc.).

En effet, au fur et à mesure que la connaissance avance en cette fin du XXe siècle, nous découvrons que l'univers n'est pas fait seulement que de matière physique. On peut dire que nous vivons simultanément dans différents univers faits de « matière », donc d'énergie, de types différents. On parle couramment d'énergie mentale ou émotionnelle, sans savoir en fait que cela correspond à une réalité concrète qui sera reconnue tôt ou tard. Au niveau d'évolution auquel est rendue l'humanité, on accepte facilement la « réalité » de l'univers strictement physique. Au cours du processus involutif-évolutif cela n'a pas toujours été le cas. Il y a très longtemps, alors que nous étions encore dans la phase d'involution, les mondes subtils nous étaient plus évidents et perceptibles que le monde physique. Petit à petit, à des fins d'expérience plus précise du monde de la matière, nous avons perdu momentanément ces capacités de perception au profit d'une perception plus claire du monde physique. Cette perception étant relativement bien acquise maintenant, il nous reste à nous réapproprier à nouveau nos capacités de perception des mondes subtils.

En fait, ceux qui ont une connaissance des choses plus large que la connaissance matérielle, y compris certains scientifiques* et

---

* Parmi les nombreux centres de recherche sur ce sujet qui existent partout dans le monde, nous pouvons signaler en particulier les travaux de Barbara Ann Brennan, chercheur pendant plusieurs années à la NASA, puis spécialiste au niveau des connaissances des énergies subtiles de l'être humain ; aussi les travaux de Valerie Hunt, directrice de la Bioenergy Fields Foundation en Californie, qui apportent une connaissance scientifique intéressante des réalités énergétiques autres que physiques.

ceux qui, ayant développé leur capacité de perception extra-sensorielle, sont déjà capables de percevoir clairement ces énergies, nous disent qu'au-delà du monde matériel, il y a aussi, vibrant à un taux plus élevé, toute une série d'autres réalités. Que nous en soyions conscients ou non, nous baignons dans ces réalités et nous y sommes soumis autant que nous sommes soumis à la réalité physique.

Tout de suite après le monde de la matière strictement physique telle que nous la connaissons, il y a, pour commencer, l'univers éthérique fait de « matière » éthérique que les scientifiques commencent à découvrir. Puis vient l'univers astral, vibrant à un taux encore supérieur au précédent, fait de « matière » ou énergie correspondant à ce que nous appelons les émotions. Puis il y a l'univers mental fait de matière mentale (d'où sont issues ce que nous appelons les pensées). C'est ensuite l'univers causal, fait de matière causale (domaine du Soi). Il existe des niveaux encore plus élevés. Chacun de ces « mondes » vibre à un taux supérieur au précédent et imprègne les mondes inférieurs intégralement. Au fur et à mesure que la science évolue, elle découvre et découvrira de plus en plus ces différents types de matière et pourra les étudier aussi scientifiquement que la matière physique, car là aussi il existe des lois bien précises, beaucoup plus précises que ce qu'on appelle les lois psychologiques ou spirituelles en général, qui n'en sont, pour la plupart, que des approximations.

L'ensemble de tous les niveaux énergétiques de l'univers forme ce qu'on appelle **le Champ d'Énergie Universelle**. Ce champ d'énergie est perçu par certaines personnes ayant développé leur capacité de perception extra-sensorielle. Il commence à être découvert par la science sous son aspect éthérique et le sera plus tard sous ses aspects plus subtils. En particulier, le « mystère » de l'électricité, qui, ainsi que nous l'avons déjà mentionné, n'a pas encore été éclairci vraiment par la science, n'en sera plus un dès que la composante éthérique du Champ d'Énergie Universelle pourra être étudiée et expérimentée scientifiquement.

De même que l'univers n'est pas fait que de matière ou énergie physique, l'être humain est loin de n'être constitué que d'un corps physique. Ce corps physique, fait de matière physique, est effectivement un corps de matière-énergie, vibrant à un taux vibratoire bien déterminé, le taux vibratoire de la matière physique. Mais nous avons d'autres corps : un corps éthérique, un corps astral, un corps mental, un corps causal et d'autres plus élevés encore qui s'interpénètrent et sont faits de « matière » vibrant à des taux de plus en plus élevés. Notre corps fait de matière physique baigne dans notre corps de matière éthérique, baignant lui-même dans notre corps de matière astrale, baignant à son tour dans notre corps de matière mentale, baignant enfin dans notre corps de matière causale, ce dernier étant le domaine du Soi.* Considérant le niveau d'évolution atteint en moyenne actuellement, on peut s'arrêter à ce stade pour l'instant. Ces corps ont évidemment une interaction serrée entre eux, le supérieur ayant toujours le potentiel de maîtriser l'inférieur.

Ces corps sont perceptibles aux yeux de certaines personnes seulement pour l'instant. Ces dernières perçoivent leur présence, plus ou moins clairement, sous la forme que l'on appelle généralement l'« aura ». La précision et l'exactitude de ce que perçoit une personne à ce niveau dépend de son entraînement et de son propre développement personnel. Ce n'est pas parce que l'on perçoit certains aspects des mondes subtils que l'on est capable d'évaluer avec intelligence et sagesse tout ce que l'on perçoit. La lecture et l'interprétation de ce que l'on perçoit au niveau de l'aura demande beaucoup de rigueur et de compétence. C'est un champ d'observation très complexe et il est facile de tomber dans l'illusion ou la fantaisie pure si on n'a pas développé les compétences requises pour pouvoir observer rigoureusement ce genre de phénomènes. Néanmoins, cette perception se développe de plus en plus au sein de l'humanité et sera fort probablement acquise par tous d'ici quelques siècles.

Ceci est déjà familier pour un assez grand nombre de personnes, et de bons ouvrages donnent une description convenable de

---

* À fin de simplification nous ne différencions pas ici les corps de leur émanation.

ces différents corps. C'est une connaissance en pleine expansion et les modèles actuellement présentés sont constamment précisés et raffinés en fonction de nouvelles découvertes. Tout ce qui se dit ou s'écrit sur le sujet n'a pas nécessairement la même qualité ni la même rigueur. On peut malgré tout obtenir une connaissance de base sérieuse qui permet de stimuler d'autres recherches.* Tout comme dans le monde physique chaque être humain est une unité physique bien déterminée avec ses propres caractéristiques physiques, à chacun des autres niveaux, chaque être humain est une unité énergétique bien spécifique et « existe, vit et se meut » au sein de ce niveau.

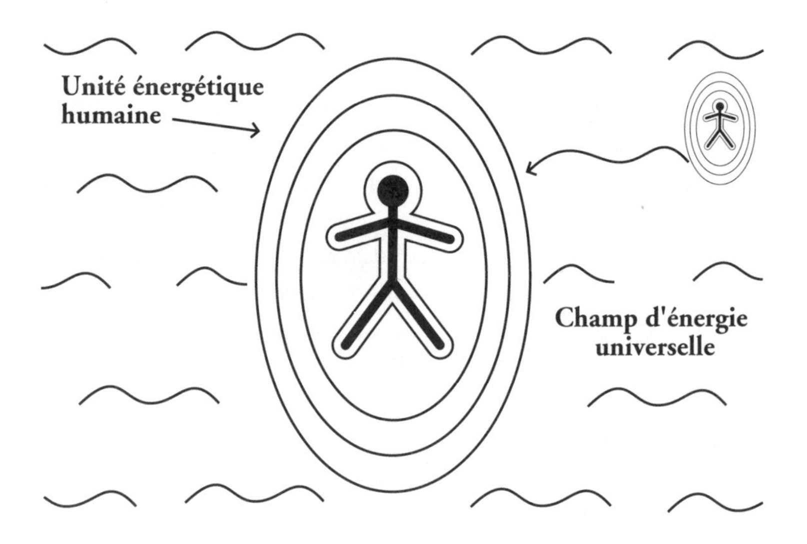

L'ensemble des corps de chaque être humain, constitué de matière des différents niveaux, fait que **chaque être humain constitue une unité énergétique spécifique baignant dans le champ d'énergie universelle**. Ce point, une fois éclairci, sera essentiel pour nous permettre plus loin d'expliquer le processus d'attraction des choses, des personnes et des événements dans notre vie.

---

*Anne et Daniel Meurois-Givaudan, *Les Robes de Lumière,* éd. Arista, Paris ; Max Heindel, *Cosmogonie des Rose-Croix,* éd. St Michel, St Michel de Boulogne ; Barbara Ann Brennan, *Hands of Light,* déjà cité ; Alice A. Bailey, *Un Traité sur le Feu Cosmique,* éd. Lucis, Genève.

Les corps physique, éthérique, astral et mental sont les véhicules énergétiques de la personnalité à différents niveaux. Ils sont constitués chacun de matière issue de ces différents plans. Le travail à faire, exprimé selon le modèle énergétique, est **d'arriver à construire nos différents corps inférieurs (notre véhicule) avec une matière (une énergie) qui soit totalement réceptive à l'énergie du Soi**. Or le changement de conscience amène un changement des taux vibratoires de nos différents corps. Purifier, harmoniser, débloquer nos énergies signifie la même chose qu'élever, dégager, ouvrir notre conscience, ceci de par l'équivalence énergie-conscience dans le système évolutif de l'être humain. Notre vocabulaire imagé, souvent expression d'une perception intuitive vraie, traduit en fait une réalité très concrète au niveau des différents plans. Par exemple, on dit couramment, « harmoniser nos énergies », « élever nos vibrations », « élever nos pensées », car effectivement lorsque notre conscience change et « s'élève », notre taux vibratoire s'élève également. Changer notre qualité énergétique à tous les niveaux est ce que nous exprimions précédemment sous la forme « grandir en conscience, évoluer et apprendre ».

Tout comme un violoniste de talent pourra exprimer toute sa sensibilité et faire une musique d'autant plus belle que la matière (le bois, les cordes...) dont est fait son violon est raffinée et appropriée pour cet usage, le Soi manifestera toutes ses qualités divines plus facilement si la personnalité est pure, libre de blocages et travaillée depuis des millénaires d'expériences et d'évolution. C'est par cette transformation de la qualité de l'énergie de notre véhicule que l'énergie et donc la volonté du Soi pourra se manifester totalement sur cette planète dans les trois mondes inférieurs.

Notre état énergétique et notre état de conscience sont donc intimement reliés et interdépendants. Ce sont, en fait, deux faces de la même réalité. En particulier, **tout notre bagage d'expériences passées est inscrit énergétiquement dans nos différents corps.** Toute harmonie ou disharmonie, toute réalisation ou limitation en conscience se traduisent par une vibration d'un certain type.

Lorsque nous avons un travail spécifique de conscience à faire dans cette vie-ci, cela est inscrit quelque part dans notre système énergétique : système mental, astral, éthérique, physique. Cet état énergétique, cette vibration spécifique que nous portons en nous aura pour effet d'**attirer vibratoirement, en fonction du Plan d'évolution,** les personnes ou les situations qui nous permettront de travailler sur cette qualité à développer, sur ce potentiel à manifester ou sur ce manque ou sur cette faiblesse à corriger. Tout cela est inscrit énergétiquement dans nos différents corps et **agit comme un aimant dans le Champ d'Énergie Universelle par lequel nous sommes tous reliés**.

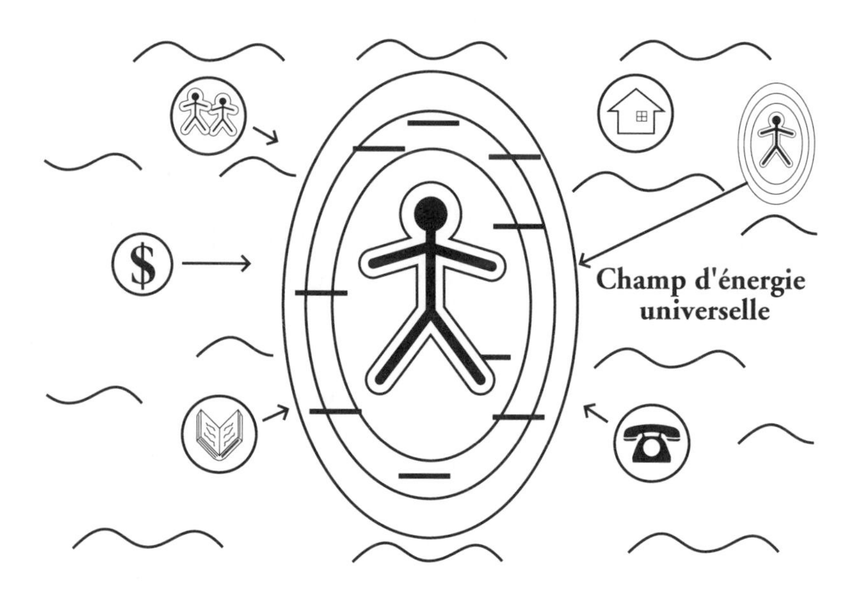

Cet aimant est orienté par **la force de la loi d'évolution constamment en action**. Il attire à nous, depuis n'importe quel endroit de l'univers, les personnes, les choses ou les circonstances, **qui elles aussi ont leur charge énergétique**, de façon à ce que, à partir de l'interaction de ces différents systèmes énergétiques, puisse naître une expérience d'évolution pour l'ensemble. Cette expérience est générée pour assurer globalement autant l'évolution de notre être individuel que celui de l'ensemble des individus impliqués, vers une conscience de plus en plus élevée, vers un niveau vibratoire de plus en plus raffiné. **Nous**

sommes tous inter-reliés et reliés à tout ce qui existe dans l'univers par le Champ d'Énergie Universelle au sein duquel tous les éléments de l'univers, humains ou autres, sont en manifestation. **C'est ce champ d'Énergie Universelle qui rend la transmission de l'information instantanée et le phénomène d'attraction possible**.

L'univers est un incroyable système énergétique d'une infinie complexité. Nous pourrions le comparer à un gigantesque et très complexe ordinateur (mais la comparaison serait encore bien pâle), constamment en action pour organiser et diriger ces mouvements d'énergie en fonction du Plan d'évolution. Tous ces grands processus d'attraction et d'organisation de l'énergie ne se font pas d'une façon incohérente, bien que cela puisse le paraître à notre conscience très limitée. Ils se font d'une façon qui, pour en être très complexe, n'en est pas moins parfaitement ordonnée, déterminée à la base par la Loi d'évolution en ce qui concerne l'être humain, et par le grand Plan cosmique en ce qui concerne le cosmos. Il est certain que si nous désirons pénétrer les mystères de l'univers, nous avons devant nous un énorme travail de changement de conscience à faire, car ce n'est pas avec la conscience ordinaire que nous pourrons les comprendre.

Pierre approchait la trentaine et ne se sentait pas très bien dans sa vie. Le monde lui paraissait hostile et plein de dangers. Plusieurs fois il avait vécu des expériences pénibles qui lui prouvaient que le monde est plein de gens méchants et malhonnêtes. De plus en plus mal à l'aise à mesure qu'il avançait dans sa vie, Pierre décida de faire un travail sur lui-même, malgré toutes les réticences de sa famille qui lui prédisait qu'il se ferait avoir et que c'était complètement inutile.

Durant une session de travail avec le souffle, Pierre revécut un temps de son enfance. Il se vit assis devant la porte d'entrée de la maison, sur le balcon, portant une petite casquette à carreaux sur la tête. Il revit également différents membres de sa famille, plus spécialement sa grand-mère. Le travail avec le souffle continua son cours et Pierre libéra une grande quantité d'énergie bloquée dans son corps. Un peu plus tard, Pierre nous raconta qu'il avait été élevé principalement par sa grand-mère. Celle-ci, croyant bien faire, lui répétait sans cesse que s'il descendait dans la rue, il se ferait battre par les plus grands ; pire encore, qu'il risquait de se faire mordre par les chiens, de se faire renverser par une voiture et peut-être même qu'il se ferait enlever par des méchants qui font peur aux enfants. Pierre resta donc, pendant toute cette partie de son enfance, sagement assis sur le balcon, sans oser bouger... jusqu'à ce qu'arrive le premier jour d'école. Il fallut descendre du balcon, mais Pierre emporta toutes ses peurs avec lui et les garda en permanence dans son mental inférieur inconscient et dans son corps sous forme de tensions. La programmation était faite : « Je suis faible et vulnérable et le monde est dangereux. » À partir de cette programmation, Pierre attira à lui toutes sortes de mésaventures et expériences pénibles, et continua à vivre dans la peur. Il se demandait pourquoi les gens étaient si méchants et la vie si difficile. Cela allait même en empirant, puisque la programmation ne faisait que se renforcer à chaque expérience.

Mais nous avons vu que nous attirons non seulement à partir des programmations du mental inférieur, mais aussi à partir d'une certaine volonté du Soi quand celle-ci a une chance de pouvoir s'exprimer.

Aussi, malgré toutes les peurs qui l'habitaient, Pierre sentait en lui le désir de vivre plus librement et plus joyeusement. L'intention de son Soi était d'expérimenter plus de la vie. C'est dans cette partie de son être que Pierre trouva la force nécessaire pour faire un cheminement personnel par lui-même, malgré ses peurs. De plus, cette intention forte et claire attira à Pierre des personnes compétentes qui purent l'aider à faire un cheminement rapide et efficace, lui permettant de se libérer des limitations qu'il s'était construit durant son enfance. Pierre retrouva confiance en lui et dans le monde. Il put jouir pleinement du privilège de sa vie. Tout comme ses peurs avaient précédemment attiré des circonstances fort désagréables dans sa vie, son intention claire, sourcée (pas nécessairement consciemment) par son Soi, attira sur son chemin les événements et les gens dont il avait besoin pour retrouver sa liberté.

Comment transformer la qualité énergétique de nos différents corps ?

La façon la plus sécuritaire de transformer notre qualité énergétique est d'**évoluer en conscience,** donc faire un travail en conscience sur soi-même accompagné d'un travail de dégagement énergétique-émotionnel. De nombreuses et excellentes techniques existent actuellement pour faire un travail au niveau énergétique. De par notre expérience nous avons trouvé que le travail par le souffle était un bon outil, à condition là encore d'être accompagné d'un travail en conscience. Le travail sur l'énergie seul, surtout s'il s'agit d'une technique où il y a une intervention extérieure (ce qui n'est pas le cas du travail par le souffle), peut présenter de sérieux inconvénients. En effet si, par une action extérieure à la personne, on permet à un taux vibratoire supérieur de s'installer dans un des corps de cette personne, il n'est pas certain que celle-ci soit prête en conscience à assumer les conséquences de ce changement d'être. Cela peut entraîner de sérieux problèmes. C'est pourquoi il nous est apparu que le travail en conscience est une nécessité pour garantir un processus harmonieux, efficace et sécuritaire de réharmonisation énergétique et émotionnel.

C'est en ce sens que le travail de changement conscient de contexte de pensées, dont nous présentons un aspect ici, est essentiel pour qu'un travail intérieur soit efficace et générateur de résultats concrets dans la vie quotidienne. Car c'est dans la vie quotidienne que nous sommes testés. Ce sont dans les situations de tous les jours que nous pouvons vraiment évaluer si nous sommes réellement libres intérieurement, ou si nous sommes encore prisonniers de nos structures rigides, de nos blocages et de nos programmations dues au passé.

D'une façon générale, comment se fait l'évolution en conscience ? Cela peut se faire de deux façons. Nous pouvons citer ici Alice A. Bailey :

> *« L'évolution de la conscience et l'effet de cette évolution sur les véhicules dans lesquels fonctionne l'entité consciente est la somme totale des processus de la nature et, du point de vue de l'unité humaine intelligente, trois mots peuvent résumer le processus et le résultat. Ces mots sont : transfert, transmutation et transformation...*

> *Ce transfert, cette transmutation et la transformation finale sont dus à l'une des deux méthodes :*
>
> *1 . La méthode lente des vies répétées, des expériences et des incarnations physiques jusqu'à ce que, finalement, la force dirigeant le processus évolutif conduise l'homme. échelon par échelon, au sommet de la grande échelle de l'évolution.*
>
> *2 . La méthode plus rapide grâce à laquelle un être humain se prend lui-même clairement en main et produit en lui, par son propre effort, un nouvel état de développement spirituel. »* *

Le travail conscient sur soi a été pendant longtemps l'apanage de quelques-uns seulement. Ceux-ci ont avancé très rapidement et nous donnent la démonstration, grâce à leur propre réalisation, de ce que peuvent être les possibilités offertes à tous les êtres humains s'ils sont intéressés à les utiliser. De plus en plus de personnes actuellement sont prêtes à faire un réel cheminement intérieur, et les techniques et méthodes correspondant à différents niveaux se sont développées et sont devenues plus accessibles au grand public.

En réalisant que nous existons au sein de ce grand complexe énergétique qu'est l'univers, orchestré en ce qui nous concerne par la loi d'évolution, nous pouvons mieux comprendre comment nous « créons » notre environnement personnel par attraction tout au long de notre vie.

Le phénomène d'attraction au niveau énergétique fonctionne en tout temps et en particulier juste avant la descente en incarnation, afin de déterminer les conditions de départ d'une vie. Il est intéressant d'observer comment, énergétiquement, nous synthétisons toutes les expériences d'une vie, et comment nous choisissons énergétiquement les matériaux pour construire les corps que nous allons utiliser lors de la vie suivante.

---

* Alice A. Bailey, *La Lumière de l'âme*, pp. 381-382, éd. Lucis, Genève.

Comment se créent les conditions de retour selon le modèle énergétique :

Pour comprendre ce qui se passe à ce niveau, il sera bon d'observer ce qui se passe entre deux incarnations.

Tout le monde sait qu'après ce qu'on appelle la mort, le corps physique est détruit et retourne à la matière terre. Que se passe-t-il après? Sans vouloir faire un exposé sur ce sujet, rappelons qu'après le départ du corps physique-éthérique, l'être continue à expérimenter dans les mondes supérieurs. Après le monde physique, on passe dans le monde astral où, toujours muni en général de notre pleine conscience, on expérimente ce monde à l'aide de nos corps astral, mental et causal. Puis on « meurt » au monde astral, comme on est « mort » au monde physique, c'est-à-dire que l'on abandonne notre corps astral pour passer dans le monde mental. Et le même processus se répète à ce niveau. Après un certain temps d'expérience dans cette dimension, on « meurt » à notre corps mental et on passe dans le monde causal, monde du Soi. On se retrouve à ce niveau pure conscience, sans véhicule de manifestation, mais ayant un sens de notre existence d'autant plus riche que notre conscience n'est plus limitée par l'étroitesse de notre personnalité.

Les trois corps inférieurs, physique-éthérique, astral et mental, sont donc détruits l'un après l'autre après chaque incarnation, mais **l'essence de l'expérience de chaque corps est enregistrée** sous une forme que l'on appelle les « atomes permanents » ou « atomes germes ». Ces « atomes » sont des unités énergétiques spéciales, véhiculant toute l'information des expériences passées relatives aux différents corps, effectuées et enregistrées par ces différents corps. À chaque fois que nous abandonnons un de nos corps, nous emportons avec nous cet atome permanent d'information et nous arrivons ainsi au niveau du Soi munis de ces unités d'information qui s'enregistrent au sein du corps causal (corps du Soi qui, lui, est immortel). C'est ainsi que la conscience, revenue au niveau du Soi, dispose de toute l'information sur la totalité de l'expérience de la personnalité lors de son dernier passage dans les mondes inférieurs et sera en mesure d'en faire une évaluation.

Il est possible, et c'est alors le temps, de faire le point sur le niveau d'harmonie et de puissance énergétique acquis (les leçons de conscience qui ont été apprises), et sur ce qui reste à acquérir, pour que nos corps inférieurs soient moins chargés de blocages ou de parasites et deviennent plus réceptifs à l'Énergie divine. Cet examen est évidemment très complexe et très abstrait, et dépasse de très loin la compréhension de notre mental rationnel linéaire. Le bilan ne se fait donc pas au niveau « moral », mais plutôt **au niveau d'une certaine qualité énergétique**. Il n'y a pas de « morale », au sens ordinaire du terme, dans l'univers. Il y a simplement des lois et des énergies qui vibrent plus ou moins harmonieusement les unes avec les autres en fonction de ces lois. **Les caractéristiques énergétiques et la qualité d'énergie donnent l'information instantanée sur le niveau de conscience atteint**, et donc sur le travail qui reste à faire.

Lorsque le bilan énergétique a été fait (donc par là-même le bilan de conscience) et qu'il est temps de « redescendre » pour faire de nouvelles expériences dans le monde physique, nous redescendons progressivement à travers chacun des niveaux de matière, mentale, astrale, éthérique et enfin physique. À chaque niveau, nous attirons énergétiquement à nous les matériaux qui nous serviront à construire les différents corps de notre personnalité. Et **ces matériaux ne sont pas attirés au hasard**. Nous attirons ces matériaux de façon à nous construire des corps qui faciliteront les expériences que nous avons choisies de faire dans cette nouvelle vie.

Par exemple, lorsque nous traversons le monde astral, nous attirons les matériaux avec lesquels nous construirons notre corps émotionnel. Si nous avons déjà acquis beaucoup de sagesse et de sérénité dans les vies passées, nous allons attirer de la matière astrale de qualité supérieure et nous arrivons dans notre nouvelle vie avec une nature émotionnelle sereine et harmonieuse dès le départ. Nous considérons aussi les manques de notre nature émotionnelle, et nous construisons notre corps émotionnel de départ également en fonction de ce que nous devrons harmoniser et renforcer. Il en est de même pour les autres corps.

Dès la naissance, même si nous ne sommes encore que dans un tout petit corps physique, nous véhiculons avec nous tout notre passé, et ceci est inscrit en potentiel énergétique dans tous nos corps. Au fur et à mesure des années qui passent, nous expérimentons de nouvelles choses et rajoutons, aux expériences des vies passées, les expériences de notre vie actuelle.

À chaque moment de notre existence, nous nous trouvons donc dans un certain état énergétique correspondant très précisément à notre état de conscience, celui-ci étant fonction de notre degré d'évolution. Cet état énergétique de tous nos corps attire constamment les circonstances, les personnes et les situations qui pourront faire travailler cette énergie, ultimement, toujours en fonction du plan d'évolution.

Selon le modèle énergétique, nous attirons à partir de l'état vibratoire de notre personnalité afin d'apprendre à « élever » ces vibrations au niveau vibratoire du Soi. Selon le modèle ésotérique-psychologique, nous attirons à partir de notre état de conscience, lorsque celle-ci est identifiée à la personnalité, afin d'« élever » cette conscience au niveau de conscience du Soi.

Que cela soit considéré comme un processus énergétique ou comme un processus de conscience, le résultat est toujours le même : nous attirons à nous toutes les circonstances et expériences de vie dont nous avons besoin pour que le travail de transformation se fasse, et que nous puissions nous rapprocher de plus en plus de notre nature divine.

CHAPITRE IX

CLARIFICATION DE CERTAINS ASPECTS DU PARADIGME

Quelques pièges à éviter

Ce que le contexte de responsabilité-attraction-création bien compris peut apporter dans notre vie quotidienne nous a paru, à l'expérience, très bénéfique, pour nous et pour les autres.

C'est pourquoi il nous semble bon de clarifier quelques points qui sont souvent sources d'incompréhension ou de déformation de ce paradigme et en rendent l'acceptation, et donc l'utilisation, plus difficile.

Lorsqu'on aborde ce nouveau paradigme, on risque en effet de tomber dans plusieurs pièges, si l'on n'a pas pris soin d'examiner attentivement ce concept dans sa totalité. Parmi les déformations et incompréhensions les plus courantes, on trouve : vouloir tout expliquer rationnellement, se blâmer soi-même, justifier l'indifférence et l'inaction. Afin d'éviter cela et d'être en mesure de bénéficier de tout le pouvoir de manifestation et de service qu'apporte ce point de vue, nous apporterons quelques précisions qui aideront à en approfondir le sens et à en faciliter l'intégration.

Les explications rationnelles limitées

Il n'est pas nécessaire de comprendre rationnellement toutes les raisons des situations qui se présentent dans notre vie pour en intégrer l'apprentissage. Certains aspects de cet apprentissage peuvent s'intégrer à partir de prises de conscience au niveau mental, mais d'autres expériences s'intègrent directement à des niveaux plus profonds et plus subtils. Les expériences s'enregistrent dans la conscience aux niveaux subconscient, inconscient et supraconscient, et elles y sont « traitées » en fonction de notre niveau d'évolution.

Tout ne peut pas, et ne doit pas nécessairement, passer par la compréhension mentale ordinaire. Essayer de tout rationaliser est une tentative désespérée de la partie rationnelle et automatique du mental pour récupérer le principe de responsabilité et le ramener à un niveau de compréhension linéaire. Cette partie du mental, certainement très utile, est malgré tout un instrument de compréhension limité. Si nous travaillons à élargir ses points de vue, c'est certainement pour mieux comprendre, ou plutôt accepter, mentalement ; mais c'est aussi et surtout, pour dégager la structure mentale de sa rigidité et **ouvrir la porte à un type de compréhension et de perception consciente plus large**, plus subtile et plus directe. C'est le type de connaissance issue du Soi que l'on a appelé quelquefois « intuition », ce mot étant pris au sens le plus élevé du terme et non pas au sens habituel qui sous-entend une perception vague, émotionnelle, si ce n'est fantaisiste. La vraie intuition est une capacité de compréhension supérieure non linéaire qui inclut la compréhension intellectuelle strictement « rationnelle » et la dépasse. Au niveau intuitif vrai, la compréhension est en fait plus claire, plus rigoureuse et plus précise. Ceux que l'on appelle des génies dans tous les domaines de la pensée, scientifique, artistique ou autre, ont un accès plus facile à ce type de connaissance. Cela est pourtant accessible à tout être humain à un moment donné ou à un autre, puisque nous possédons tous le même appareil de manifestation. Il suffit de savoir l'utiliser.

En fait, ce processus d'apprentissage par les expériences de la vie ne se fait pas ou très peu au niveau mental conscient durant un long temps de l'évolution. Ce n'est qu'à partir du moment où l'être humain fait le choix d'un travail libre et volontaire sur soi que les prises de conscience, au niveau de la conscience ordinaire, deviennent plus significatives et plus rapides. La dynamique intérieure des choses se manifeste alors plus clairement à la conscience afin de donner la possibilité à l'être humain de faire des choix de plus en plus conscients au niveau de la personnalité. C'est un processus lent malgré tout, et au stade actuel d'évolution de l'être humain moyen, il y a encore très peu de processus d'une existence qui peuvent être vraiment compris dans leur totalité. Ces processus, en effet, se manifestent globalement dans un espace multi-dimensionnel, alors que notre conscience ordinaire ne peut enregistrer les expériences que dans l'espace-temps à quatre dimensions.

L'ouverture d'esprit que donne le contexte de responsabilité est suffisante à elle seule pour qu'à un moment donné ou à un autre, nous réalisions et intégrions naturellement, et pas nécessairement par un processus mental conscient, ce qu'il y avait à apprendre, à assimiler dans notre conscience profonde. Si nous ne sommes pas capables de conscientiser instantanément l'apprentissage proposé, **nous restons au moins ouverts à cet apprentissage et nous cessons de résister à ce qui est là**. Cela est suffisant. Passer son temps à essayer d'expliquer tous les pourquoi de notre vie, sans avoir vraiment les moyens de le faire, est une entreprise perdue d'avance car la « logique » de notre processus d'évolution ne peut pas vraiment être saisie à l'aide de la conscience ordinaire. Au fur et à mesure que notre conscience s'élargit, tout devient plus clair et plus cohérent, mais nous ne pouvons faire qu'un pas après l'autre.

Il peut donc se passer des années, et même parfois des vies, avant que nous puissions comprendre consciemment pourquoi tel événement s'est présenté à un moment donné dans notre vie. L'apprentissage peut en être néanmoins fait organiquement depuis longtemps à un niveau plus profond de l'être, dans toutes ses dimensions.

Il n'en reste pas moins que plus un être humain est avancé en conscience, et plus il est capable de comprendre, de « saisir » la signification profonde des événements de sa vie, ce qui lui permet plus facilement de ne plus y résister et d'utiliser les circonstances au maximum pour sa propre croissance. C'est une dynamique positive qui s'accélère avec le temps dans le sens de plus de connaissance et de maîtrise.

Mais où que nous soyions rendus dans notre processus évolutif, l'apprentissage et la croissance au niveau global seront toujours fortement facilités et accélérés dans la mesure où l'expérience est vécue en en prenant « responsabilité » dans le sens du principe de Responsabilité-Attraction-Création. **Il n'est pas nécessaire de comprendre toutes les raisons d'être d'une situation donnée pour choisir de cesser d'y résister et de l'utiliser au mieux de nos ressources.** C'est en cela que réside l'intérêt du contexte de responsabilité, et non pas dans un système explicatif quelconque. Le fait de ne pas résister à « ce qui est », à ce que la vie nous propose, permet d'agir beaucoup plus efficacement et facilite une intégration beaucoup plus rapide de ce que la vie veut nous apprendre. Ce contexte accélère notre processus d'évolution, c'est-à-dire nous rapproche de plus en plus de notre capacité de bonheur et de liberté.

Cet apprentissage peut donc s'intégrer dans notre être sans que nous ayions besoin de faire un processus intellectuel pour cela, sans que nous ayions besoin de disséquer et d'analyser la totalité de l'expérience. Rien n'empêchera notre intellect, éventuellement, d'en faire un jour une analyse consciente et brillante, mais l'énergie d'intégration sera venue d'une partie plus profonde de nous-mêmes.

Quelquefois la raison d'une expérience que la vie nous a présentée apparaît clairement (au moins dans l'un de ses aspects). Rappelons-nous l'histoire de Jeanine et de son enfant handicapé, décrit au chapitre VII. Cette jeune femme a pu comprendre, au moins partiellement, pourquoi cette circonstance s'était présentée dans sa vie. Mais remarquons qu'elle a tiré profit de cette situation, dans le sens où elle a appris à aimer, avant même d'avoir compris pourquoi cet enfant était là. L'impulsion de l'amour inconditionnel est venue de la manifestation profonde de son être et non pas d'une simple compréhension intellectuelle. C'est ce qui arrive le plus souvent. La compréhension du processus vient après coup.

À un niveau plus quotidien et moins global, dans des cas relativement simples, nous pouvons aussi observer comment nous pouvons « attirer », « créer » certains événements. C'est le cas en particulier lorsque nous sommes dirigés par notre mental-émotionnel programmé d'avance. Dans ce cas il se peut que nous puissions trouver quelques explications à certains événements. Prenons l'exemple de François :

François a eu une enfance que l'on pourrait qualifier de « normale ». Son père étant très autoritaire, François a choisi (inconsciemment) de faire face à cette situation difficile en devenant doux et docile. Ce comportement soumis constituait son mécanisme de protection derrière lequel se cachait beaucoup de souffrance, de peur et de colère. Inconsciemment, François a gardé en lui une peur panique de l'autorité et il a toujours fait en sorte d'éviter de confronter celle-ci, en général en disparaissant, soit physiquement, soit psychologiquement. Tout ceci fait partie de la mécanique intérieure inconsciente de François, et la programmation face à l'autorité est toujours là, sous-jacente, prête à agir dès qu'une situation évoque, de près ou de loin, une rencontre avec une figure d'autorité.

François est un bon citoyen, marié avec une femme autoritaire (re-création de la relation parentale...), et il a un travail respectable. À un certain moment, des problèmes d'organisation dans son milieu de travail font qu'une réunion importante est prévue pour le lundi suivant, devant réunir certains membres du personnel et le grand patron. Il y est évidemment invité comme ancien et fidèle employé et il a des chances d'être proposé pour un poste supérieur. La programmation est instantanément réactivée sans que François ne s'en rende compte, à part peut-être un léger malaise quelque part dans l'estomac, mais cela lui est si familier... Pour lui, employé zélé et docile au niveau conscient, il est évident qu'il sera présent à cette réunion. Pourtant, le dimanche soir, par un malencontreux hasard (!) il glisse dans l'escalier, se foule vilainement la cheville et se trouve dans l'impossibilité de se déplacer pour aller à la réunion le lendemain matin...

Les traumatismes de François, expérimentés dans le passé, ont structuré des programmations spécifiques au niveau de son mental inconscient (mais non moins actif dans le processus de création) et ont décidé de ce qui arriverait dans sa vie, pour cette journée-là au moins. Le mécanisme de protection de l'enfance s'est mis en marche, même s'il n'était aucunement approprié. C'est ainsi que fonctionne le mental inférieur programmé durant l'enfance si on ne fait rien pour le dégager.

Ceci est un exemple simple du cas où ce n'est pas la volonté du Soi directement qui produit la situation, mais la mécanique du mental inférieur programmé dans le passé. Pourtant l'intention du Soi est là malgré tout, toujours présente derrière tout cela, puisque, ainsi que nous l'avons vu précédemment, c'est le Soi qui permet l'installation même de ces structures pour donner des occasions d'expériences et de croissance à la personnalité.

Si François est atteint de victimite, il se plaindra que le sort est injuste et se demandera longtemps pourquoi de pareilles choses lui arrivent. Il pensera que la vie est bien dure avec lui et nourrira déception et ressentiment contre ce malheureux hasard qui lui a peut-être fait manquer la chance de sa vie au niveau professionnel. Il se fera ainsi souffrir lui-même, et n'utilisera pas cette expérience pour en faire quoi que ce soit de constructif.

Si François est suffisamment éveillé en conscience, et qu'il sait que rien n'arrive par hasard, il peut commencer à se poser des questions. Il peut remarquer que ce type de situation s'est déjà présenté sous des formes diverses plusieurs fois dans sa vie. Ceci est un indice intéressant, car lorsqu'une situation se présente de façon répétitive, il y a de fortes chances pour que la source de cette situation provienne d'une programmation inconsciente. François peut donc profiter de l'occasion que lui donne cette expérience pour, après réflexion, prendre conscience de ses propres mécaniques intérieures et choisir de faire un travail personnel de dégagement de ces structures afin de retrouver son pouvoir et sa liberté. Et en cela, il commence à manifester la volonté de son Soi. Il aura utilisé cette expérience efficacement.

L'exemple est simple mais tout à fait courant. Nous ne cessons de créer des événements mineurs dans notre vie de cette façon. Notre Soi nous laisse créer ces choses pour nous donner la chance de faire certaines prises de conscience sur le contenu programmé de notre mental automatique.

Pour ce qui est des événements plus fondamentaux de la vie, l'impact des programmations inférieures est mêlé à l'impact de la volonté du Soi. À ce moment-là, il est très difficile et souvent complètement inapproprié de vouloir donner une explication psychologique qui risque d'être trop simpliste. Une très grave maladie, par exemple, peut être causée par des programmations et émotions négatives. Mais elle peut être aussi créée par le Soi afin de permettre à la personne de développer certaines qualités et faire un grand pas dans son évolution spirituelle grâce à cette condition.

Donner des explications psychologiques simplistes est un piège dans lequel tombent bien des débutants dans l'utilisation de ce concept. La meilleure façon d'éviter cela c'est :

— **ne pas interpréter les problèmes des autres** en trouvant des explications psychologiques rationnelles (souvent couleur « nouvel âge ») aux différents événements qu'ils attirent dans leur vie. Laissons-leur trouver la réponse eux-mêmes. Tout au plus, si nous voulons aider et nous sentons profondément inspirés (!), pouvons-nous faire quelques suggestions, en étant bien conscients que nous pouvons nous tromper complètement...

— **lorsque les événements nous concernent**, nous pouvons nous poser intérieurement et sincèrement la question : « Qu'y a-t-il là pour moi ? » puis méditer, poser la question à notre Soi, à notre intuition. S'il nous semble qu'il vient une réponse naturellement, par intuition, il se peut que ce soit la bonne. Mais pas nécessairement. Nous la passons au crible de notre meilleur discernement et l'utilisons ou la laissons momentanément en attente (sans la rejeter), selon qu'elle nous paraît valable ou non. Si aucune réponse ne vient, nous laissons aller paisiblement et sereinement. Le fait de ne pas résister à cette situation, de l'accueillir comme étant une occasion de grandir, est suffisant pour nous permettre d'aller chercher le meilleur de nos ressources. De plus, en ayant posé la question et sachant que nous sommes à la source de ce qui se présente à nous, nous avons ouvert une porte. Nous avons envoyé un flot d'énergie spécifique dans le Champ d'Énergie Universelle, et la réponse nous viendra au moment approprié, en fonction de notre intention de départ, si tant est qu'une telle réponse nous soit nécessaire, pour l'instant, au niveau conscient.*

L'important, encore une fois, est **d'accueillir ces événements** en sachant qu'ils sont appropriés pour nous, même si nous n'en comprenons pas tout de suite le sens, et **d'arrêter d'y résister. L'intégration de l'apprentissage se fait naturellement par la non-résistance.** Arrêter de résister ne veut pas dire rester passif, au contraire. Car c'est en arrêtant de résister que l'on dispose de la totalité de notre énergie pour agir et faire face aux événements de façon efficace, dynamique et créatrice.

De plus, on a le temps!

Notre Soi est inflexible mais très patient dans le travail de construction de son outil de manifestation, la personnalité. Si, lorsque notre conscience est prise dans la personnalité, nous ne pouvons, ou ne voulons pas nous ouvrir à l'apprentissage nécessaire pour faire le pas suivant dans notre évolution, il nous présentera la même expérience encore et encore. Si nous résistons à ce qui nous est présenté, ou si nous ne sommes pas tout à fait prêts à assimiler la totalité de l'expérience, il n'y a pas à s'inquiéter, elle se présentera de nouveau, jusqu'à ce que ce qui doit être maîtrisé, assimilé, intégré, le soit au complet.

En résumé, se reconnaître comme à la source de tout ce qui est dans notre vie ne veut pas dire être capable d'expliquer rationnellement ce qui est là. Cela veut dire se reconnaître comme étant à la source, **c'est tout; sans jugement sur nous-mêmes**, sans blâme, en faisant confiance à notre Soi qui nous guide, et à notre intelligence et notre cœur qui nous permettent d'avancer au meilleur de nos ressources, ni plus ni moins. Et cette acceptation et cette non résistance suffisent pour créer une dynamique accélérée d'évolution. Nous comprendrons plus spécifiquement pourquoi en observant les

---

* En fait, il y a un temps privilégié d'intégration de toutes nos expériences d'une vie : c'est peu de temps après notre mort physique. Dans l'état de conscience supérieur dans lequel nous nous trouvons alors, nous faisons le bilan des expériences de notre vie. Les événements de notre vie apparemment incohérents ou dus « au hasard » prennent alors tout leur sens au sein d'une logique supérieure qui inclut tout notre passé évolutif.

conséquences de cette attitude dans notre vie quotidienne lors du chapitre suivant.

Le blâme face à soi-même

Un autre piège à éviter est celui d'utiliser le concept de responsabilité pour se blâmer soi-même.

Si nous nous déclarons à la source de notre univers, si nous déclarons que c'est nous qui attirons tout ce qui nous arrive, il est bien sûr que nous cessons de blâmer les autres ou les circonstances; mais **il serait tout à fait inapproprié de commencer à se blâmer soi-même.** C'est en fait un piège dans lequel les débutants, ou ceux qui n'ont pas suffisamment réfléchi à la question, tombent facilement. Car il est vrai que, lorsque l'on s'attire des circonstances ou des personnes désagréables autour de nous, on peut avoir tendance à se dire que l'on doit être bien mauvais pour s'attirer de pareilles choses; ce doit être du masochisme, de la stupidité, des vilaines programmations, un bien mauvais karma, etc.

Il est important de clarifier cela, sinon même les autres apprentis malhabiles du principe de responsabilité peuvent nous faire remarquer que nous devons être bien pourris intérieurement pour attirer de telles choses dans notre vie, ou bien nous reprocher plus ou moins subtilement d'avoir « choisi » ceci ou d'avoir « voulu » cela, comme si au fond nous n'étions pas correct quelque part. Recevoir des sous-entendus (ou en faire à quelqu'un d'autre) selon lesquels on doit avoir « mérité » cela, ou « attiré » cela comme une leçon, peut être très blessant, surtout quand on traverse une épreuve difficile. C'est une façon trop étroite de voir les choses qui donne un moyen de mettre celui qui souffre plus ou moins subtilement en tort. Cela est contraire à l'essence même du principe et nous allons essayer de rendre les choses plus claires et plus satisfaisantes pour l'esprit, de façon à ce que le principe de responsabilité nous permette, en plus d'autres avantages, de nous libérer une fois pour toutes du jugement et du blâme (face aux autres et face à nous-mêmes) et nous permette aussi de mieux agir pour s'entraider sur le chemin de la vie.

Pour éviter cette erreur qui dénature le principe de responsabilité, il suffit de se rappeler pourquoi nous attirons les conditions de nos vies. Nous savons que c'est notre sagesse intérieure qui ultimement supervise ce qui se présente dans notre vie. Et si nous attirons des choses difficiles, ce n'est pas nécessairement parce que nous avons un quelconque mauvais karma ou de mauvaises pensées, c'est simplement que cette occasion d'expérimenter et d'apprendre doit être appropriée pour nous à ce moment-là. Donc en quelque sorte, chaque situation telle que nous l'avons attirée est « parfaite » puisque c'est celle qui nous met en présence de ce qui va nous permettre d'apprendre et d'expérimenter ce que nous avons à apprendre et à expérimenter.

Pourtant, il nous est souvent bien difficile d'accepter cette « perfection » de l'univers, car quelquefois ce qui se présente dans notre vie n'est pas nécessairement agréable, et la situation est bien loin de nous paraître parfaite selon les critères de notre conscience ordinaire. Nous savons bien que le but de notre être profond est d'arriver à construire son véhicule de manifestation à travers toutes les expériences qui seront nécessaires, agréables ou désagréables, peu importe, afin qu'en tant qu'individu on retrouve tout notre pouvoir divin, notre liberté et un bonheur absolu. Par contre, notre personnalité, dans son ignorance et ses limitations, a en général comme but d'avoir le plus de plaisir immédiat et le moins de difficultés possible. C'est pourquoi au niveau de la personnalité nous résistons souvent à cet apprentissage, car il peut amener des souffrances, quelquefois très grandes, que nous aimerions éviter. Mais le fait d'être conscients que ces difficultés sont là pour nous permettre d'apprendre quelque chose qui nous mène à une plus grande liberté peut nous aider grandement à passer au travers de façon saine et constructive, dans la plupart des cas.

Nous n'avons pas à nous blâmer nous-mêmes, puisque, grâce à la sagesse suprême de notre Soi, nous attirons exactement ce dont nous avons besoin pour atteindre l'objectif fondamental de notre être. Et si nous nous attirons des épreuves difficiles, ou que nous côtoyons des personnes ayant de durs moments à passer, que cela nous inspire de la compassion envers nous-mêmes et les autres plutôt que du jugement, les soupçonnant de mauvaises actions passées ou de pensées douteuses. Au contraire, reconnaissons la force et le courage que cela peut demander de passer à travers de telles épreuves, et souvenons-nous que :

Aux grandes âmes, les grands challenges.

Ce n'est donc pas parce qu'une personne doit faire face à de grosses difficultés dans sa vie qu'elle est moins évoluée. Bien souvent, c'est le contraire. On peut dire simplement que c'est peut-être quelqu'un qui a choisi d'avancer plus vite au cours de cette vie-ci.

Loin de nous porter à nous blâmer nous-mêmes, le principe de responsabilité nous redonne la confiance en ce que nous sommes vraiment et le courage nécessaires pour passer à travers les différentes épreuves de la vie.

Alors **célébrons ce que nous créons** ainsi que chaque pas que nous faisons sur le chemin, et apprenons à jouer avec la vie telle qu'elle se présente... Quelles que soient les situations que nous attirons dans notre vie, nous sommes parfaitement corrects tels que nous sommes, au niveau de la personnalité comme au niveau du Soi. Nous ne faisons que jouer au jeu des retrouvailles avec notre être. Il est certain que notre personnalité n'est pas encore tout à fait au point en tant qu'instrument parfait de manifestation du Soi, puisque le but même de nos existences est de parfaire notre instrument. Par contre, nous sommes capables d'attirer les situations « parfaites » pour pouvoir faire le travail. Alors, au lieu de nous blâmer pour ne pas avoir encore fini, reconnaissons-nous comme de remarquables créateurs dans l'exercice de leur création et célébrons notre apprentissage.

Le fait que le principe de responsabilité nous libère de tout sentiment de culpabilité, non seulement face à nous-mêmes mais aussi face aux autres, sera développé plus spécifiquement au cours du prochain chapitre.

L'indifférence

Le concept de responsabilité-attraction-création ne peut être en aucune façon une justification pour l'indifférence ou l'égoïsme. **Le concept de responsabilité permet de mettre en pratique notre compassion, notre amour, notre respect des autres, ainsi que notre capacité d'aider et de soutenir les autres au cours des épreuves de leur vie.**

Ceci n'est pas toujours bien compris, et le concept de responsabilité mal assimilé peut conduire à des résultats tout à fait opposés aux lois naturelles d'entraide et de fraternité.

En effet, ceux qui commencent à pratiquer ce concept peuvent quelquefois, malgré leur sincérité, tomber dans un autre piège issu d'une compréhension insuffisante. Ceux-ci, en effet, non seulement nous font sentir qu'il doit y avoir quelque chose de pas correct en nous pour avoir attiré certaines circonstances difficiles dans notre vie, mais en plus ils nous laissent tomber aussitôt avec nos difficultés puisqu'après tout, c'est nous qui les avons attirées, qui les avons « choisies ». C'est aussi une interprétation erronée du concept de responsabilité qui consiste à dire : « Puisque chacun attire ses propres bonheurs et malheurs, c'est à chacun de se débrouiller avec ceux-ci ». Dans ce cas, le concept de responsabilité conduirait à une justification facile de l'égoïsme et du « chacun pour soi », ce qui en fait est tout le contraire si l'on veut bien comprendre ce concept dans sa totalité.

Nous allons éclairer ce point à l'aide d'un exemple simple. Imaginons que je vive très à l'aise dans un appartement confortable. Mon réfrigérateur est rempli de nourriture. Mon voisin, à la suite de difficultés de santé et de problèmes familiaux, n'a plus un sou et n'a rien à manger. Il vient frapper à ma porte pour me demander de l'aide, et pour aujourd'hui, de la nourriture. Est-ce à dire qu'en vertu du principe de responsabilité je vais lui répondre : « Mon cher ami, savez-vous que c'est vous qui avez attiré cette expérience dans votre vie pour grandir ? Alors débrouillez-vous avec ce que vous avez créé ! » et sur ces mots, lui refermer la porte au nez ? Le principe de responsabilité m'amène-t-il à faire cela ? Certainement pas, bien au contraire, à moins qu'il ne soit mal compris ou mal interprété.

Examinons ce que nous dit ce principe. Si nous regardons la situation du point de vue du principe de responsabilité-attraction-création, il est vrai que notre voisin s'est attiré cette situation. Il est vrai, si nous acceptons ce principe de fonctionnement de l'univers, que des raisons conscientes, inconscientes et/ou supraconscientes ont fait que cet homme se trouve dans cette situation difficile, nous ne reviendrons pas là-dessus. Mais il ne faut pas s'arrêter là. Car, en plus de cette situation, que s'est généré mon voisin ? Un voisin qui possède un réfrigérateur garni, un voisin qui a donc la possibilité de l'aider. De mon côté, que me suis-je attiré ? Un voisin qui me demande de l'aide.

J'ai donc, en ce qui me concerne, attiré dans mon univers aujourd'hui l'occasion de venir en aide à quelqu'un. Si je choisis d'aider cette personne, dans cette action je respecte une loi universelle qu'on pourrait appeler dans ce cas la loi de fraternité. J'exprime la volonté de mon Soi.*

L'exemple donné ici, volontairement simplifié pour expliquer le mécanisme, peut malgré tout être généralisé facilement. Des milliers de personnes souffrent de par le monde actuellement. Selon le principe de responsabilité, il est vrai que ces personnes se sont attirées ces circonstances difficiles pour des raisons qui leur sont propres. Il est tout aussi vrai que la volonté de nos Soi est de les aider. Il existe une grande loi d'amour inconditionnel et de fraternité que nous devons tous apprendre à manifester continuellement si nous voulons vivre en accord avec la volonté de notre âme. Lorsque, ***individuellement ou collectivement***, nous nous trouvons en présence de personnes qui ont besoin d'être protégées ou sont dans le besoin, quelles qu'elles soient, en apportant notre aide, nous avons

---

* Il est certain que la loi de la fraternité, qui représente un aspect de la volonté de notre Soi, n'exige pas que nous aidions instantanément tous les malheureux de cette planète jusqu'à y laisser notre peau. La loi de la fraternité nous demande, en premier lieu, de prendre soin de nous dans nos besoins essentiels (et non nos besoins illusoires), afin qu'ensuite nous puissions aider les autres dans la mesure de nos ressources disponibles.

l'occasion de manifester directement les qualités d'amour, de générosité et de courage issues de notre Soi. Cela n'est nullement en contradiction avec le principe de responsabilité, bien au contraire, car nous sommes tous interreliés, et ce n'est pas « par hasard » que nous sommes mis en présence de ces personnes. Elles sont là, dans notre univers, pour nous permettre d'apprendre à manifester la volonté de notre Soi.

L'intention de notre Soi est d'**aimer et** de **servir**, et c'est le grand apprentissage que nous avons tous à réaliser à travers nos propres épreuves et en aidant nos frères à passer à travers les leurs.

Le concept de responsabilité n'entraîne donc en aucune façon, lorsqu'il est bien compris, l'indifférence ou l'égoïsme. Il facilite au contraire l'émergence naturelle des sentiments de générosité, de fraternité et de réelle compassion. Il nous incite à faire notre possible pour alléger les souffrances de ceux qui momentanément passent par des épreuves plus difficiles que les nôtres. Car, dans cet état d'esprit, nous nous reconnaissons tous, qui que nous soyons, comme étant consciemment ou inconsciemment dans la même recherche, sur le même chemin, vers la maîtrise de notre personnalité, la paix, le bonheur et la liberté. Nous savons que nous créons tous notre propre route, faite de peines et de joies et, ayant réalisé cela, nous expérimentons plus profondément notre propre humanité et celle de tous ceux qui nous entourent. Nous développons notre compassion, notre compréhension, et nous cessons de juger, critiquer, blâmer, manipuler et détruire. Nous sommes prêts à prendre responsabilité de notre propre évolution et à soutenir les autres dans la leur, reconnaissant que le chemin peut être parfois bien difficile.

Il est important de saisir la différence entre cette attitude et celle du « sauveur », atteint de victimite inavouée (mentionnée au chapitre III). Celui-ci (ou celle-ci) veut « aider » et défendre les pauvres et les opprimés, mais à partir d'un contexte d'irresponsabilité, d'impuissance et de victimite, donc de haine et d'agressivité. Même si, extérieurement, cela ressemble à de l'aide, les résultats seront bien différents.

La différence entre « aider » et « soutenir »

Lorsque je mentionne un exemple de ce type dans mes cours, il émerge presqu'invariablement la question suivante : « Cela veut-il dire qu'il faut aider n'importe qui tout le temps, et que faire avec les personnes qui demandent de l'aide sans arrêt, s'accrochant constamment aux autres ? »

Il est bon de définir ce que l'on entend exactement par soutenir, ou, un mot que nous préférons, « supporter », dans le sens de donner du support. Soutenir évoque presqu'aussitôt le fait que la personne que l'on soutient est faible. Pour éviter cela, nous préférons utiliser le terme « supporter », qui n'a pas cette connotation à priori, et qui évoque plutôt l'aide apportée à quelqu'un en train de réaliser une tâche ou une certaine performance, et qui possède déjà en lui tout le potentiel pour réussir.

La différence entre « aider » et « supporter » peut être facilement illustrée par une image bien connue. Si je me trouve au bord d'une rivière et qu'il y a là un homme mourant de faim, j'ai le choix entre deux possibilités : soit je lui donne un poisson, il est heureux à court terme, mais aura encore besoin de moi demain, il devient dépendant et reste en mon pouvoir ; soit je lui apprends à pêcher, c'est un peu plus demandant pour lui sur le moment, mais il devient libre et autonome, je lui redonne son propre pouvoir et sa liberté.

Il est vrai que momentanément on peut aider la personne et lui donner un poisson à manger afin qu'elle ait au moins la force de pouvoir apprendre à pêcher. Mais ce n'est que momentané, le but à moyen et long terme sera de lui redonner son autonomie.

Dans nos vies quotidiennes, dans quelle mesure « aidons »-nous les autres afin de les garder dépendants et d'exercer notre pouvoir, dans quelle mesure sommes-nous capables de les « supporter », dans le sens de donner du support, afin de leur redonner du pouvoir et de leur permettre d'être autonomes ?

Il est possible aussi que la personne qui demande de l'aide, bien qu'ayant tout ce qu'il faut pour cela, ne veuille pas devenir autonome, et nous accuse même de la garder dépendante. Il est possible qu'elle ne veuille pas apprendre à pêcher, malgré toute notre bonne volonté pour le lui apprendre. La seule chose à faire alors c'est de limiter l'aide sagement et de lui laisser expérimenter un peu plus son état, afin qu'elle choisisse par elle-même de se prendre en main.

L'inaction

Le concept de responsabilité n'est en aucun cas une justification pour l'inaction, au contraire. **Le concept de responsabilité pousse à l'action.**

Une autre interprétation erronée du principe de responsabilité est de croire que puisque chacun attire les événements en fonction de son propre état de conscience, on ne peut rien faire pour changer les choses, il n'y a qu'à attendre que les choses arrivent. En fait, c'est tout le contraire.

Dans l'état d'esprit de victime on n'agit pas, peu, ou très inefficacement. Dans cet état d'esprit, on passe l'essentiel de son énergie à se plaindre, à critiquer et à attendre ou même à exiger que les autres changent. Ou bien, éventuellement, on essaie de les changer de force et, si on agit alors, c'est comme exutoire à la colère, à la frustration ou à l'agressivité refoulées. Certaines personnes ne savent pas agir autrement que poussées par ce type d'aiguillon. C'est dommage, car le résultat de nos actions est fonction de l'intention et de l'état de conscience qu'il y a derrière.

Le principe de responsabilité, au contraire, est un principe qui nous pousse à une action saine et équilibrée. Dans ce nouvel état d'esprit on agit, car on sait que si on veut que quelque chose arrive dans notre vie, c'est nous qui devons y travailler. Le monde ne nous doit rien, c'est à nous de créer et, si tant est que le monde nous « doive » quelque chose en tant que « récompense karmique », cette récompense viendra inéluctablement en son temps (temps choisi par la conscience supérieure). On récolte toujours, tôt ou tard, ce que l'on sème au niveau de l'intention. Il n'y a donc pas à s'inquiéter.

Si notre monde ne fonctionne pas à notre goût, à partir du principe de responsabilité nous considérons ce que nous pouvons faire pour le créer autrement. C'est nous qui créons notre monde en fonction de notre vision des choses, à partir de nos pensées personnelles et collectives, de notre karma personnel et collectif, en fonction de notre niveau d'évolution personnel et collectif. Si nous voulons améliorer quelque chose, c'est à nous, d'une part, d'élargir le plus possible notre perception des choses et, d'autre part, de bouger, d'agir dans le sens qui nous semble le plus vrai et le plus authentique. Cela nous amènera à nous affirmer, à exprimer clairement notre vérité, tout en respectant et en écoutant celle des autres. Et cela, non pas à partir d'une attitude jugeante et agressive, mais à partir d'une attitude forte et sereine menant à une action juste, intelligente, ferme et courageuse, qui s'avérera généralement beaucoup plus efficace. C'est le début de la sagesse.

Le concept de responsabilité nous rappelle que c'est nous qui créons notre univers, personnellement et collectivement, en fonction de l'état de notre conscience. **Si nous voulons changer le monde** dans sa manifestation physique comme dans sa manifestation psychologique, **c'est à nous de faire ce qui nous semble approprié pour changer notre niveau de conscience au niveau personnel comme au niveau collectif.** C'est nous seuls qui pouvons le faire. Sous cet aspect, le principe de responsabilité agit comme un aiguillon qui nous pousse à l'action, mais une action sage qui sera plus sourcée par le Soi et toutes ses qualités que par les vieilles peurs de la personnalité. Cet aiguillon, nous devons le reconnaître, n'est accessible à l'être humain qu'à partir d'un certain degré d'évolution. Mais il semble qu'une bonne partie de l'humanité soit prête pour ce changement maintenant, prête pour fonctionner à partir d'une attitude de responsabilité et de sagesse. Cet aiguillon est infiniment plus sain et plus efficace que celui de la colère et de la haine.

Afin de compléter ces clarifications, nous présenterons lors du chapitre XII, un ensemble de questions qui souvent nous ont été posées concernant le principe de responsabilité, avec les réponses que l'on peut y apporter.

Avant cela, lors des chapitres X et XI qui suivent, nous allons examiner ce que peut rapporter pratiquement ce contexte de pensées dans notre vie de tous les jours, à la lumière d'expériences vécues par des personnes qui ont choisi de fonctionner consciemment à partir de ce contexte. Nous y observerons que ce contexte facilite la détente, la paix intérieure, ainsi qu'une qualité de vie améliorée à tous les niveaux : santé, relations, travail, énergie, créativité, abondance, etc. Tout ceci ne représente pas des hypothèses ou des espoirs, mais correspond à l'expérience vécue de milliers de personnes ayant les deux pieds bien sur terre et directement engagées dans l'action de ce monde. Ces personnes ont simplement choisi de percevoir la vie à partir du contexte de responsabilité-attraction-création, et ont choisi d'utiliser ce paradigme pour expérimenter leur vie plutôt que celui du hasard et de l'impuissance.

C'est en observant les conséquences concrètes de l'utilisation de ce paradigme que nous pourrons évaluer si celui-ci est valable pour nous.

CHAPITRE X

CONSÉQUENCES DU PARADIGME

(1)
La libération de la négativité

Tout comme nous avons examiné les avantages et le coût de la position de victime, nous allons examiner les avantages et le coût du paradigme de responsabilité-attraction-création. Celui-ci est évidemment considéré comme faisant partie d'un travail général sur soi et non pas comme approche isolée.

Le « coût » de cette position se comprend aisément. On perd simplement les « avantages » de la position de victime décrits à la fin du quatrième chapitre, à savoir : on ne peut plus se plaindre à longueur de journée, ni attirer la sympathie des bonnes gens avec nos malheurs. On n'a plus de justification facile pour notre frustration, notre colère, ni pour nos échecs. On ne peut plus blâmer les autres ni les manipuler en les culpabilisant. On n'a plus d'exutoire pour les émotions négatives programmées depuis l'enfance et on doit trouver un autre moyen, si possible plus efficace, pour faire face à notre négativité, et éventuellement s'en débarrasser.

Quant aux avantages, ils sont nombreux et nous les diviserons en deux catégories. D'une part, le contexte de responsabilité facilite le dégagement de la négativité, d'autre part, il permet un épanouissement des plus belles qualités de l'être. Au cours de ce chapitre nous examinerons l'aspect libération par ce nouveau paradigme. Au cours du chapitre suivant, nous décrirons l'aspect épanouissement.

Nous observerons donc maintenant ce que produit le contexte de responsabilité-attraction-création au niveau d'une libération intérieure, lorsque l'on choisit de fonctionner à partir de celui-ci dans la vie quotidienne. Ces observations ont été faites à partir de l'expérience de milliers de personnes qui ont choisi de percevoir leur vie à partir de ce contexte. Ce ne sont donc pas des possibilités ou des espoirs, ce sont des expériences vécues.

Une des premières conséquences de l'application du principe de responsabilité est la libération des émotions négatives.

Le contexte de responsabilité facilite la transformation et la libération de tout l'arsenal des émotions négatives telles que peur, colère, ressentiment, rancune, sens d'injustice, jalousie, blâme, jugement, culpabilité, etc. C'est une des conséquences les plus importantes du contexte de responsabilité.

Ce contexte permet de maîtriser le moi inférieur de façon souple et non coercitive. Il permet de remplacer la substance mentale-émotionnelle de basse qualité faite de négativité, d'orgueil, de séparativité et de victimite par une substance mentale-émotionnelle de qualité supérieure, à savoir sagesse, équilibre, sérénité, intelligence, amour, etc.

Nous observerons quelques exemples d'émotions négatives les plus courantes dont le dégagement peut être facilité par le contexte de responsabilité. Nous disons bien «facilite». Car, ainsi que nous l'avons mentionné précédemment, en ce qui concerne les émotions négatives ayant leurs racines profondément ancrées dans l'inconscient à cause d'expériences d'enfance ou même de vies passées, il est souvent nécessaire d'allier à la pratique de ce contexte un travail de dégagement émotionnel par une technique appropriée, pour libérer l'énergie qui est restée bloquée au cours de ces expériences. Le contexte de responsabilité peut être un instrument de dégagement suffisant en lui-même, ou bien il facilite grandement le travail de dégagement émotionnel quand celui-ci est nécessaire. De plus, une fois le dégagement effectué, le contexte de responsabilité permet d'en maintenir plus facilement les résultats.

Libération de la peur, de l'anxiété, de l'angoisse et du stress

Michèle est une jeune femme active qui réussit brillamment dans son travail. Elle est mariée et mère de deux beaux enfants. Dans sa vie, il y avait pourtant une ombre au tableau : chaque fois qu'il était question de partir en voyage, Michèle était prise de panique. Ne pouvant refuser de voyager avec sa famille ou pour son travail, chaque départ était pour elle un vrai martyre : anxiété, stress, nourris par toutes les pensées négatives au sujet de tout ce qui pourrait arriver en voyage. Lorsque finalement elle arrivait à partir par nécessité, son état intérieur provoquait toutes sortes de difficultés : oublis, mauvaise humeur, maladies, qui compromettaient souvent les plus beaux voyages.

Lorsque Michèle prit contact avec le concept de responsabilité pour la première fois, elle resta tout d'abord sceptique. Puis, petit à petit, elle se mit à y réfléchir, et finalement choisit de changer sa façon de penser. Quelques jours avant chaque voyage, elle prenait le temps de méditer, de se centrer et de se rappeler à elle-même que son Soi et le Soi de chaque membre de sa famille étaient là, tout-puissants, supervisant le voyage et attirant à eux ce qui serait approprié. À ceci elle joignit un court travail de dégagement énergétique. Elle se mit à relaxer de plus en plus et à voyager de plus en plus souvent. La peur et le stress diminuaient à chaque fois. À chaque voyage une nouvelle programmation s'installait en elle, sans même qu'elle s'en rende compte : voyager peut être agréable et facile. Au fur et à mesure qu'elle multiplia les départs heureux, la vieille programmation, fort probablement construite dans le passé à partir d'une expérience traumatique, s'effaça de sa mémoire inconsciente. Elle construisit ainsi une solide confiance en l'univers qui lui servit non seulement pour voyager agréablement, mais aussi pour améliorer la qualité de sa vie dans tous les domaines.

À partir du moment où on est en contact avec le fait que ce qui se présente dans notre vie est exactement ce dont on a besoin pour se construire intérieurement et se rapprocher de la réalité de notre être profond, que c'est le résultat de notre propre état vibratoire, **on sait,** quelque part au fond de notre conscience, **que rien de fondamentalement destructeur ne peut survenir dans notre vie**. Il est certain qu'il pourra se présenter encore des circonstances désagréables ou même douloureuses, des personnes peu intéressantes ou même dangereuses. Il est certain que la vie ne sera pas toujours facile, loin de là, surtout si on a décidé d'accélérer notre propre processus d'évolution. Mais on sait, profondément à l'intérieur de nous, que tout ce qui se présente pour nous est approprié et que rien ne peut ultimement nous détruire, puisque le but de tout cela est justement de nous construire dans toute notre splendeur et notre divinité.

Il est certain qu'au cours de notre évolution, de nombreuses parties sclérosées de notre personnalité devront être détruites, en particulier tous nos systèmes de défense sous lesquels notre propre Soi étouffe. Or, dans notre conscience inférieure, nous tenons à ces systèmes car, à un certain moment de notre vie, ils nous ont protégés et, selon la structure même du mental inférieur, tout ce qui a assuré notre survie dans le passé doit être maintenu. Ayant survécu, mal vécu certes, mais survécu, grâce à ces structures puisque nous sommes encore en vie (plus ou moins il est vrai), le mental inférieur nous pousse à nous agripper aux vieilles structures, aux vieilles habitudes de pensées, à la routine psychologique, à ce qui est connu sous une forme ou sous une autre. Lorsque l'on décide d'élargir nos contextes de pensées, on met en action un autre type d'énergie, celle du mental supérieur et même celle du Soi directement. Lorsqu'une partie de notre ego doit être modifiée afin de donner un peu d'espace à notre Soi, on peut avoir momentanément l'impression d'être « détruit(e) », mais dans la mesure seulement où l'on s'identifie en conscience à son ego. Mais c'est pour retrouver peu après un sens plus large et plus profond de nous-mêmes. Selon une image classique, *il faut savoir accepter de lâcher les cailloux que nous tenons dans nos mains, même s'ils nous sont très familiers, pour pouvoir recueillir les diamants que nous offre la vie.* C'est tout le processus de libération de la prison de l'ego qui est en action. Nos maîtres de la Sagesse nous ont avertis, et de façon très rigoureuse parfois. L'un d'entre eux nous le rappelle en ces mots :

> « *C'est seulement dans la mesure où l'homme s'expose lui-même encore et encore à l'anéantissement, que ce qui est indestructible émerge du fond de lui-même. En ceci réside la dignité d'oser... C'est seulement en nous aventurant encore et encore à travers des zones d'annihilation que notre contact avec l'Être divin, qui est au delà de toute destruction, peut devenir ferme et stable. Plus un homme apprend de tout cœur à confronter le monde... et plus les profondeurs de son État d'Être sont révélées et les possibilités d'une vie et d'un devenir nouveau sont ouvertes.* » Durkheim

Notre personnalité a terriblement peur, car elle sait qu'elle est destructible. Et dans la mesure où nous identifions notre conscience à notre personnalité, nous ne pouvons faire autrement que vivre dans la peur et l'anxiété, consciemment ou inconsciemment.

Lorsque nous sommes en état d'anxiété ou de stress, si nous écoutons ce que nous dit la petite voix de notre mental inférieur toujours présente dans notre tête, nous entendrons toute la liste de nos peurs. Si nous utilisons alors une bonne technique de travail sur soi, il est relativement facile de découvrir à quel point nous avons un sentiment permanent d'insécurité (construit généralement dès la naissance), même si extérieurement nous donnons l'impression de tout contrôler et que tout va bien. En fait, le désir ou le besoin de tout contrôler est issu directement de la peur, ...et c'est très fatiguant.

La peur de destruction et d'annihilation, la peur d'un sort injuste et aberrant qui peut nous frapper n'importe quand au hasard, sans raison, et qui peut même nous être fatal, cette peur, avec le stress inconscient qui en est sa conséquence directe, disparaissent de notre vie, au moins en grande partie, au fur et à mesure que l'on intègre le nouveau paradigme. Ou pour le moins, nous cessons de les alimenter de nos pensées conscientes, en cessant de croire à l'absurdité de la vie.

En choisissant de percevoir la vie à travers le paradigme de la responsabilité, nous entrons en contact de plus en plus clairement avec la certitude que c'est notre Soi, donc finalement nous-mêmes, qui sommes en charge de notre vie. Nous commençons à nous sentir nourris et protégés quelque part, un sentiment de sécurité s'installe en nous. Cela ne se décrit pas en mots mais se vit. Ce sentiment ne vient pas uniquement du changement de notre perception, d'un changement de contexte de pensées que l'on pourrait considérer comme plus ou moins arbitraire. Justement parce que ce contexte de pensées n'est pas arbitraire mais semble correspondre à une réalité plus profonde de l'être, en changeant ainsi notre point de vue, nous ouvrons la porte à une perception plus subtile de la présence de notre Soi, perception dont la source est au-delà de notre mental linéaire rationnel. Si le concept était totalement arbitraire ou illusoire, ses effets ne se feraient sentir qu'au niveau mental, et seraient donc très limités et ultimement inharmonieux. Il semble que plus nous cultivons le principe de responsabilité-attraction-création, plus l'expérience de la présence de notre Soi devient réelle et claire pour nous et plus notre conscience s'identifie naturellement à notre Soi. Or notre Soi est éternel et indestructible. Notre conscience ayant changé de place, notre expérience de la vie est différente. Cela construit ainsi de l'intérieur **un sens de confiance dans la vie et de sécurité qui ne s'explique plus rationnellement.** Ce sentiment se vit et s'expérimente directement et est généré naturellement par le déplacement de la conscience de la personnalité vers le Soi.

Libération du ressentiment et de l'agressivité

Le contexte de responsabilité facilite le dégagement de la rancune, du blâme, du ressentiment, ainsi que de l'agressivité, de la haine et de la colère qui les accompagnent. Toutes ces émotions sont source de violence, et en être libéré est une bénédiction. Ce contexte rend le pardon instantané, si ce n'est superflu.

Anne avait vécu toute son enfance à la campagne et adorait la nature. Pourtant, à cause de son travail, elle avait dû déménager en ville. Vivre dans un appartement était bien difficile pour elle, aussi cherchait-elle une petite maison dans un quartier tranquille qui pourrait lui donner un peu d'espace et de verdure, une maison pas trop chère car ses moyens financiers étaient limités. Elle finit par trouver exactement ce qu'elle cherchait : une maison entourée d'un beau petit jardin avec de grands arbres ; à un prix très raisonnable, son rêve se réalisait. Elle s'y installa avec grand plaisir et tout allait bien.

Peu de temps après avoir aménagé, elle partit quelques jours en vacances. À son retour une bien mauvaise surprise l'attendait. Un de ses plus beaux arbres était réduit de moitié. Ce fut un choc. Comment cela avait-il pu arriver ? Le mieux était d'aller interroger le voisin. Celui-ci la reçut aimablement et en réponse à sa question au sujet de l'arbre, lui dit très naturellement, que c'est lui qui l'avait coupé. Certaines branches arrivaient jusque devant la fenêtre de sa cuisine et sa femme trouvait cela gênant. Pensant qu'Anne aussi devait être dérangée par cet arbre, une fois dans l'action et désireux de rendre service, il avait coupé du côté de chez elle également.

L'expérience était dure pour Anne, mais elle choisit de rester centrée. Si elle avait été atteinte de victimite, elle se serait laissée emporter par la colère, reprochant violemment à son voisin de s'être mêlé de ce qui ne le regardait pas, l'insultant même sur le coup de la colère. Cela n'aurait certainement pas fait repousser les branches ; par contre cela aurait créé une tension fort désagréable lors de relations futures entre elle et son voisin. Ou bien elle aurait pu ne pas oser s'exprimer et garder sa colère rentrée en elle-même et haïr son voisin pour le restant de ses jours. Chaque fois qu'elle l'aurait aperçu, son cœur se serait serré et une petite dose d'adrénaline supplémentaire serait rentrée dans son sang. À la longue, ce n'est pas très bon pour la santé.

Anne connaissait le principe de responsabilité. Sachant au fond d'elle-même que c'était elle qui avait attiré cette expérience sous la forme de ce voisin trop obligeant, elle prit le temps de regarder la situation bien en face. Aussi, elle exprima sa peine et sa déception de façon claire mais non agressive. Elle dit comment elle se sentait, mais sans mettre le voisin en tort, et pria celui-ci à l'avenir de l'avertir avant de prendre de telles initiatives. Elle rentra chez elle, prit quelques grandes respirations et choisit d'accepter totalement cet arbre à moitié coupé comme étant « parfait ». Elle se demandait malgré tout : « Qu'y a-t-il à apprendre pour moi dans cet événement ? » Elle n'y voyait rien d'autre pour l'instant qu'un exercice d'acceptation et de lâcher-prise ; ce qu'elle réussit assez bien car la vie lui apporta quelques mois plus tard la possibilité de déménager dans une maison beaucoup plus belle, plus grande, et avec de beaux grands arbres...

La responsabilité facilite le lâcher-prise et cela crée des miracles. Dans cette situation particulière, la façon dont Anne a réagi, reconnaître qu'elle était créatrice, refuser de tomber dans le blâme ou le jugement, s'exprimer de façon adulte et lâcher prise, lui a permis de rester calme et sereine, de ne pas se détruire avec les émotions négatives et d'agir efficacement.

Il est évident qu'une telle attitude demande une certaine maturité psychologique, un certain degré d'évolution. Mais si nous voulons arrêter de souffrir, nous n'avons pas le choix, il nous faut grandir.

Observons les choses d'une façon plus générale maintenant. Lorsque nous considérons qu'une ou des personnes ont mal agi envers nous (nous pensons qu'elles nous ont trahis, manipulés, blessés, exploités, etc.), n'oublions pas, pour commencer, que ce peut être réel ou complètement construit dans notre tête à partir de notre propre perception étroite et traumatique des événements et des autres. Mais le remède est le même, car ainsi que nous l'avons vu précédemment, ***c'est la façon dont nous percevons les situations et non pas la façon dont elles sont réellement qui détermine notre réaction émotionnelle.*** Dans ce cas, que l'insulte soit « réelle » parce que l'autre a réellement transgressé une loi universelle, ou qu'elle soit imaginée dans notre tête à cause de notre propre perception déformée des choses, si nous éprouvons de la haine, de la colère, du ressentiment ou un désir de vengeance par rapport à ces personnes (car nous ne sommes pas encore des « saints » pour être capables de tout accepter instantanément), ***comment le contexte de responsabilité peut-il faciliter la libération des émotions négatives que nous nourrissons envers ces personnes ?*** La question est fondamentale pour nous, car ces émotions nous détruisent.

Le processus, au niveau conscient, se fera en deux étapes qu'il est indispensable de pratiquer ensemble. L'une sans l'autre n'a pas de sens.

1) ***Reconnaître que c'est nous qui avons attiré cette expérience telle qu'elle se présente.***

Si nous acceptons le concept de responsabilité, nous réalisons que si quelqu'un nous a « fait du mal » (réel ou imaginaire, cela fonctionne dans les deux cas), nous choisissons de penser que c'est nous, ou une partie de nous, qui avons attiré cette personne dans notre univers, afin de vivre cette expérience. Sinon, énergétiquement parlant, elle n'aurait pas pu se produire. Que ce soit à partir d'un système de pensées plus ou moins erroné, conscient ou inconscient, ou à partir de la volonté de notre Soi en vue d'un apprentissage évolutif direct, c'est une partie de nous qui a attiré cette expérience. Rappelons que si nous refusons de l'admettre, nous attirerons encore et encore le même type de situation. Autant donc le reconnaître tout de suite afin de faire l'apprentissage requis et que cela ne se reproduise plus. Nous choisissons de cesser de nous considérer comme victimes de gens méchants, et nous reconnaissons que nous sommes créateurs (trices) de tout ce qui se présente dans notre univers.

Nous réalisons donc que personne ne nous a jamais rien fait sans que nous n'ayions donné nous-mêmes une permission, au niveau conscient, inconscient ou supraconscient, pour que cela se présente.

Nous pouvons dire pour cette première étape :

Il n'y a pas de victimes dans cet univers,
il n'y a que des êtres créateurs.

Lorsque notre victime intérieure lit cela (et nous en avons tous une, plus ou moins bien entretenue), elle se révolte. En effet, on vient de lui enlever le rôle qu'elle jouait jusqu'à présent, souvent le premier d'ailleurs. On vient de lui enlever sa raison d'être. Qu'est-ce qu'elle peut faire maintenant puisqu'elle ne peut plus souffrir de l'injustice du monde, se plaindre et blâmer les autres et les circonstances ? Disparaître ? Nous allons lui proposer une alternative plus constructive pour utiliser son énergie. En attendant elle s'énerve, mais continuons.

2) ***Comprendre, lâcher prise et pardonner.***

Rappelons encore une fois que la plupart du temps c'est nous qui ***jugeons*** les actions des autres comme mauvaises à partir de notre propre perception déformée par nos filtres mentaux, alors qu'en réalité leurs actions sont correctes telles qu'elles sont. Soyons bien prudents avant de juger, car ce qui nous dérange le plus chez les autres est souvent ce que l'on a en soi et que l'on ne veut pas voir... Mais, en supposant que l'autre a réellement « mal agi », alors rappelons-nous que cette personne a agi au meilleur de ses ressources, avec toutes ses peurs, ses traumatismes passés, son niveau d'évolution, ses programmations d'enfance, etc. Nous choisissons de considérer cette personne comme un être en évolution qui cherche son chemin vers la lumière, tout comme nous. Nous lui donnons le droit de faire des erreurs, comme nous devons nous en donner le droit.

De plus, si la personne a « mal » agi, dans le sens d'une réelle transgression d'une loi universelle, alors nous savons qu'en temps et lieu l'univers, dans tout son amour, lui donnera l'occasion d'apprendre à respecter cette loi (pas une punition, mais une occasion d'apprentissage qui peut être légère ou sévère selon ce qui est approprié). Elle rectifiera alors son comportement, apprendra à agir en fonction de la volonté de son Soi, comme tout être humain le fait tôt ou tard sur son chemin d'évolution. Notre haine, notre rancune et notre désir de vengeance sont complètement inutiles et ne sont que des poisons qui nous détruisent intérieurement. C'est à nous que nous faisons du mal.

Mais doit-on, sous prétexte que l'univers se charge de l'éducation de tous, éviter d'utiliser la justice humaine ? On peut l'utiliser, et il est bon effectivement de le faire. Cela est pourtant délicat, car ce faisant, il est facile de tomber dans la position de victime qui veut prouver qu'elle a raison. Pour pouvoir rester en paix avec nous-mêmes, et ne pas s'attirer des retours karmiques, avoir recours à la justice humaine peut être tout à fait juste et approprié, mais doit se faire à partir d'un certain état d'esprit. (Ceci est développé au cours de la réponse à la troisième question du chapitre XII.)

Si cette « blessure » reçue n'est qu'une interprétation personnelle et illusoire de ce qu'une personne a dit ou fait, et ne correspond pas du tout à la réalité et à l'intention réelle de l'autre personne, c'est-à-dire si la « faute » de l'autre a été complètement fabriquée dans notre tête par nos propres jugements et notre perception déformée des choses, alors il est d'autant plus inutile de se ronger le cœur avec des émotions négatives. Dans ce cas, en plus de reconnaître à l'autre le droit de faire ses propres erreurs et son propre apprentissage, afin de pouvoir pardonner plus facilement, il serait bon de se rendre compte de notre illusion. Sinon nous persisterons à percevoir le monde de cette façon et continuerons à recevoir des injures tout à fait illusoires, mais dont nous ne souffrirons pas moins. Cette souffrance continuera à générer des émotions négatives qui nous détruisent psychologiquement et physiquement.

Sachant que c'est nous qui avons attiré ces événements dans notre vie, et acceptant l'autre dans ses propres limites, il nous est beaucoup plus facile de comprendre et de pardonner. Nous avons dit plus haut qu'il n'y a pas de victime, nous pouvons dire maintenant qu'il n'y a pas de bourreau non plus.

Il n'y a pas de bourreaux dans cet univers.
Il n'y a que des êtres momentanément séparés de leur Soi, ignorants des lois universelles.

Notre victime intérieure s'énerve encore; on vient de lui enlever toutes ses bonnes raisons de vouloir se venger. Mais patience, nous pouvons transformer cette partie de nous et en faire notre amie. Car au fond, elle n'est pas méchante, au contraire. Ce qu'elle veut, c'est notre bonheur mais elle s'y prend mal. En ouvrant notre esprit, nous allons lui donner une chance de jouer avec nous au grand jeu de la vie, d'une façon plus joyeuse et plus légère.

Beaucoup de personnes sont arrivées ainsi à pardonner à leurs parents. Réalisant qu'elles avaient choisi leurs parents tels qu'ils étaient, même si elles n'ont pas encore compris rationnellement pourquoi, et réalisant aussi que leurs parents étaient des êtres humains limités avec leur propre niveau d'évolution, avec leur dose de souffrance et de conditionnement, il n'y avait plus rien pour alimenter la rancune ou le ressentiment. Elles ont pu même ressentir de la compassion envers eux. Tel est le pouvoir de la pensée sur les émotions. Ce changement de conscience, allié éventuellement à un travail de dégagement énergétique du passé, fait des miracles.

En fait, comme le dit Jonathan Parker, directeur du Gateways Institute, « ***Il n'y a vraiment rien à pardonner, car en pardonnant je me pose encore en juge*** ».

Et sachant que c'est moi qui suis l'auteur de tout le scénario, comment pourrais-je en vouloir aux acteurs d'avoir bien voulu jouer dans ma pièce de théâtre?

Il n'y a rien à pardonner. Il n'y a que des émotions négatives à libérer et une façon plus large de percevoir la vie à acquérir.

Pour illustrer ceci, écoutons le témoignage de Jeanne.

Jeanne est une femme dynamique et équilibrée, intéressée à la vie, au monde extérieur et à son monde intérieur. Pour accélérer sa propre croissance elle choisit, parmi d'autres pratiques, de faire un travail de croissance transpersonnelle en session individuelle. On lui avait recommandé une personne ressource de qualité et elle commença donc son travail avec cette personne. Tout alla bien jusqu'au jour où, lors d'une session, il lui sembla que son thérapeute avait fait une erreur professionnelle dans l'utilisation d'une technique qu'elle connaissait elle-même très bien. Elle sortit en effet de cette session très perturbée et fort mal à l'aise. Elle avait deux façons de faire face à cette situation. Soit prendre responsabilité de cette expérience qu'elle venait d'attirer dans sa vie, soit se sentir victime d'un thérapeute incompétent. Elle choisit de prendre responsabilité, c'est-à-dire de percevoir cette circonstance comme un événement qu'elle avait attiré dans sa vie pour apprendre. Elle fit donc trois choses : d'abord elle communiqua très clairement avec son thérapeute sur sa perception de l'expérience et sa perception de la façon dont il avait agi, avec les conséquences que cela avait entraînées pour elle. De cette façon, le thérapeute put exprimer son propre point de vue (car il avait peut-être de bonnes raisons d'agir ainsi, que Jeanne ne connaissait pas), et éventuellement, si faute ou maladresse il y avait vraiment, apprendre et rectifier sa pratique. Ensuite elle réfléchit et se demanda pourquoi elle s'était attirée une expérience de ce genre. La réponse ne lui vint pas immédiatement mais plusieurs semaines après où elle se rendit compte qu'elle avait recréé un mécanisme psychologique dans un certain type de relation avec les hommes dont, en fait, elle voulait se défaire. Cela lui permit de commencer à se dégager plus consciemment de ce mécanisme. Enfin, se sentant à la source de cette expérience, elle ne nourrit aucun blâme, ressentiment ou rancune contre ce thérapeute. Sa relation avec lui resta claire et saine, et elle put faire son choix librement de continuer son travail avec lui ou non. Aucune émotion négative inutile ne fut générée lors de cette expérience, mais cela devint au contraire une excellente occasion d'apprentissage pour les deux personnes impliquées.

Si Jeanne avait été atteinte de victimite, qu'aurait-elle fait ? Tout d'abord, elle n'aurait pas communiqué avec son thérapeute. L'occasion aurait été trop belle pour se sentir une victime vulnérable d'un monde pas correct et de pouvoir ainsi jouer son numéro préféré. Ou bien, si elle avait communiqué, elle l'aurait fait comme simple exutoire à son agressivité, en blâmant et jugeant, sans aucune ouverture pour écouter le point de vue de l'autre, bien certaine dès le départ que c'est elle qui avait raison et l'autre tort.

Ensuite elle serait probablement allée voir d'autres personnes, un autre thérapeute par exemple ou des amis, pour se plaindre et se faire plaindre. Si ceux-ci étaient également atteints par la victimite, ils auraient abondé dans son sens sans chercher plus d'information, tout heureux, inconsciemment, d'avoir encore quelqu'un de plus à blâmer et une preuve supplémentaire que le monde est injuste et pas correct.

Et pour finir elle aurait gardé rancune et éprouvé du ressentiment envers son premier thérapeute en le jugeant et le condamnant irrévocablement.

De cette façon, ni elle ni son thérapeute n'auraient pu apprendre quoi que ce soit. Et elle n'aurait fait qu'augmenter son bagage d'émotions négatives qu'elle traîne probablement depuis l'enfance.

C'est ainsi que la victimite rend tout le monde perdant.

Libération de la culpabilité

La culpabilité est un sentiment très négatif qui empoisonne la plupart de nos cœurs et de nos vies. Le point de vue de responsabilité-attraction-création est un outil très efficace pour se débarrasser à tout jamais de ce sentiment inutile et si destructeur. Des gens passent des années en thérapie pour se libérer de ce sentiment sans pouvoir jamais y arriver vraiment. Dès que le concept de responsabilité est intégré, le processus thérapeutique de dégagement est grandement facilité; et une fois le travail fait à l'aide d'une technique appropriée, le dégagement reste permanent.

La culpabilité a certainement été de quelque utilité dans l'évolution humaine. C'est en fait une façon peu évoluée de faire face au fait que l'on pressent qu'il existe des lois universelles à respecter pour être en paix avec soi-même. On pressent vaguement qu'il y a deux volontés qui s'affrontent en nous : la volonté de la personnalité et la volonté du Soi. Mais on ne nous a jamais appris à faire face à cette dynamique plus intelligemment qu'en ressentant de la culpabilité ou en se rigidifiant émotionnellement pour ne plus rien sentir. Pour des êtres peu avancés en conscience, cela pouvait éventuellement servir à limiter les dégâts. Le temps est venu maintenant pour beaucoup de fonctionner d'une façon plus raffinée, plus harmonieuse et plus efficace.

Comment s'installe le sentiment de culpabilité au niveau psychologique? En général il prend racine durant notre enfance (à moins que cela ne provienne de vies antérieures), au cours de laquelle nos parents, pas nécessairement avec une mauvaise intention, nous ont fait croire qu'il y avait le bien et le mal. La dynamique psychologique sous-jacente à toute interaction avec nous était la suivante : si nous agissions « bien » (c'est-à-dire comme eux le désiraient, comme la société ou l'éducation le demandaient), nous étions jugés « corrects » et ***ils nous aimaient.*** Si nous agissions « mal », nous étions jugés comme étant « pas corrects », et ***ils nous retiraient leur amour.*** Or il est bien connu qu'un enfant a un besoin fondamental de l'amour et de l'approbation de ses parents et qu'il fera n'importe quoi pour les obtenir. C'est un mécanisme de base extrêmement puissant chez l'enfant et il est bon de le rappeler pour mieux comprendre le processus de la culpabilité.

À partir de ce type d'interaction avec nos parents, nous en avons conclu que si nous agissions « mal » nous n'étions pas comme il fallait être, nous n'étions pas « corrects » tels que nous étions; ceci était accompagné d'une souffrance qui, au niveau de l'inconscient, était reliée à la perte de l'amour. C'est un mécanisme qui implique donc une forte réaction émotionnelle et qui, lorsqu'il est enregistré au niveau de l'inconscient, est difficile à déloger. C'est un mécanisme qui nous rend très vulnérables et hautement manipulables, parce qu'il prend sa source dans les racines les plus profondes de l'inconscient. C'est à nous de faire ce qu'il faut pour nous débarrasser de ce mécanisme si l'on ne veut plus y être soumis. Il faudra faire un travail de dégagement des blocages émotionnels formés pendant l'enfance, ceci accompagné d'un nouveau contexte, et le contexte de responsabilité est justement celui qui permet le plus efficacement de ne pas retomber dans la culpabilité et de maintenir une attitude juste devant la vie.

Nous allons préciser comment l'utilisation de ce contexte facilite la disparition de la culpabilité. Ce sentiment provient donc du fait que l'on pense que l'on a fait quelque chose de « mal », que l'on a fait du mal à quelqu'un, ou d'une façon générale que l'on a transgressé une loi naturelle de l'univers. Pour faire face à ces actions que l'on considère comme « mauvaises », le seul moyen que notre éducation, religieuse ou non, nous a donné est de ressentir de la culpabilité. En se sentant coupable, on avait alors l'impression de recontacter d'une certaine façon, l'approbation parentale. Le processus étant toujours douloureux, on a pu y faire face également en camouflant cette culpabilité sous un faux cynisme, un faux détachement ou un durcissement du cœur.

La plupart du temps, on se sent coupable à propos d'un jugement tout à fait subjectif que l'on porte sur soi-même, sans avoir fait quelque chose qui soit vraiment en contradiction avec les lois universelles. Mais que ce soit réel ou interprété dans notre tête, le processus est le même pour se dégager de la culpabilité. Supposons qu'effectivement nous ayons transgressé une loi universelle, par exemple que nous ayons trahi un ami (transgression de la loi d'intégrité), et que maintenant nous réalisions notre « mauvaise action » ; y a-t-il une attitude plus saine que celles de se sentir coupable ou de durcir son cœur ? Le processus se décrit en quatre étapes et est semblable à celui que nous avons vu au paragraphe précédent. Ces quatre étapes n'ont de sens que considérées ***ensemble***. Séparément elles ne répondent pas à la question de façon satisfaisante.

1) ***Reconnaître que la personne à qui l'on pense avoir fait du « mal » s'est attirée cette expérience***, que cet ami, dans notre exemple, a attiré cette trahison dans sa vie pour des raisons qui le regardent. Si aucune des parties de son être n'avait accepté d'être trahie, il ne m'aurait pas attiré dans son univers, et pour une raison ou une autre je n'aurais pas pu perpétrer ma trahison. Son système énergétique n'aurait pas pu être connecté en aucune façon avec le mien, et mon action aurait été impossible à réaliser. Il y aurait eu des empêchements ou des conditions extérieures diverses qui en elles-

mêmes n'ont pas de signification, si ce n'est qu'elles auraient servi à empêcher ma trahison de se produire d'une façon ou d'une autre. ***Mon ami est donc totalement responsable et créateur de ce qui lui est arrivé, et non victime de moi-même.*** Rappelons ce que nous avons vu au paragraphe précédent au sujet des autres et qui est tout aussi valable pour nous-mêmes :

Il n'y a pas de victimes dans cet univers,
il n'y a que des êtres créateurs.

Tout comme au paragraphe précédent nous avons pu réaliser que jamais personne ne nous a fait quoi que ce soit sans que nous l'ayions attiré, nous pouvons dire ici que nous n'avons jamais rien fait à une personne sans que celle-ci n'ait donné une permission, inconsciente la plupart du temps, pour que cela se produise, ou nous ait attirés dans son univers pour que cela se produise.

2) ***Reconnaître les limites de notre conscience et se pardonner.*** Reconnaître que cette action que l'on a posée alors, on l'a posée au meilleur de nos ressources du moment. Nous ne pouvions agir autrement avec les ressources que nous avions alors. Nous avons agi avec notre conscience du moment, nos traumatismes inconscients, nos peurs, nos souffrances, nos limites. On reconnaît et on accepte nos limites et en même temps **on se reconnaît comme un être en évolution qui est sur cette planète pour apprendre ;** et on apprend par nos erreurs. Si on ne se permet pas d'erreur, on ne peut jamais apprendre. Si notre personnalité était parfaite, nous n'aurions rien à faire dans ce cycle d'évolution sur cette planète, nous serions probablement ailleurs. Reconnaissant cela, **on se pardonne**. Rappelons ce que nous avons vu au paragraphe précédent relativement aux autres et qui s'applique encore de la même façon à nous-mêmes :

Il n'y a pas de bourreaux dans cet univers, ni de coupables.
Il n'y a que des êtres momentanément séparés de leur Soi, ignorants des lois universelles.

3) ***On répare,*** autant que cela nous est encore possible, avec toutes les ressources que nous avons dans le moment. Nous avons le courage d'agir en fonction de notre nouvelle vérité, de notre nouvelle conscience. La culpabilité paralyse et empêche d'agir. Le principe de responsabilité permet de réparer. S'il est trop tard, si l'action est trop loin dans le passé ou si nous ne pouvons plus rien faire pour réparer, on passe directement à la quatrième étape.

4) ***On ne recommence plus,*** et on fait le choix de vivre et d'agir en accord avec notre nouvelle conscience; dans l'exemple donné, on agira avec intégrité en toute circonstance. On effectue ainsi un réel apprentissage. On est plus en mesure d'agir en fonction de la volonté de notre Soi et moins en fonction de nos peurs, de nos blocages ou de nos faiblesses. On a appris la leçon et acquis un peu plus de maîtrise de notre personnalité au profit de la volonté de notre Soi. Le but est atteint.

Si on s'en tient aux deux premiers points, on peut se dire : c'est facile, on se pardonne tout, puisque ce sont les autres qui se sont attirés ce qu'on leur a fait, et on peut continuer à faire n'importe quoi comme avant en ayant la conscience tranquille. Ce n'est pas ainsi que cela se passe. Car si, à partir de cette expérience, après s'être pardonné, on ne choisit pas de ***modifier notre façon de penser et d'agir***, la loi du retour sera alors mise en action et nous devrons vivre des expériences pas toujours agréables afin que cet apprentissage soit fait. Cette loi du retour n'aura pour but, lors des expériences que nous attirerons à notre tour dans notre existence, que de nous permettre de faire des prises de conscience qui nous amèneront à modifier notre façon de penser et d'agir. On ne peut donc pas s'en tirer à si bon compte. La loi est la loi, et d'une façon ou d'une autre, il faut que nous apprenions à la respecter.

L'avantage du principe de responsabilité, c'est que nous n'avons plus besoin de la loi du retour pour apprendre, loi qui peut être très dure parfois. Nous pouvons ***choisir consciemment et volontairement de modifier maintenant notre façon de penser et d'agir*** dans le monde. Il nous permet de nous améliorer nous-mêmes de façon libre et autonome.

Georges, brillant homme d'affaires, avait beaucoup de difficultés dans ses relations avec les femmes. Il se sentait toujours extrêmement mal à l'aise dès qu'il s'agissait d'autre chose que de relations professionnelles. En fait, Georges nourrissait inconsciemment un sentiment de culpabilité depuis bien longtemps. Cela datait du jour où, durant son adolescence, il fut invité à une soirée chez des copains. L'ambiance était à la fête, mais un peu plus tard, malgré les bonnes intentions de départ, tout le monde avait un peu trop bu. Georges, très amoureux de Carla qui était présente ce soir-là, lui fit des avances de plus en plus pressantes. Carla, réticente au début, se laissa séduire finalement après quelques verres supplémentaires. Le lendemain, Georges se sentit très mal à l'aise de ce qui s'était passé et voulut entrer en contact avec Carla. Celle-ci n'était pas très heureuse de sa soirée non plus, et demanda à Georges de la laisser tranquille. Georges commença à se sentir coupable. Il avait presque abusé de Carla, il sentait qu'il n'avait pas été correct. L'histoire se termina là, mais la culpabilité s'installa chez Georges au niveau conscient et inconscient.

La découverte du principe de responsabilité fut pour lui une véritable libération. En faisant un travail de dégagement émotionnel sur lui-même et en intégrant consciemment les quatre étapes pour se défaire de la culpabilité, il put se pardonner vraiment. La culpabilité qu'il avait nourrie depuis des années ne lui avait servi à rien, sauf à se rendre malheureux. Il retrouva une grande liberté intérieure. Ceci lui permit d'avoir beaucoup plus d'énergie et de joie de vivre dans ses loisirs et ses activités hors du travail. Sans le poids de cette culpabilité inutile, Georges devint un homme charmant. Ses relations avec les femmes en furent complètement changées.

On n'a pas besoin de se sentir coupable pour rectifier son comportement. Il suffit d'être conscient. C'est plus efficace et cela fait moins mal.

À quoi sert la culpabilité? À rien, si ce n'est à nous rendre malheureux et à nous paralyser dans notre action. Nous avons certainement fait des erreurs, agi contre la volonté de notre Soi, et nous avons encore beaucoup à apprendre. Mais **nous ne sommes coupables de rien**. Nous sommes des êtres en évolution, en apprentissage. C'est à nous de défaire cette forme-pensée de culpabilité et de la rejeter hors de notre système énergétique à l'aide des formes-pensées que l'on vient de présenter et qui sont infiniment plus saines.

Libération de la jalousie, du sentiment d'injustice, du regret

Le signe de ton ignorance, c'est la profondeur de ta croyance en l'injustice et en la tragédie.

Richard Bach

Nous savons que les conditions de notre vie et de celle des autres, les agréables comme les difficiles, sont exactement comme elles doivent être dans le moment. Cela ne veut pas dire que l'on ne peut pas les changer, au contraire, car cette acceptation nous permettra d'avoir l'énergie nécessaire pour le faire. Mais nous savons que ce qui est n'est pas le résultat d'un hasard, d'une chance ou d'une malchance ; ce qui est dans le moment, c'est ce que chacun s'est attiré dans sa vie pour pouvoir évoluer. C'est « parfait » même si nous ne sommes pas en mesure de comprendre rationnellement instantanément le pourquoi de telle ou telle situation. La jalousie n'a donc plus aucune raison d'être. Nous aimerions peut-être avoir une aussi jolie femme ou une aussi belle auto que notre voisin qui nous paraît vraiment ne pas mériter toutes ces belles choses aux yeux de notre conscience limitée ; il n'en reste pas moins que, si l'on sait que nous attirons à nous exactement ce qu'il nous faut pour grandir, nous savons que le voisin est dans des conditions tout à fait appropriées pour lui et que notre propre condition est exactement ce qu'elle doit être pour nous permettre, à chacun, d'expérimenter la vie.

Ainsi, ayant accepté de considérer que nous sommes à la source de ce qui nous arrive afin de nourrir de façon optimale notre processus d'évolution, nous savons que rien n'est injuste ou inutile, et cela crée une immense détente en nous. Nous commençons à entrer en contact avec le fait que l'univers est parfait, et nous apprenons à écouter notre voix intérieure et à faire confiance à ce grand processus universel qu'est l'évolution. Nous pressentons que notre univers n'est pas livré au hasard ni au bon ou au mauvais vouloir de quelques individus, mais qu'il est soumis à une dynamique énergétique, complexe certes, mais extrêmement rigoureuse et juste. Nous pouvons dire que :

Dans cet univers
il n'y a pas de justice rationnelle,
il y a une justice absolue.

et dormir sur nos deux oreilles.

Dans cet état d'esprit nous ne pouvons plus vraiment nourrir de regrets face au passé (si j'avais eu des parents plus compréhensifs..., si j'avais rencontré François avant qu'il ne soit marié avec Marie-Joséphine..., si j'avais eu plus d'argent...). Nous savons que chaque situation est appropriée pour notre croissance, que chaque événement se présente en son temps, en fonction de notre état de conscience. Mais nous savons aussi que ***nous pouvons transformer chaque situation pour quelque chose de meilleur*** à partir de nos propres actions, nos choix, notre volonté et l'ouverture de notre propre conscience.

Libération du jugement face à soi-même et du manque d'estime de soi

Le principe de responsabilité ouvre la porte à l'acceptation et à l'amour de soi, et facilite le pardon à soi-même.

Nous sachant en évolution dans un processus parfaitement ordonné, nous cessons de vouloir être autrement que ce que nous sommes, ou ailleurs que là où nous sommes. Nous acceptons notre état actuel et nous agissons pour le changer si nous le trouvons insatisfaisant ou insuffisant. Nous acceptons les limitations de notre conscience actuelle et nous travaillons à élargir de plus en plus cette conscience afin de vivre plus en paix avec nous-mêmes et avec l'univers. Cette acceptation n'a rien à voir avec de la soumission. Au contraire, cela nous permet d'avoir toute l'énergie qu'il faut pour agir et faire de nouveaux choix. Nous savons que nous avons le pouvoir de choisir.

Pour reprendre une image donnée précédemment, lorsqu'on est à l'école primaire, il est inutile de se dévaloriser parce que l'on n'est pas encore au secondaire. Quand on est au primaire, le mieux que l'on puisse faire est d'apprendre ce qui doit être appris au programme en célébrant notre année scolaire. Et lorsque le temps sera venu, on se retrouvera naturellement au secondaire. Par contre, si on résiste au fait d'être au primaire en se jugeant et en se blâmant de ne pas être dans une classe plus avancée, on gaspille notre énergie dans la résistance, on n'apprend pas le programme et on risque de rester là longtemps.

Une autre forme de manque d'estime de soi est l'orgueil ou la vanité. On se croit très avancé et plus évolué que la moyenne. Dans ce cas, on refuse de reconnaître naturellement et simplement là où on est, au primaire par exemple. On essaie de faire croire à tout le monde que l'on est au secondaire en se sentant supérieur à ceux qui sont encore dans les petites classes. On perd ainsi son temps et de vraies occasions d'apprentissage. On n'en stagnera que plus longtemps... au primaire. Lorsque nous réalisons que nous avons tous le même potentiel et que chacun fait son chemin à sa façon et en son temps, il ne nous est plus nécessaire de nous comparer à d'autres ou d'essayer d'être autrement que ce que nous sommes. Nous pouvons alors utiliser au maximum les opportunités de croissance que la vie nous offre.

Nous pourrions aussi illustrer ce point en nous comparant à un sculpteur en train de sculpter une statue. Le sculpteur c'est nous, notre Soi, et nous construisons une statue, notre personnalité. Celle-ci est en construction, elle n'est pas terminée ; nous sommes revenus dans cette vie pour la parfaire. Il est donc possible qu'il lui manque encore par exemple une oreille et que la moitié du visage soit encore informe. Ce serait évidemment ridicule pour le sculpteur d'avoir honte de sa statue, de lui en vouloir, de la juger et de la maltraiter parce qu'elle n'est pas terminée. Il serait tout aussi ridicule de la cacher et de dépenser son énergie à faire croire aux autres qu'elle est terminée. S'il veut qu'elle devienne réellement plus belle, il lui suffit simplement de l'aimer et d'y travailler davantage. Cela est évident dans le cas du sculpteur, et celui-ci a en général beaucoup de plaisir à « créer » sa statue.

Nous sommes dans la même situation avec notre personnalité. Il serait ridicule de nous demander qu'elle soit parfaite et terminée, puisque si nous vivons la vie présente, c'est justement pour la parfaire. Il est inutile d'avoir honte de notre personnalité « imparfaite », elle n'est tout simplement pas encore tout à fait au point. Il est tout aussi inutile d'essayer de faire croire aux autres qu'elle est parfaite en mettant un drap par dessus, c'est-à-dire en cachant nos erreurs, nos faiblesses, notre humanité, faisant croire au monde que nous sommes parfaits, que tout va bien, et que tout est harmonie sublime. Personne n'est dupe, ni nous-mêmes, ni les autres. Plutôt que de se faire croire que tout le monde est beau et que tout le monde est gentil — au niveau de la personnalité c'est loin d'être vrai et c'est tout à fait normal — il vaut bien mieux reconnaître sincèrement et tout naturellement le travail qui est à faire, car cela nous permettra d'avancer. Il est donc complètement inutile de se lamenter et de se sentir fautif parce que notre statue n'est pas achevée, et tout aussi inutile de la comparer à d'autres plus avancées qui ont commencé le travail avant nous ou de s'enorgueillir de notre avancement face à ceux qui ont commencé plus tard. Regardons notre statue bien en face et mettons-nous au travail pour la rendre encore plus belle.

Cette attitude nous permet d'accepter les erreurs et les manques de notre personnalité et nous incite à travailler pour améliorer notre véhicule. N'oublions pas que ce que nous sommes vraiment, c'est-à-dire notre Soi, est parfait, et que ce n'est que notre véhicule de manifestation qui n'est pas encore au point.

En reconnaissant et en acceptant simplement les imperfections de notre personnalité comme faisant partie de notre apprentissage, il devient beaucoup plus facile de s'accepter tel que l'on est, de s'aimer, d'avoir de la compassion pour soi-même, de se pardonner. Plus on accepte notre statue dans son état présent, plus on l'aime telle qu'elle est sachant ce qu'elle est en train de devenir, plus il nous est facile et agréable d'y travailler et de ne pas lui en vouloir de ne pas être encore terminée.

Le pardon à soi-même et l'acceptation de soi sont essentiels pour une bonne santé morale. Il n'est rien de plus inutile et de plus destructeur que de se taper sur la tête (on démolit une statue quand on lui tape dessus!...).

Libération du sentiment d'impuissance

La libération du sentiment d'impuissance est à la base même du concept de responsabilité. Sachant que la puissance de notre Soi est avec nous, nous cessons de nous considérer comme des êtres faibles et impuissants. Nous faisons ce qu'il faut pour aller chercher toute notre force à l'intérieur, parce que nous avons choisi de penser que cette force existe. Et elle existe, car lorsqu'on y fait appel, elle se manifeste.

Il est certain que dans la mesure où notre conscience s'identifie à la personnalité, on ne peut faire autrement que de ressentir l'impuissance; effectivement, la personnalité seule n'a pas de pouvoir réel. **Seul le contact avec le Soi peut nous donner l'expérience et la certitude de notre propre pouvoir.**

La libération du sentiment d'impuissance laisse automatiquement émerger le sens naturel que nous sommes créateurs de notre propre vie et nous permet, comme on le verra au chapitre suivant, de mettre en action consciemment, concrètement et efficacement, le pouvoir créateur de notre mental. Nous pouvons apprendre alors à créer, à attirer consciemment les choses, les personnes ou les événements que nous désirons dans notre vie. De créateurs inconscients nous devenons créateurs conscients.

Libération des émotions négatives par ouverture à l'énergie du Soi

Le contexte de responsabilité ne fera pas disparaître instantanément toutes les réactions émotionnelles négatives que l'on peut avoir sur le moment, car cela fait très longtemps que certains mécanismes sont installés en nous. Nous savons qu'il est important de laisser ces émotions émerger à notre conscience et de ne pas les supprimer. Par contre, cette façon de percevoir les choses nous permet de **transformer progressivement ces émotions en tranquillité et en sagesse.** Il est infiniment plus facile de retrouver son centre et sa paix intérieure dans ce contexte. Percevoir cette « perfection » de l'univers nous permet de nous recentrer plus rapidement en nous-mêmes et de retrouver le contact avec notre lumière intérieure.

Ceci peut se faire parce que, ainsi que nous l'avons déjà mentionné, lorsque nous choisissons de penser en fonction du contexte de responsabilité, nous ouvrons la porte à l'énergie de notre Soi, nous nous identifions en quelque sorte à l'énergie de notre Soi. Ce qui va nous aider à transformer nos émotions négatives n'est donc pas seulement le contexte de pensées lui-même, mais **l'énergie transformatrice de notre Soi que ce contexte a rendue disponible dans notre conscience**. Ce n'est donc pas un simple processus intellectuel.

Nous pourrions reprendre l'analogie de la charrette pour illustrer ce point. Nous pourrions dire que lorsque l'on éprouve des émotions négatives dans le contexte de victime, c'est comme si notre cocher essayait de se débattre avec son cheval uniquement avec ses propres forces. Il fouette, il essaie de réprimer, et s'il n'y arrive pas, il se fait éjecter de son siège et c'est le cheval qui dirige la charrette tout seul. On se retrouve dans le fossé et tout va mal.

Par contre, si notre cocher possède le concept de responsabilité, cela va l'aider grandement à faire face aux incartades du cheval, même si pour l'instant nous ne sommes pas encore capables d'être en contact conscient avec notre Soi en permanence. Dans ce contexte, au moment où une émotion négative émerge, notre cocher essaiera de se débrouiller par lui-même et ***en même temps*** il demandera de l'aide au Maître. Le contact peut prendre un peu de temps pour s'établir. On va méditer, se centrer, s'intérioriser, sans pour autant réprimer l'émotion (la tentation peut être forte si les mécanismes sont là depuis longtemps, mais on peut se faire aider d'un professionnel compétent pour nous aider à reconnaître, accepter et libérer la charge émotionnelle sous-jacente à la réaction). On fait appel à notre Soi, à notre sagesse, au meilleur de nous-mêmes avec les ressources que nous avons. On ne s'identifie pas à l'émotion. On prend la position de témoin, on la regarde et on appelle la lumière à l'intérieur de nous. C'est pourquoi il nous faudra peut-être encore quelques heures ou quelques jours pour venir à bout d'une réaction négative. Mais on y arrivera beaucoup plus vite et beaucoup plus efficacement que si notre mental-cocher ne fonctionne qu'avec ses propres forces.

Ultimement d'ailleurs, à la fin de notre évolution dans ce cycle, le cocher sera tellement réceptif aux ordres du Maître que notre vie sera en fait complètement dirigée par notre Soi, via le mental. Nous serons des créateurs totalement conscients et alors nous ferons un beau voyage...

D'une façon ou d'une autre, dès que nous ouvrons la porte à notre Soi, la paix, l'harmonie, le bien-être, la puissance, la joie, toutes les émotions dites « positives » se manifestent naturellement. C'est ce que les maîtres de la sagesse nous ont toujours enseigné, et c'est une observation faite par des milliers de gens depuis des siècles. **Et le contexte de responsabilité est l'une des clés fondamentales pour ouvrir cette porte dans notre système de pensées.**

Pour toutes les personnes qui sont en relation d'aide, ce contexte peut être d'une grande utilité pour travailler avec leurs clients. Ces derniers doivent être évidemment des personnes ayant déjà atteint un certain niveau de développement au niveau mental, des personnes qui sont capables de se servir de leur intelligence. Dans ce cas, le contexte de responsabilité-attraction-création facilite énormément le travail de dégagement entrepris face aux émotions négatives, quelle que soit la méthode utilisée. Il permet aux résultats de demeurer permanents, et surtout, permet aux personnes de retrouver leur autonomie, leur pouvoir et une réelle confiance en elles-mêmes et en la vie.

Le paradigme de responsabilité permet donc de désamorcer plus facilement les émotions négatives les plus courantes. Le cocher commence à apprendre à conduire le cheval... Dans ce sens c'est un excellent antidote à la violence. Si nos enfants pouvaient être élevés dans cet esprit, nous aurions une génération saine, courageuse, forte et créatrice, en contact avec son propre pouvoir et capable de construire un monde où régnerait plus de respect, d'acceptation, de partage, de sagesse et de compassion.

CHAPITRE XI

CONSÉQUENCES DU PARADIGME

(2)
L'épanouissement de l'Être

Après le non final vient un oui
Et de ce oui dépend l'avenir du monde.

Wallace Stevens,
cité par Marilyn Ferguson

La pratique du principe de responsabilité-attraction-création facilitant la libération des principales émotions négatives, il apparaît naturellement un épanouissement de l'être dans ses plus belles qualités. C'est en fait une manifestation naturelle du Soi. Nous examinerons quelques aspects de cet épanouissement que nous avons observé à partir de notre propre expérience et de celle de nombreuses personnes qui ont bien voulu choisir de fonctionner à partir de ce paradigme, l'incluant dans leur travail général d'épanouissement personnel.

Paix, sérénité, confiance et joie de vivre

De la disparition de l'anxiété, de la peur et du stress, découlent naturellement un sentiment de paix et de sérénité provenant d'une plus grande confiance en la vie, ainsi qu'une joie de vivre simple et directe, celle que nous avions lorsque nous sommes arrivés au monde et que nous avons perdue par la suite. Mais cette fois-ci, cette confiance s'appuie sur une plus grande compréhension du mécanisme de la vie elle-même, et nous sommes beaucoup moins vulnérables. Nous savons maintenant qu'une expérience difficile ou une épreuve ne sont pas une preuve de l'absurdité, de l'injustice ou de la méchanceté de la vie (comme nous l'avions enregistré généralement dans notre conscience d'enfant), mais comme une partie plus difficile du voyage et une possibilité pour nous d'avancement plus grand. Nous savons que tout ce qui nous arrive est approprié.

De plus, cet apprentissage est toujours présenté en fonction de notre niveau d'évolution, donc de notre capacité de faire face à la situation. C'est pourquoi, quelles que soient les circonstances, nous savons que si nous les attirons c'est parce que nous sommes capables de les vivre et que **nous avons tout ce qu'il faut pour y faire face**. C'est évidemment à nous de choisir de quelle façon nous allons y répondre. C'est là que nous avons l'occasion d'expérimenter la vie et de développer des qualités.

Le sens de la présence de notre Soi en nous apporte une **certitude intérieure** qui nous fait sentir plus calmes et plus sereins devant les aléas de la vie. L'univers cesse d'être un endroit hostile, comme nous l'avions pour la plupart jugé à partir des expériences de la naissance ou de la petite enfance. Un réel sentiment de **confiance en la vie** peut s'installer en nous. Nous savons que notre Soi est là, il veille, et dans son amour et sa lumière, il guide et protège totalement toutes les expériences de notre personnalité. Non pas dans le sens où il nous évitera des situations difficiles, mais dans le sens où ce qui se présentera à nous sera toujours approprié pour notre croissance.

Si nous reconnaissons la présence de notre Soi, en particulier en nous reconnaissant comme générateurs de nos propres expériences, alors l'amour, la lumière et la puissance de notre Soi nous deviennent plus disponibles. Ce sentiment de la présence du Soi permet aux beaux moments de la vie d'être vécus plus pleinement, car cela se fait dans une confiance sereine. Lors de circonstances difficiles ce contact nous servira très spécifiquement. Lorsque nous vivons une situation difficile dans l'état d'esprit de victime, nous n'avons aucune ressource intérieure qui puisse nous aider. Dans l'état d'esprit de responsabilité-attraction-création, la puissance et la lumière de notre Soi nous inspirent, nous guident et nous permettent de vivre nos épreuves beaucoup plus sainement.

Il n'y a pas de personnes sans ressources. Il y a seulement des états d'esprit où l'on se retrouve sans ressources.
Tony Robbins

En nous reconnaissant à la source de nos expériences, nous commençons à réaliser notre but ultime, à savoir harmoniser la volonté de notre personnalité avec celle de notre Soi. En conscience, nous devenons notre Soi. Nous sommes alors en mesure de prendre possession des ressources infinies de notre être intérieur et d'expérimenter sa paix, sa certitude et sa sérénité.

Sagesse, intuition, créativité

Dans cette paix grandit aussi la **sagesse**. Le tintamarre des émotions négatives ayant disparu, nous pouvons entendre plus facilement la voix de notre Soi. Notre **intuition** possède un canal plus clair et libre pour se rendre jusqu'à notre conscience. Notre vie n'est plus dirigée par un cheval non maîtrisé, mais par un cocher plus à l'écoute des suggestions du Maître. L'activité mentale devient plus libre, entraînant une plus grande agilité intellectuelle, une capacité de concentration supérieure et une plus grande **créativité**. C'est ainsi que notre vie devient beaucoup plus harmonieuse, plus riche et plus satisfaisante.

Relations saines, harmonieuses et épanouissantes

Lorsqu'on se débarrasse de la culpabilité, du blâme et du ressentiment, on cesse naturellement de manipuler les autres en les faisant sentir coupables. Quel soulagement dans les relations entre conjoints (aïe, on ne peut plus blâmer l'autre, c'est nous qui l'avons attiré(e) dans notre vie tel ou telle qu'il ou elle est, quel dommage...), entre collègues de travail, entre parents et enfants. **Un grand assainissement des relations s'effectue à partir du concept de responsabilité**. Cet espace plus serein dans les relations permet de commencer à expérimenter **l'acceptation et l'amour inconditionnel.**

En ce qui concerne les relations de couple, le principe de responsabilité fait des miracles au niveau de la communication et de l'assainissement des relations. À partir du moment où on cesse de blâmer l'autre pour ce qui ne fonctionne pas dans la relation, on ouvre le chemin à la vérité et à l'amour. Nous sachant créateurs, nous savons que **nous trouverons dans une relation ce que nous allons y apporter**.

La plupart des relations de couple sont fondées sur des projections inconscientes de relations parentales, cela est bien connu. Le contexte de responsabilité, en facilitant le dégagement de ces projections, permet de créer des relations intimes plus saines et plus satisfaisantes.

De plus, la relation de couple est une expérience humaine fondamentale et elle est, dans la plupart des cas, spécifiquement déterminée par des expériences de vies passées. Il y a très souvent relation karmique entre conjoints ; nous n'attirons pas notre conjoint par un malheureux ou heureux hasard. Que ce soit à partir de projections parentales inconscientes ou une continuation d'expériences provenant de vies passées, nous avons certainement beaucoup à apprendre, à développer, à compléter, à harmoniser avec notre conjoint actuel.

Si nous passons notre temps à blâmer l'autre pour ce qu'il est, à attendre qu'il nous donne satisfaction et à accumuler les frustrations parce qu'« évidemment » il ne répond pas à nos attentes, nous oublions de regarder en nous-mêmes pour découvrir ce que nous avons à apprendre dans cette expérience. Si nous le quittons en le blâmant de ne pas avoir comblé nos attentes émotives inconscientes issues de l'enfance, nous allons attirer encore le même genre de situation avec un autre conjoint... afin de pouvoir apprendre. Le contexte de responsabilité permet de sortir de ce cercle vicieux de la recherche du prince (ou de la princesse) charmant(e) qui doit nous rendre heureux pour le restant de nos jours mais qui finit toujours par être décevant.

Au cours de la vie commune, à partir de ce contexte, nous sommes en mesure de communiquer nos besoins et nos préférences clairement, en en prenant responsabilité. On ne le fera pas à la façon d'une victime qui considère que tout lui est dû d'avance et que c'est l'autre qui *doit* lui donner satisfaction. On communiquera de façon responsable, en sachant que l'autre est libre de bien vouloir satisfaire nos besoins ou non, et que ***c'est notre libre choix de vivre en couple avec cette personne ou non,*** quelles que soient les circonstances. De toute façon nous savons qu'à un certain niveau nous avons permis à ces circonstances de se présenter. C'est donc à nous de **faire des choix** en nous souvenant que ce n'est pas ce qui est là qui détermine notre vie, mais ce que nous choisissons de faire avec ce qui est là.

Ce sujet à lui seul mériterait un long développement. Il nous est malgré tout facile d'imaginer tous les bienfaits spécifiques que l'on peut retirer de la pratique de ce contexte au sein d'une relation de couple. Le contexte de responsabilité facilite la disparition du blâme, des reproches, des attentes et des exigences inavouées, du ressentiment et de tout ce qui s'ensuit. Il permet de se dégager des projections parentales inconscientes qui sont la source principale des difficultés de couple. Il permet de vivre des relations de façon adulte dans **le respect de l'autre**, la prise de responsabilité de la relation et finalement la paix, l'harmonie et la liberté. Il permet d'expérimenter l'amour inconditionnel, l'acceptation et l'échange vrai, de faire le point sagement sur l'état d'une relation, d'en percevoir la pertinence ou la non-pertinence et de la terminer harmonieusement si besoin est, dans la paix et l'harmonie. Il permet de faire qu'une relation devienne une remarquable opportunité de croissance.

Entre parents et enfants, le principe de responsabilité facilite grandement les relations à de multiples points de vue, que l'on peut imaginer facilement. Tout comme au sein d'une relation de couple, il va faciliter l'acceptation, le respect de l'autre et l'amour inconditionnel.

Voici ce que Doris a vécu dans sa relation avec sa fille et son gendre :
« Ma fille vit avec un homme de onze ans plus âgé qu'elle et des conflits surgissent parfois entre eux. Si je n'étais pas consciente du fait que ma fille peut créer la vie qu'elle veut, je vivrais cela d'une façon assez traumatisante, et pour elle et pour moi. Alors qu'en pensant qu'elle est créatrice et responsable de sa vie, qu'il n'y a pas de relation au hasard, et qu'il y a certainement une expérience spécifique à vivre pour elle dans cette relation puisqu'elle choisit de vivre avec cet homme, je peux la soutenir sereinement et objectivement dans ses conflits avec lui, sans la percevoir comme une victime. Car lorsque l'on n'a pas intégré la notion de responsabilité, il est facile, en tant que mère, de penser que nos enfants sont des victimes. En changeant mon contexte de pensées par rapport à elle et à lui, j'ai réussi à générer une très belle relation avec eux. Nous vivons une relation de confiance, de respect et d'amour remarquable. Cela nous permet de nous sentir bien ensemble, même si je ne suis pas toujours d'accord avec leur façon de vivre. Je sais que c'est leur choix. Je peux m'exprimer librement avec eux et les soutenir dans leur évolution. Je reste en paix avec moi-même et je les laisse en paix. Je pense que je suis peut-être celle qui profite le plus de cette situation. Car si je créais une situation de conflit entre eux et moi parce que je pense que ma fille est victime de l'homme avec qui elle vit, c'est moi finalement qui en serait la plus malheureuse. Je n'ai qu'une fille, et il est très important pour moi de conserver une relation vraie et paisible avec elle. »

On peut imaginer un moment l'atmosphère d'un milieu de travail où chacun fonctionne à partir du principe de responsabilité, cesse de se plaindre, de blâmer les autres et les circonstances, et prend responsabilité de créer sa satisfaction au travail, dans le respect des autres et de lui-même. On peut imaginer la différence que cela peut faire dans la qualité de la communication et dans le plaisir qu'il y a à travailler ensemble. Ceci améliore aussi l'efficacité de la production, car on travaille mieux et plus facilement lorsque la détente, la bonne communication et la créativité sont favorisées. Tout le monde, patron et employés, est gagnant.

Bien intégré, ce contexte est une vraie bénédiction pour les relations, à quelque niveau que ce soit. Car ce contexte est aussi valable au niveau collectif qu'au niveau individuel. On peut imaginer comment les relations internationales pourraient être transformées si nos dirigeants commençaient à intégrer ce principe. Mais pour cela, il faudrait avant, bien sûr, que les personnes qui les élisent l'aient intégré eux-mêmes...

Respect du processus évolutif de chacun

Le concept de responsabilité nous enlève le poids du sort des autres sur nos épaules.

Nous avons vu qu'il n'y a pas de sauveteur, et inversement nous n'avons personne à sauver. Personne ne fera notre évolution à notre place, et nous ne pouvons déterminer l'évolution de quelqu'un d'autre à sa place. Le maximum que nous puissions faire est d'offrir notre support à l'autre, ***si celui-ci est d'accord.*** Nous reconnaissons le pouvoir de son Soi, le respectons et lui faisons confiance.

Ceci s'applique en particulier lorsqu'il s'agit de nos enfants. Il est certain qu'en tant que parents nous désirons faire le maximum pour nos enfants, avec les ressources que nous avons. Certains parents sincères se posent souvent deux questions :

Tout d'abord : Sommes-nous, ou avons-nous été, de bons parents ?

Bien des personnes en cheminement conscient réalisent après plusieurs années qu'effectivement elles ont élevé leurs enfants avec des principes qu'elles découvrent maintenant être inappropriés ou même destructeurs. Aussi, pour soulager la conscience d'un poids inutile, rappelons-nous que nos enfants nous ont choisis exactement tels que nous sommes avec nos qualités et nos faiblesses (ce qui a été dit plus haut sur la culpabilité s'applique directement ici). Nous ne pouvons pas faire plus que ce que notre degré d'évolution nous permet ou nous a permis de faire. **Nos enfants nous**

ont choisis ainsi. Au niveau de leur Soi, quand le choix s'est fait, ils connaissaient les limites de notre personnalité. Nous sommes, ou avons été, les parents parfaits pour nos enfants, **parfaits dans le sens que c'est nous qu'ils ont choisis pour évoluer et grandir dans cette vie.** Nous continuerons certainement à faire de notre mieux avec les ressources matérielles et psychologiques que nous avons. Mais une fois cela fait, il est tout à fait inutile de se blâmer et de se sentir coupables pour ce que nous ne sommes pas, ou n'avons pas été, capables de faire.

Puis vient la question suivante : Que pouvons-nous faire pour éviter des souffrances à nos enfants?

Beaucoup et peu à la fois. Nos enfants ont chacun un Soi qui a décidé de leur départ et ils vont décider eux-mêmes, pas à pas, ce qu'ils feront avec les circonstances qu'ils ont choisies. Leurs choix subséquents dépendront de leur niveau d'évolution, de ce qu'ils ont choisi de venir expérimenter dans cette vie. Dans ce sens là nous ne pouvons pas changer grand chose.

Nous pouvons beaucoup, par contre, dans le sens où si nous leur donnons l'exemple de l'amour, de la sagesse et d'un grand nombre de qualités, cela pourra avoir un impact très positif sur eux, s'ils veulent bien recevoir cet impact; cela dépend de leur bagage évolutif et des raisons pour lesquelles ils nous ont choisis. Nous pouvons offrir ce que nous avons de meilleur à nos enfants, mais **c'est leur choix de le prendre ou non.** Nos enfants ont le libre choix de leur vie, et ils ont commencé à exercer ce libre choix par le choix qu'ils ont fait de leurs parents.

Si les enfants choisissent leurs parents, l'inverse est vrai aussi. Les parents attirent leurs enfants. Cette attraction, ce choix, doivent être mutuels pour se réaliser. Nous avons attiré nos enfants car nous avons des choses bien précises à expérimenter et à développer à leur contact. Ce n'est pas par hasard s'ils sont avec nous. Souvent les enfants en bas âge se souviennent encore de leur vies antérieures. Ils peuvent alors parfois nous dire très innocemment qu'ils ont déjà vécu et été en relation avec nous (pas nécessairement d'ailleurs sous la forme parent-enfant).

Vos enfants ne sont pas vos enfants.
Ils sont les fils et les filles de l'aspiration qu'a la Vie pour elle-même.
Ils naissent par vous, mais pas de vous,
Et quoiqu'ils fassent route avec vous,
ils ne vous appartiennent pas.
Vous pouvez leur donner toute votre tendresse,
mais pas vos pensées.
Car ils ont leurs pensées distinctes.
Vous pouvez embrasser leurs corps, mais pas leurs âmes.
Car leurs âmes s'installent dans la maison de demain, celle que vous ne pouvez aller voir, même dans vos rêves.

Khalil Gibran, Le Prophète

Capacité de se laisser porter par le flot de la vie

Fonctionner à partir de ce nouveau paradigme permet de cesser de résister à la vie, et cela apporte de grands bienfaits.

Rien ici-bas n'est plus souple, moins résistant que l'eau, pourtant il n'est rien qui vienne mieux à bout du dur et du fort.

Lao Tseu

Lorsque l'on fonctionne à partir du contexte de responsabilité, on sait comment couler avec le flot de la vie. Cela apporte une grande force intérieure, beaucoup de sérénité et une grande liberté et une grande efficacité dans l'action.

René avait commencé à utiliser le concept de responsabilité dans son quotidien, et les résultats obtenus étaient assez clairs et intéressants pour que cela soit devenu pour lui une façon de penser qui remplace celle de la victime impuissante devant les événements. Tout allait bien jusqu'au jour où il est soudainement réveillé en plein milieu de la nuit : sa maison était en feu. Pas le temps de rien sauver à part lui-même. Il sortit donc en courant avec sa femme. Il ne lui restait plus qu'à appeler les pompiers à partir du téléphone du voisin, attendre et regarder. Ce n'était évidemment pas une expérience des plus agréables, mais René décida de ne pas en faire un drame, car ce qui était là, était là ; et même s'il se mettait à hurler ou maudire l'univers ou qui que ce soit d'autre, cela ne changerait rien à ce qui se passait.

Il avait fait ce qui était à faire, c'est-à-dire appeler les pompiers. À part cela, il ne pouvait pas faire grand chose de plus dans le moment. Une fois l'incendie maîtrisé, René se promenait au milieu des restes de sa maison et se disait à lui-même : « C'est parfait, c'est parfait ». Les voisins qui pouvaient l'entendre pensèrent que sous l'effet du choc nerveux le pauvre René commençait à délirer... En fait, René ne délirait pas du tout. Il avait choisi de considérer cette situation comme parfaite, puisqu'elle était présente dans son univers. Évidemment, ce n'est pas ce qu'il aurait souhaité de mieux, mais il se rappelait que « ce n'est pas ce qui arrive qui détermine notre vie, mais ce que l'on choisit de faire avec ce qui arrive ». Il se rappelait également que rien n'arrive par hasard, surtout pas des événements de cette importance, et que s'il se laissait ouvert à ce que cette expérience pouvait lui apporter, au bout du compte il en sortirait gagnant. Les avantages de cet état d'esprit ? René put passer au travers de cette épreuve en gardant son équilibre, son sang-froid, son efficacité dans l'action et même sa bonne humeur. Il ne crut pas nécessaire de faire une crise cardiaque à cause de cet événement puisqu'il savait que rien n'est là par hasard.

Autrement dit, il choisit de ne pas résister à la situation, mais plutôt de se laisser aller dans les événements d'une façon plus créatrice, plus efficace et plus consciente.

Or cet état d'esprit de calme et de sérénité a un effet vibratoire tellement positif sur notre corps et notre conscience que l'on a tendance à attirer, à ce moment-là, des circonstances positives. C'est une loi de l'univers qui n'est pas encore testée par la science, mais qui a été testée de nombreuses fois par l'expérience, et qui sera expliquée dès que l'on saura étudier plus à fond la structure énergétique de l'être humain et son fonctionnement. Selon ce principe, René « s'attira » un voisin qui devait justement s'absenter quelques mois et qui lui proposa sa maison en attendant qu'il fasse reconstruire la sienne. Le voisin était content de trouver quelqu'un de confiance pour prendre soin de sa maison et René fut bien heureux de cet arrangement. D'autant plus heureux qu'il y avait quelque chose de particulier dans la maison de ce voisin : une merveilleuse piscine intérieure. Or René avait toujours rêvé d'avoir une piscine intérieure chez lui. Il put en profiter pendant toute la saison qu'il passa chez son voisin. Hasard? Peut-être, diront certains; pourtant, lorsque l'on commence à comprendre les lois énergétiques de l'univers, on sait que, quelles que soient les circonstances, elles ne se produisent pas par hasard et que tout se crée en fonction de notre état vibratoire global. De plus en plus de personnes, sans connaître consciemment ces lois énergétiques de l'univers, les connaissent intuitivement et les utilisent.

Si René avait été dans l'état d'esprit de victime, il se serait certainement rendu malade et bien malheureux avec ces événements. Cela n'aurait pas reconstruit sa maison et lui aurait enlevé bien des idées créatrices pour faire face efficacement à la situation.

La position de victime nous amène à résister à la vie en permanence. Or la résistance, sous forme de frustration ou d'émotions négatives de toutes sortes, sous forme directe ou indirecte, nous fait vibrer à un taux vibratoire très bas. Lorsque nous résistons à la vie, d'une part nous dépensons une montagne d'énergie et nous en avons d'autant moins pour agir positivement et modifier ce qui ne nous convient pas; d'autre part, nous nous attirons toutes sortes de mésaventures et de déceptions qui ne font qu'empirer les choses. En général, on est tellement identifié à ce que l'on vit émotionnellement, que l'on est incapable de se rendre compte processus qui est en train de se passer et on trouve que la vie est bien difficile. Alors qu'en fait, c'est simplement notre propre niveau vibratoire qui génère cela.

Nous pouvons rectifier le cours des choses en modifiant notre état vibratoire, donc notre état de conscience, en changeant de contexte de pensées. C'est tout un art, mais cela s'apprend très bien avec la pratique.

Dès que l'on arrête de résister à la vie et que l'on vit dans un état d'acceptation de ce qui est, on crée un état d'harmonie intérieure et extérieure. Cet état positif est très puissant au niveau vibratoire et a ainsi tendance à attirer plus d'harmonie dans notre vie. De plus, dans cet état d'être, nous disposons de toute l'énergie nécessaire pour changer ce qui est, si ce qui est ne nous convient pas.

> *Ainsi l'acceptation devient le moyen le plus rapide et le plus pratique de se libérer d'une situation difficile alors que la révolte en resserre inexorablement le nœud.*
> Pierro Ferrucci, *La psychosynthèse*, page 133.

Accepter la réalité telle qu'elle se présente à nous n'a rien à voir avec se soumettre. ***Ne pas résister à la vie ne veut pas dire se soumettre.*** La soumission est de la résistance non exprimée. Se soumettre c'est résister à ce qui est là, sans rien dire, accumuler frustration et ressentiment et endurer jusqu'au moment où ce n'est plus tenable. C'est ce que fait la victime afin de pouvoir se victimiser encore plus. La soumission empêche d'agir. Accepter, c'est simplement reconnaître les faits tels qu'ils sont, en bénéficier joyeusement si ceux-ci nous sont favorables et s'ils ne le sont pas, agir intelligemment et consciemment pour les modifier en redéclarant constamment notre pouvoir face à la situation. **L'acceptation donne le pouvoir d'agir.**

Aussi, il est un principe psychologique bien connu, à savoir que **ce à quoi on résiste persiste**. La meilleure façon de changer les choses est de cesser d'y résister ; dans cet état de lâcher-prise l'action juste devient possible.

C'est vendredi soir, le 24 décembre. Jean et sa famille sont invités à célébrer le réveillon chez des amis à deux heures de route de chez eux. Bien que le temps ne soit pas très beau (une tempête de neige s'annonce), tout le monde se prépare à partir dans la bonne humeur car la soirée promet d'être excellente. Un retard de dernière minute ne leur a pas permis de quitter la maison avant neuf heures, mais en roulant bien, il est tout à fait possible d'arriver chez les amis avant minuit. En chemin, le temps s'annonce de plus en plus mauvais, la neige commence à tomber dru. Chacun se prépare à fêter et a bien hâte d'arriver. La conduite est un peu difficile, pourtant à cause du retard il faut avancer à bonne allure. À un certain moment, Jean sent que sa voiture n'avance plus correctement. Il réalise qu'un des pneus doit être crevé. Il se range sur le bord de l'autoroute et là, deux scénarios sont possibles.

— ***Jean résiste à la situation,*** *alors voici ce qui se passe :*

D'abord il ne dit rien et sent la colère lui monter au visage. Sa femme s'était chargée de faire changer cette roue le matin même. Il commence à questionner celle-ci de façon plutôt agressive et elle lui répond sur le même ton. Les enfants en arrière commencent une dispute pour savoir qui offrira son cadeau en premier à grand-maman et ils commencent à se battre. Furieux, Jean leur dit de se taire sinon ils n'auront pas de gâteau. Il est en rage contre le temps qu'il fait, blâme ses amis d'avoir organisé cette fête si tard, se promet de faire un procès au garagiste et, dans ce bon état d'esprit, il sort dans la tempête pour changer la roue. Dans son énervement, en ouvrant la malle arrière il laisse tomber ses clés. Comme il y avait déjà un bon mètre de neige dans le fossé qui longe les bords, les clés disparaissent on ne sait plus où. Voilà Jean à quatre pattes dans la neige, en plein milieu de la nuit, en train de chercher des clés qui semblent s'être volatilisées. Il est de plus en plus en rage. Finalement, au bout de vingt minutes de recherche frénétique, il retrouve ses clés et, de peine et de misère, le pneu finit par être changé. Jean est transi et trempé dans son beau costume de fête, les enfants ont mangé le gâteau destiné aux amis, et leur mère a décidé qu'elle recommençait à fumer. Lorsqu'ils arrivent chez les amis, le meilleur de la fête est passé et il ne reste plus de bûche au chocolat. La soirée s'achève dans le même style, qui se continue le lendemain et pour les semaines à venir si rien n'est fait pour changer les choses.

— ***Autre scénario*** *: Jean vient de réaliser qu'un pneu est crevé et choisit de ne pas résister à la situation. Il n'est certainement pas content, et il se peut qu'il sorte un gros juron pour exprimer sa frustration. Une fois celle-ci exprimée, Jean prend quelques bonnes respirations et se donne le temps de retrouver son calme et remettre* *de l'ordre à l'intérieur de lui. Bien que la situation ne soit pas idéale, il sait que ce qui est là, est là, et choisit de prendre cela le plus tranquillement possible. Il sait ce qui l'attend, et qu'il résiste ou non il faudra changer ce pneu. Il sort tranquillement de son auto, en ayant accepté ce que la vie lui envoyait pour aujourd'hui. Mais... lorsque l'on est en paix avec l'univers, l'univers est en paix avec nous. Aussi, à peine Jean est-il sorti de son auto qu'une auto-dépanneuse passe, s'arrête et lui demande s'il a besoin d'aide... En quelques minutes le pneu est changé et tout le monde repart heureux pour aller fêter. Lorsqu'ils arrivent chez les amis, la bûche au chocolat est intacte, et tout le monde est content. Ouf!*

Hasard? Pas vraiment. Cette anecdote est un condensé d'histoires vécues sous toutes sortes de formes que j'ai entendues année après année, provenant de personnes de tout genre. Cela revient vraiment trop fréquemment, dans un sens ou dans un autre, pour que tout cela soit un simple hasard. Il semblerait bien qu'il y ait une loi vibratoire qui entre en action à chaque instant de notre vie et que nous créons nos propres circonstances.

La responsabilité nous permet également de développer la sagesse d'accepter ce que nous ne pouvons changer. Accepter le départ du monde physique de l'un de nos proches sera par exemple infiniment plus facile à accepter lorsque l'on part du contexte de responsabilité.

En facilitant une réelle acceptation de la vie et **le lâcher-prise**, le concept de responsabilité nous redonne pouvoir et énergie. Cette acceptation saine et dynamique, cet état de lâcher-prise, élève notre taux vibratoire et attire à nous des bienfaits supplémentaires imprévus. Lorsque nous aimons la vie elle nous le rend bien.

Dédramatisation, jouissance du moment présent, humour

Le concept de responsabilité facilite la dédramatisation de beaucoup de situations de la vie quotidienne.

Depuis sa découverte du principe de responsabilité, Aline avait choisi de vivre sa vie à partir de ce contexte. Lors d'une visite chez le médecin, elle apprit qu'elle devait subir une opération chirurgicale importante à cause de la présence d'un fibrome sur l'utérus. Aline n'avait jamais été malade. Si cette situation s'était présentée cinq ou six ans plus tôt, elle se serait sentie victime d'un sort injuste. Elle aurait vécu cela très difficilement, développé beaucoup d'agressivité et en aurait fait un drame épouvantable. Autrement dit, elle aurait terriblement résisté à ce qui se présentait à elle, et aurait dramatisé au maximum. Cette fois-ci, après avoir considéré des moyens de soins alternatifs et s'être rendue compte que, son cas étant trop avancé, l'opération était nécessaire, elle choisit d'accepter sa situation. Elle se dit qu'elle allait essayer de vivre cette expérience dans la paix, l'acceptation et la simplicité, autant que cela lui serait possible. Selon son témoignage, elle vécut une expérience extrêmement riche à travers l'opération elle-même et durant la période de convalescence de deux mois qui suivit. Elle commença par utiliser cette circonstance pour améliorer la qualité de son alimentation. De plus, pour la première fois de sa vie, elle dut accepter que des gens prennent soin d'elle, et elle accepta aussi de prendre soin d'elle-même. Elle choisit de vivre sa convalescence dans un état d'esprit tout à fait positif et son rétablissement fut remarquablement court et complet. Elle se rendit dans un petit chalet dans la montagne, et vécut ces deux mois de telle façon qu'il lui en reste un excellent souvenir. Elle comprit à partir de ce moment-là qu'elle pouvait continuer à prendre soin d'elle et qu'elle pouvait accepter facilement que quelqu'un d'autre prenne soin d'elle. Elle apprit l'abandon et la réceptivité, ce qui pour elle créa une belle ouverture en ce qui concerne l'épanouissement de ses relations. Ce fut pour elle, selon ses propres mots, « une belle expérience ». Aline choisit tout simplement de ne pas résister, de ne pas dramatiser et d'aller chercher le « cadeau », comme dit Richard Bach, qu'il y avait pour elle dans ces circonstances que la vie (son Soi...) lui proposait.

Lorsque nous percevons la vie à travers le paradigme de responsabilité-attraction-création, nous savons que nous sommes sur le chemin vers la lumière et que notre Soi veille et nous guide.

Nous savons que les grands drames de la vie, vus dans une plus large perspective, perdent souvent de leur importance et que, sous-jacent à tout cela, se produit un merveilleux voyage vers le pouvoir, l'amour et la liberté. Nous n'avons pas besoin de contrôler constamment notre vie, ce qui est très fatiguant. Faisant confiance à la vie, nous pouvons la vivre moins dramatiquement dans ses moments difficiles et célébrer librement les beaux moments, sans ces peurs souterraines qui ternissent d'ordinaire même nos plus belles joies.

Cette capacité de dédramatiser nous permet d'apprécier plus facilement ce que nous avons déjà et de jouer au jeu de la vie plus librement et joyeusement. Le contexte de responsabilité facilite la **jouissance du moment présent.**

Dans cet état d'esprit de paix et de confiance, nous développons un nouveau **sens de l'humour** qui entretient le plaisir et la joie dans notre vie et dans celle des autres.

Gratitude

Le concept de responsabilité nous permet de vivre dans un sentiment quasi-permanent de gratitude. Ce sentiment de gratitude envers soi-même, envers les autres et envers l'univers, est un sentiment issu directement du Soi. C'est un sentiment qui nous remplit le cœur de douceur et de tendresse.

Il est une loi qui semblerait fonctionner de façon telle que, plus on sait être reconnaissant, plus la vie est généreuse avec nous. Car la gratitude, la reconnaissance du cœur, nous met dans un état vibratoire très élevé qui attire automatiquement des choses de haute qualité pour nous.

La victime est incapable de vraie gratitude, puisqu'au fond d'elle-même, inconsciemment, elle n'aura jamais assez, elle a toujours trop donné, et tout lui est dû d'avance. Elle ne compte que ce que les autres lui « prennent ». Le contexte de responsabilité, au contraire, nous permet d'apprécier pleinement tout ce que nous recevons de la vie et des autres, et met la joie dans notre cœur.

Quelquefois, une interprétation erronée de ce contexte pourrait nous faire croire que l'on ne doit aucune gratitude à personne puisque l'on attire les choses par nous-mêmes. Ce n'est pas tout à fait exact. Il est vrai que si une personne nous offre un cadeau ou nous fait du bien, c'est nous qui avons attiré cette personne dans notre vie. Nous pouvons donc nous remercier nous-mêmes. Il n'en reste pas moins que c'est une personne réelle, celle-là et pas une autre, qui nous a donné ce cadeau, qui nous a fait ce bien, et que nous pouvons lui en être reconnaissant. C'est une belle occasion d'ouvrir notre cœur et d'élever notre fréquence vibratoire.

Fraternité, compréhension, compassion, sens d'unité

Comme nous l'avons vu au chapitre IX, la responsabilité, loin de nous amener à l'indifférence, nous permet de nous sentir proches des autres avançant sur le même chemin que nous vers l'expression de leur propre lumière intérieure. Nous nous reconnaissons tous comme des êtres en évolution ayant leurs devoirs à faire et leurs leçons à apprendre. Certains choisissent des leçons plus dures, des devoirs plus difficiles à certains moments de leur évolution. Comprenant cela, nous n'avons aucune envie de les juger.

Notre capacité de **compassion** se développe car nous savons que notre but est le même et que nous créons tous notre propre route, faite de souffrances et de joies, de façon parfaitement appropriée. Ayant réalisé cela, nous expérimentons plus profondément notre propre humanité et celle de tous ceux qui nous entourent. Nous développons un sens d'unité, un sens de **fraternité**, avec tous les êtres humains. Nous nous percevons nous-mêmes et percevons tous les autres autour de nous comme des êtres en évolution vers l'expression de notre propre perfection, l'expression de notre Soi. Nous sommes prêts à prendre responsabilité de notre propre évolution et soutenir les autres dans la leur, sachant combien le chemin peut être difficile parfois. Nous développons notre capacité de compréhension et d'amour inconditionnel.

Contribution et service dans la joie et le détachement

Le meilleur moyen de te borner à la médiocrité est de faire uniquement le travail pour lequel tu es payé.

Og Mandino, Le Plus Grand Miracle du Monde

Le désir de contribuer et de servir jaillit naturellement du Soi. Ce n'est pas quelque chose qu'il est nécessaire de forcer ou de diriger. La responsabilité, nous mettant en contact avec notre Soi et notre pouvoir, nous stimule à créer non seulement pour notre propre bien-être, mais aussi pour celui de tous ceux qui nous entourent et celui de la planète. Lorsque le service vient du Soi, il n'attend pas de récompense spéciale. Il trouve sa récompense dans l'expression de lui-même.

Cet **état d'esprit de service et de contribution** peut transformer complètement le travail de tous les jours. Si au sein de notre travail nous avons l'impression de contribuer et d'apporter quelque chose de valable au monde, notre travail, de fastidieux et ingrat, devient enrichissant et épanouissant.

Contrairement à la victime qui sert en s'épuisant (victime martyre) ou en alimentant sa colère (victime sauveteur), lorsque l'on fonctionne dans l'état d'esprit de responsabilité, on est capable de servir réellement à partir du Soi. Nous le faisons alors avec plaisir comme une expression naturelle de notre richesse intérieure. Il n'y a pas ou très peu de fatigue. On n'attend rien en retour, mais comme notre état vibratoire est extrêmement élevé, d'une part nous sommes plein d'énergie et d'autre part, nous attirons à nous une série de récompenses, même si on n'a rien demandé ; ce sont des bonus... C'est ainsi que l'on peut créer une vie pleine de cadeaux : par le service joyeux et le détachement.

Je dormais et je rêvais que la vie était joie.
Je m'éveillai et je vis que la vie était service.
Je servis et je vis que le service était joie.

R. Tagore

Attitude constructive face à l'échec

C'est une des clés du succès. Sachant que tout ce qui arrive dans notre vie est approprié et est là pour nous faire grandir, lorsque nous subissons un échec, au lieu de blâmer le monde entier ou nous-mêmes, nous cherchons à apprendre de ce résultat qui ne correspond pas à ce que nous voulions. Nous cessons de résister à nos soit-disant « échecs », et nous apprenons rapidement par l'expérience qu'ils nous apportent. C'est ainsi que notre succès se construit le plus sûrement.

Dans la direction d'une entreprise, par exemple, le concept de responsabilité nous donnera le maximum de chances de réussite. Les risques de faillite sont beaucoup plus élevés pour une personne atteinte de victimite. Celle-ci en effet s'arrangera inconsciemment pour que les choses tournent plutôt mal afin de confirmer le scénario inconscient. Elle trouvera de très bonnes raisons pour démontrer que c'est la faute des autres, du gouvernement, des employés, des conditions économiques, etc. Lorsque l'on part du principe de responsabilité, on met toutes les chances de notre côté pour réussir, et on réussit souvent par une succession (apparemment) de « heureux hasards ». L'univers semble nous soutenir, quelquefois presque miraculeusement, dans toutes nos entreprises.

Autonomie

Dans ce contexte, nous prenons responsabilité de notre vérité, de notre propre perception de la réalité qui, nous le savons, est limitée. En acceptant de vivre à partir de notre propre vérité et non pas à partir de celle de quelqu'un d'autre, nous mettons notre vérité à l'épreuve de l'expérience de la vie. Ceci nous permet de confronter notre vérité avec la réalité et ainsi de l'élargir de plus en plus ***par notre propre expérience.*** Le processus de croissance se fait ainsi naturellement grâce à cette autonomie de penser.

De plus, nous savons que c'est nous qui sommes en charge de notre destin et personne d'autre. Nous savons que personne ne peut faire notre évolution ni nous « sauver » à notre place. Tout comme un professeur de piano, aussi excellent qu'il soit, ne pourra jamais jouer à notre place, nous savons que c'est par notre pratique de la vie que nous apprenons et perfectionnons notre propre façon de jouer. Nous cessons d'attendre ou d'exiger que les autres fassent notre bonheur ou nous donnent satisfaction d'avance. Nous savons que nous sommes créateurs et que **ce que nous allons trouver dans la vie, comme dans une relation, c'est ce que nous allons y apporter**. Nous arrêtons de chercher des sauveurs qui créeraient notre bonheur à notre place, dans tous les domaines : relations privilégiées, travail, croissance spirituelle, etc.

Le choix de croire ou de ne pas croire est notre propre choix et non pas celui de quelqu'un d'autre. Si nous choisissons de nous laisser inspirer par quelqu'un d'autre, c'est à nous de prendre responsabilité de ce choix et de ses conséquences. Avec le concept de responsabilité, nous prenons l'habitude d'interroger notre sagesse et notre discernement pour diriger notre vie. Nous savons que « ce n'est pas ce qui arrive qui détermine notre vie, mais ce que nous choisissons de faire avec ce qui arrive » et que nous sommes responsables de nos choix.

Nous pouvons bien sûr, aller chercher instruction et enseignement auprès d'autres personnes qui, dans le moment, sont plus avancées ou plus qualifiées que nous dans certains domaines de la connaissance. Il serait ridicule de vouloir réinventer la roue ou les mathématiques sous prétexte d'autonomie. Nos instructeurs sont indispensables pour nous permettre d'avancer plus vite. Mais nous passons l'enseignement reçu au crible de notre propre discernement et de notre propre expérience. Si cet enseignement fait résonner une vérité en nous, alors nous pouvons nous l'approprier et l'utiliser ; sinon nous pouvons le rejeter. C'est nous qui sommes responsables de ce que nous choisissons de faire avec cet enseignement ou les instructions que nous avons reçus. Responsabilité et autonomie vont de pair.

Humilité, capacité accrue d'apprendre

Cette attitude de liberté intérieure et de vraie autonomie est celle qui nous permet réellement d'apprendre. Nous n'avons rien à prouver et nous sommes ouverts à l'expérience et à la découverte.

Dans l'état d'esprit de victime, toute personne possédant d'autres connaissances que les nôtres est inconsciemment et instantanément identifiée à une figure de pouvoir parental. À ce moment-là, au lieu d'être ouvert à l'apprentissage, on va y résister pour se donner l'illusion de l'autonomie. C'est un piège dans lequel on peut facilement tomber au début du travail sur soi. On sent confusément notre désir d'une authentique autonomie mais ce désir sain est récupéré et distordu par nos programmations d'enfance. Il se traduit alors simplement par une résistance à tout ce qui peut ressembler de près ou de loin à une image de pouvoir. Il est important de devenir conscient de ce mécanisme afin d'être en mesure de retrouver une autonomie qui mène à la liberté et ne pas rester dans des mécanismes de la personnalité qui nous emprisonnent. Le contexte de responsabilité est un bon outil pour clarifier cela.

La pseudo-autonomie de la victime en réaction contre l'autorité mène à l'arrogance. La vraie autonomie provenant de l'être intérieur nous permet de laisser s'exprimer en nous une des plus grandes qualités du Soi, à savoir l'**humilité**. Dans cet état de réelle humilité, toutes les plus belles fleurs du cœur et de l'esprit peuvent s'épanouir.

Pouvoir de manifestation sain et harmonieux

Le concept de responsabilité nous permet de reprendre contact avec notre puissance intérieure et notre pouvoir de manifestation. Cela n'est pas contradictoire avec la qualité d'humilité que l'on vient de voir, loin de là. Habitué à fonctionner dans un monde de victimes, on a tendance à associer pouvoir avec violence et agressivité. Le pouvoir issu du Soi, dégagé des programmations du mental inférieur, est un pouvoir sain et harmonieux qui est mis au service du bien de tous. Compagne directe de l'autonomie, et non la moindre, cette conséquence est une bénédiction pour chaque être humain.

Nous cessons de croire que nous sommes impuissants devant toutes sortes de circonstances, comme veulent nous le faire croire souvent certains pouvoirs en place. On nous dit (de façon plus ou moins voilée) : « Restez tranquilles, vous ne connaissez rien. Nous, nous connaissons ; vous êtes faibles, vulnérables et ignorants. Laissez-nous vous défendre, laissez-nous diriger votre vie et décider à votre place. » Cela nous fait recontacter instantanément ce que l'on a entendu dans l'enfance, et c'est pour cela que ça marche. Beaucoup de gens se laissent influencer par ce genre de discours qui ne fait que nourrir l'état d'esprit de victime. Car si les autres dirigent notre vie, on aura de bonnes occasions de se plaindre si les choses ne tournent pas comme on le voudrait ; on trouve ainsi une justification facile à nos sentiments négatifs.

Lorsque nous prenons responsabilité, tout cela se transforme. Nous cessons de nous laisser manipuler et de manipuler les autres. Nous allons chercher la vérité à l'intérieur de nous, parce que nous avons choisi de reconnaître, de déclarer et de manifester notre propre pouvoir. Nous apprenons à ne plus avoir peur du pouvoir des autres, ni du nôtre. Dégagés des traumatismes d'autorité de l'enfance, nous respectons le pouvoir des autres et manifestons le nôtre, dans le respect des différences et l'échange authentique. Nous devenons capables **donner et recevoir du pouvoir**, et nous rendons tout le monde gagnant, y compris nous-mêmes.

Reconnaissant notre pouvoir, nous ouvrons la porte à la manifestation de celui-ci et nous pouvons le mettre en action. **Reconnaître notre pouvoir nous redonne notre pouvoir.**

À partir du moment où nous savons que nous sommes créateurs et que nous avons toute la puissance en nous pour générer une vie qui soit satisfaisante, nous sommes prêts à **agir** pour construire notre vie et jouer gagnant au jeu de la vie, au lieu d'essayer de faire perdre les autres comme le fait la victime. La victime joue perdant. Lorsqu'on a pris contact avec son propre pouvoir, on joue gagnant.

Pouvoir conscient de création

Lorsque nous nous reconnaissons comme créateurs, nous avons déjà mentionné que cela favorise l'identification avec le Soi. Cela nous permet en particulier d'être en contact avec sa puissance créatrice. Nous avons remarqué que les personnes pratiquant le principe de responsabilité arrivaient à **attirer consciemment** des événements, des situations, attirer des gens qui leur sont favorables et générer même ce qui semble être des « miracles » dans leur vie. Tel est le pouvoir de la pensée créatrice.

Ce que l'on pense, on l'attire, on le rend réel, ou on le perçoit comme tel. Si nous sommes persuadés que nous sommes créateurs de notre univers, notre mental va attirer des circonstances pour nous donner raison. Notre mental nous donne toujours raison puisqu'il attire à nous en fonction de ce que l'on croit, ou nous fait percevoir les choses en fonction de ce que l'on croit. Si on croit, par exemple, que les gens sont malveillants, on attirera à soi des gens malveillants ou bien des gens que l'on percevra comme tels. Ainsi, on se prouve à soi-même que l'on a raison : « Les gens sont malveillants ». Ayant prouvé que l'on a raison, on croira encore plus fort à ce que l'on croit. On attirera alors encore plus d'événements ou de personnes dans notre vie confirmant nos croyances. On va ainsi se prouver plus encore que l'on a raison et ainsi de suite. C'est le cycle bien connu de la pensée créatrice. C'est ainsi que nous générons l'expérience de notre univers, à partir de nos pensées conscientes et inconscientes. **Il n'y a pas d'univers limité qui soit objectif**. L'univers ultime est formé de tout. Notre univers personnel est construit par les décisions de notre Soi et par ce que nous attirons par nos pensées conscientes ou inconscientes (dont les programmations dues au passé que notre Soi nous laisse expérimenter). On peut ainsi utiliser ce mécanisme à notre avantage en choisissant les pensées qui nous supportent et créer à partir de ces pensées. En particulier, si nous croyons fermement que nous sommes créateurs, nous allons nous le prouver et être capables de créer de plus en plus facilement ce que nous désirons dans la vie.

Toutes les techniques de visualisation créatrice et de pensée créatrice qui se développent de plus en plus actuellement sont basées sur ce mécanisme. Elles sont infiniment plus efficaces dès que le principe de responsabilité est intégré.

Geneviève est haïtienne, vivant depuis plusieurs années au Canada. Bien que ses revenus ne soient pas très élevés, elle s'efforce chaque année d'envoyer quelque soutien matériel au reste de sa famille vivant en Haïti. Cette année, une de ses tantes vient en visite à New York. Geneviève voit là une possibilité d'envoyer un peu plus de choses que d'habitude à sa famille puisque cette tante pourrait apporter les colis avec elle et le prix du transport serait ainsi économisé.

Pendant des semaines, Geneviève prépare les paquets avec tout son cœur. Le jour du départ arrive et elle se rend à New York pour remettre les paquets à sa tante. Arrivés à la maison, surprise ! Sa tante et son cousin qui l'accompagnait étaient chargés comme des mules. De toute évidence ce gros colis allait faire un excédent de poids et il faudrait payer un supplément. Geneviève n'avait pas les moyens de s'offrir cela. Elle entra en elle-même et se dit : « Les gens de ma famille ont besoin de tout ce que je leur envoie : vêtements, outils de travail, objets matériels, tout cela leur est indispensable. Ils doivent recevoir ce colis. L'Univers est bon et me soutient dans mon action. Je suis capable de faire en sorte que ce colis leur parvienne dès aujourd'hui sans payer un sou de plus. » Cela étant clair dans sa conscience et choisissant de faire confiance absolue en l'Univers et en sa capacité de créer, elle partit pour l'aéroport en compagnie de sa tante et de son cousin. Durant le voyage elle se dit à elle-même : « Je vais souvent dans les aéroports mais je n'ai jamais croisé un ami d'enfance, quelqu'un avec qui je partagerais des souvenirs. J'aimerais que cela m'arrive aujourd'hui. Cela serait quelqu'un qui peut-être pourrait m'aider pour envoyer ce gros colis sans frais supplémentaires. »

Arrivé à l'aéroport, le trio accompagné de deux amies se dirige vers le comptoir pour faire la pesée des bagages. Les parents ne sont pas admis jusque là et doivent laisser aller les deux voyageurs seuls vers le comptoir. Geneviève se tient donc à distance mais s'arrange pour se placer de façon telle qu'elle peut très bien voir ce qui se passe au comptoir. Elle ne participe pas à la conversation des deux amies qui sont restées avec elle, mais au contraire se concentre en fixant les employés qui s'occupent de peser les bagages. Elle se dit en elle-même : « Univers, ferme leur cerveau et parle à leur cœur, fais-leur oublier le poids requis. Ces gens ont besoin d'aide et ce colis passe sans frais supplémentaires. » C'est au tour de sa tante de faire enregistrer ses bagages, et l'employé ne remarque pas l'excédent. Le gros colis est parti !

Malgré toute sa confiance en l'Univers et en sa capacité de créer, Geneviève n'en croyait pas ses yeux. Toute heureuse, elle se remet à parler avec ses deux amies. Elle se prépare à repartir quand son attention est attirée vers une dame qui se tenait pas très loin d'elle. Elle reconnaît la cousine d'une amie chez qui elle a demeuré pendant un certain temps lors de son arrivée à Montréal. Cela faisait vingt-deux ans qu'elles ne s'étaient revues. Elle va la saluer et, très contentes de se revoir, les deux amies commencent à se donner des nouvelles relatives à tout ce qui s'est passé depuis leur dernière rencontre. Lorsque Geneviève lui parle de la raison pour laquelle elle est à l'aéroport cette journée-là et de l'inquiétude qu'elle avait vécu face au colis qui, par la grâce de Dieu, est bien parti, cette dame lui dit :« C'est dommage que je ne vous aie pas vu avant. J'accompagnais aujourd'hui mon cousin qui est médecin et qui prenait le même avion. Il aurait pu facilement prendre le colis dans ses bagages, il n'avait que sa mallette ! »

Geneviève fut capable de créer ce qu'elle voulait, et même plus. C'est ce qui arrive lorsque notre intention est claire et sourcée par notre Soi. Hasard ! diront encore une fois certains. Peut-être. Mais ce genre d'anecdote, relative à toutes sortes de situations et provenant de toutes sortes de gens, se produit trop souvent pour que l'on puisse vraiment parler de hasard. « Créer », pourtant, ne se fait pas n'importe comment. Il y a des lois à connaître ; il y a des conditions précises qui permettent le processus de création consciente. Créer consciemment est un art, mais cela s'apprend et le contexte de responsabilité est une clé qui permet l'apprentissage de cet art.

Les enfants adorent le principe de responsabilité. Il n'est même pas besoin de le leur enseigner intellectuellement. Ils sont encore proches de leur Soi et sentent la réalité de cette attitude. Je me souviens de ma fille, alors qu'elle n'avait pas plus de cinq ans, assise sur le bord de son lit en train de balancer son genou en l'observant. Je lui demandai ce qu'elle faisait. Elle me répondit : « Je crois que je me suis créé un mal de genoux »...

Les enfants vivant avec des adultes qui se comportent réellement en fonction de ce concept bien intégré développent une capacité extraordinaire de créer leur vie comme ils le veulent, car ils sont intimement convaincus qu'ils sont créateurs et qu'ils peuvent être maîtres de leur vie. Ils obtiennent ce qu'ils désirent non pas en forçant quoi que ce soit, mais toujours par une succession d'« heureux hasards ». Ils ne cessent de se démontrer à eux-mêmes qu'ils sont créateurs de leur univers. Ils savent aussi comment créer avec détachement. Cela leur donne énormément de pouvoir personnel.

Accélération du processus d'évolution

Cela est évident après tout ce qui a été dit. À partir de ce contexte, sachant que ce que nous créons à l'extérieur n'est que la manifestation de l'état de notre conscience, nous utilisons tous les événements de notre vie pour mieux nous comprendre nous-mêmes, mieux comprendre les autres et la vie en général et ainsi en acquérir la maîtrise. L'évolution étant un processus de désidentification de la personnalité au profit d'une identification de notre conscience à notre Soi, le concept de responsabilité accélère ce processus.

Vitalité, énergie et santé

Les émotions négatives générées par la victimite sont source de toutes sortes de maladies, comme nous l'avons vu précédemment. Le concept de responsabilité-attraction-création, au contraire, est générateur d'un état d'esprit très positif qui nous fait nous sentir bien. Toute l'énergie utilisée lors de la victimite est maintenant disponible pour créer notre bien-être et notre satisfaction. Quatre-vingt-dix pour cent de notre fatigue provient du fait que nous résistons à la vie. Lorsque nous arrêtons de résister à la vie et que nous acceptons de couler avec le flot, une énergie extraordinaire nous est accessible.

Lorsque ce type d'énergie nous est disponible, nous avons toutes les chances d'être en **bonne santé** non seulement morale mais aussi **physique**. Quand les médecins ajouteront à leurs connaissances de bonnes techniques de dépistage et de soins de la victimite, il y aura beaucoup moins de gens malades, la plupart des maladies étant générées par une accumulation d'émotions négatives refoulées. Au lieu de prescriptions de pilules, on pourra, par exemple, donner des prescriptions de responsabilité à prendre quelques gouttes par jour jusqu'à rétablissement complet...

Le pouvoir de choisir

Le contexte de responsabilité nous redonne en particulier un des plus grands pouvoirs de l'être humain, à savoir le pouvoir de choisir. En utilisant ce pouvoir avec sagesse nous pouvons expérimenter la vie plus consciemment et de cette façon évoluer beaucoup plus rapidement.

En tant que victime, nous nous sentons impuissants, emprisonnés au sein d'un monde absurde. Le contexte de responsabilité, au contraire, nous fait sentir qu'à chaque instant **nous avons le pouvoir de choisir et de rechoisir notre vie.** Il y a certes des situations difficiles, mais étant en contact avec notre pouvoir, nous sommes capables de contacter une grande force intérieure qui nous permet d'y faire face. Ce sentiment d'être à la source de notre vie nous redonne tout le sens de la grandeur et de la dignité de notre propre humanité.

Conclusion
...et pourquoi pas la paix sur la terre

Le paradigme de responsabilité-attraction-création, bien intégré dans son sens le plus complet, apporte paix, santé, bien-être, joie, amour, liberté et pouvoir dans notre vie et dans celle des autres. Ce principe rend tout le monde gagnant.

Comparé à l'état d'esprit peu développé de la victime qui permet aux réactions émotionnelles de diriger notre vie, c'est un état d'esprit adulte qui permet d'obtenir de plus en plus de maîtrise de nous-mêmes. C'est un moyen puissant pour accélérer notre processus d'évolution.

Selon la Constitution de l'Unesco, *« Les guerres prenant naissance dans l'esprit des hommes, c'est dans l'esprit des hommes que doivent être élevées les défenses de la paix. »* On comprend facilement combien le paradigme de responsabilité-attraction-création peut faciliter l'installation d'une nouvelle qualité de relations entre les êtres humains. Le dégagement des émotions négatives et l'épanouissement de l'être au niveau personnel ne peuvent faire autrement qu'entraîner des conséquences extrêmement positives au niveau collectif : social, national et international. Ce qui se passe à l'extérieur dans le monde n'est que le reflet de l'état de conscience de l'humanité. Ce n'est que par un changement de conscience personnel d'abord, devenant naturellement collectif par la suite, que l'on peut changer les événements extérieurs. Lorsque les êtres humains choisiront des paradigmes leur permettant de vivre en paix avec eux-mêmes et avec leur prochain, nous aurons la possibilité de construire un monde de compréhension, d'entraide, d'harmonie, de beauté et de joie, au sein duquel règnera la paix entre les peuples. Le paradigme de responsabilité-attraction-création est un de ceux-là.

Ce paradigme étant relativement nouveau dans la conscience collective, il est important de bien en saisir tous les aspects. C'est pourquoi, dans le chapitre suivant, nous présenterons quelques-unes des questions qui nous ont été le plus souvent posées lors de la présentation de ce principe, et les réponses qui peuvent y être données.

CHAPITRE XII

QUESTIONS ET RÉPONSES

À propos du principe de responsabilité-attraction-création

Ces questions sont celles qui, en essence, nous ont été posées le plus souvent lors de notre présentation du principe de responsabilité. Cela recoupera peut-être quelques fois l'exposé général, mais pourra également l'éclaircir.

Question 1 : *Je me suis retrouvée veuve à l'âge de 45 ans, alors que j'aimais beaucoup mon mari. Vous n'allez tout de même pas me dire que c'est moi qui ai attiré sa mort?*

La façon dont la question est posée montre qu'il y a confusion entre attirer un événement dans sa vie, et le provoquer physiquement. Nous répondrons la chose suivante : à moins que vous n'ayiez mis de l'arsenic dans sa soupe, ou que vous vous soyiez conduite intentionnellement d'une façon telle que vous avez complètement épuisé ce pauvre homme, ce n'est pas vous qui l'avez fait mourir. Par contre, si l'on part du principe de responsabilité, il est vrai que c'est vous (au niveau de l'âme) qui avez accepté la possibilité d'avoir cette expérience dans votre vie. Comment et pourquoi, me direz-vous, alors que vous l'aimiez et que vous auriez tant souhaité passer vos vieux jours ensemble?

Le **pourquoi** qui vous est spécifique, nous ne pouvons pas le connaître instantanément. Il faudrait étudier tout votre passé psychologique et karmique, ainsi que votre niveau d'évolution. Nous avons vu précédemment que les « pourquoi » peuvent être très complexes. Mais on peut dire que, si vous avez attiré cet événement dans votre vie, c'est qu'il y a là quelque chose à expérimenter pour vous que vous n'auriez probablement pas pu expérimenter autrement, quelque chose qui est le résultat global de toutes vos expériences passées et de votre potentiel à venir, quelque chose qui est le résultat de l'état énergétique global de tous vos corps. Il faut se souvenir que le but de notre vie est d'évoluer et d'assouplir notre personnalité pour se rapprocher du bonheur et de la béatitude de notre Soi, et non pas d'avoir une petite vie confortable et agréable qui nous garde finalement emprisonnés dans les limites de notre ego.

Le **comment :**

Il semblerait, d'après ce principe, que j'avais besoin de me retrouver veuve à cette étape de ma vie pour apprendre quelque chose, ou développer certaines qualités. Je pourrais le comprendre. Mais comment ai-je pu attirer un événement qui implique aussi une autre personne? Mon mari aurait-il été victime de mon Soi qui voulait qu'il meure pour que je puisse, moi, évoluer?

Votre mari avait tout simplement choisi, au niveau de son propre Soi, et non évidemment au niveau de la personnalité, de mourir à cette période de sa vie. La mort n'est jamais provoquée par erreur. C'est un événement trop important pour être laissé au hasard et notre Soi y veille. Cela ne veut pas dire que la date exacte de notre mort soit fixée nécessairement d'avance. Il y a des possibilités de date de départ du monde physique **dépendant des différents choix** que nous aurons faits tout au long de notre vie (mais non pas dépendant du hasard). N'oublions pas que nous avons toujours le choix d'accélérer ou de ralentir notre évolution. Avant que vous ne rencontriez cet homme, vos « Soi » s'étaient rencontrés et connaissaient vos possibilités respectives d'expérience (l'une des vôtres étant, par exemple, de vivre éventuellement une expérience de solitude, le sien comportant la possibilité d'un départ précoce), ainsi que vos liens karmiques. Si la rencontre a pu se réaliser dans le monde physique et que vous avez pu vous marier, c'est que vos « Soi » étaient d'accord, connaissant les possibilités d'expériences que vous aviez choisies pour le futur (nous disons bien « possibilités »).

Ce n'est donc pas vous qui avez fait mourir votre mari. Personne ne peut provoquer la mort de qui que ce soit sans qu'il y ait consentement de la personne, à un niveau très élevé peut-être, mais il doit y avoir consentement quelque part. Votre mari est totalement responsable de sa propre mort. Vous vous êtes tout simplement arrangée pour vous marier avec quelqu'un qui avait choisi de partir tôt afin d'expérimenter ce que vous aviez à expérimenter.

Si vous acceptez cela, il vous sera beaucoup plus facile d'accepter le départ de votre mari. Cela ne veut pas dire que vous ne ressentirez pas de la peine. Il est important de reconnaître et se laisser vivre cette peine. C'est tout à fait normal et humain. Mais cette peine ne sera pas exacerbée par des sentiments d'injustice, d'amertume, de « pauvre moi » qui mènent si souvent à la dépression. Votre peine sera une expression humaine de l'amour que vous portiez à votre mari, elle sera plus douce et vécue dans l'acceptation de l'amour inconditionnel. Elle se transformera bientôt en sérénité si vous arrivez à accepter totalement le choix de votre mari. Et celui-ci, là où il se trouve actuellement, n'en sera que plus heureux.

Si vous n'acceptez pas cela, alors vous pouvez passer le reste de votre vie à gémir sur votre sort et sur le malheureux hasard qui vous a retiré votre mari trop tôt à votre goût. D'une part, vous allez vous faire souffrir vous-même en alimentant ces pensées. D'autre part, en bloquant ainsi votre énergie dans les émotions négatives, vous perdez l'occasion de développer des qualités d'ouverture à l'amour inconditionnel, par exemple, ou à d'autres qualités du même genre, que votre Soi aimerait pouvoir manifester. Mais l'univers n'est pas pressé. Et si vous refusez d'apprendre la leçon ou de développer ces qualités lors de cette occasion qui vous est donnée, l'expérience (peut-être sous des circonstances différentes, mais l'essence sera la même) vous sera présentée encore et encore, dans cette vie ou dans la prochaine. Autant être au courant tout de suite.

Question 2 : *Puisque chacun est totalement responsable de sa propre mort, cela veut-il dire que je peux sortir mon fusil et aller assassiner n'importe qui impunément et que ceux qui se trouveront à recevoir une balle mortelle l'auront voulu quelque part ?*

Il y a deux parties dans cette question.

Considérons d'abord la deuxième : « ceux qui recevront une balle mortelle l'auraient voulu quelque part ». Nous dirons plutôt qu'ils auraient accepté d'avance que cette possibilité se présente dans leur vie, ceci au niveau du Soi encore une fois (karma individuel ou collectif). Sinon leur Soi ne leur aurait pas permis de sortir cette journée-là et de nous rencontrer. Ce n'est évidemment pas au niveau de la personnalité consciente que ce choix se fait en général.

Pour ce qui est de la première partie : « je peux aller assassiner n'importe qui impunément », la réponse est NON. Le respect de l'intégrité physique d'un être humain est sacré, et c'est une des lois universelles que nous devons apprendre à respecter. La violence et l'agressivité, qui sont en général à la source d'actes criminels, ne proviennent pas de la volonté de notre âme. Si un individu agit ainsi, c'est qu'il est coupé de la volonté de son Soi, donc qu'il a un apprentissage à faire. Alors la loi du retour va entrer en action, d'une façon qui ne sera pas nécessairement très tendre. L'univers est d'une rigueur absolue, tout comme le Soi. Ces sentiments de violence et la transgression de la loi seront enregistrés dans son système énergétique et, tôt ou tard, il s'attirera des circonstances qui l'amèneront, bon gré ou mal gré, à changer de conscience, à rectifier son comportement et à développer le respect de tout être humain. Son comportement ainsi modifié, la volonté de son Soi pourra se manifester. On ne peut donc en aucune façon transgresser impunément les lois naturelles de l'univers, car ainsi que nous l'avons mentionné précédemment, dans cet univers existe une justice absolue.

Question 3 : *Puisque, d'après ce principe, l'univers se charge toujours de rectifier le comportement des « méchants », cela veut-il dire que la justice humaine, avec ses lois et son système de protection de l'honnête citoyen, est inutile ?*

La justice humaine, malgré toutes ses imperfections, est nécessaire car elle fait partie de la loi du retour. C'est une expression partielle et bien imparfaite encore, il faut le reconnaître, mais néanmoins utile, de la « justice » divine. En tant qu'êtres humains, nous générons une justice humaine correspondant à notre niveau de conscience collectif. Plus nous serons évolués collectivement, c'est-à-dire collectivement en contact avec nos Soi, et plus notre justice humaine se rapprochera de la perfection de la « justice » divine. C'est l'un des défis de l'humanité actuelle d'arriver à être capable de se munir d'une justice humaine qui soit basée sur la sagesse, l'intégrité, la connaissance et la compassion ; une justice qui soit basée plus sur l'aspect rééducation que sur l'aspect punition.

Mais l'évolution se fait pas à pas ; même les plus belles fleurs prennent du temps à pousser. L'état actuel de la justice humaine, dans ses bons et moins bons côtés, n'est que le reflet de l'état de la conscience collective. Au fur et à mesure que cette conscience change, les institutions créées par les hommes se transforment pour le meilleur. On a pu déjà constater cette évolution au cours de l'histoire de l'humanité. On n'est plus au stade du « œil pour œil, dent pour dent » (au moins pour une certaine partie plus consciente de l'humanité). Il est certain qu'il reste encore beaucoup de progrès à faire. En attendant, la justice humaine, telle qu'elle est, a sa place et son utilité dans le processus évolutif de l'humanité.

Question 4 : *Devra-t-il y avoir en permanence des voleurs et des assassins pour faire subir le même sort à ceux qui ont volé ou assassiné dans le passé afin qu'ils apprennent leur leçon ?*

Non, car la loi du retour est une loi complexe qui ne se réduit pas à une action strictement mécanique, loin de là.

Rappelons que la loi du retour n'agira tout simplement plus si l'individu prend conscience de son erreur ou de son ignorance et qu'il choisit volontairement de respecter cette loi qu'il a transgressée. C'est en fait sur cette base, qui a été oubliée depuis longtemps, qu'a été construit le principe du repentir. Celui-ci a ensuite été chargé de culpabilité et d'irresponsabilité et a perdu son sens premier. Mais au départ, le principe était sain. La loi du retour est une loi d'éducation et d'amour, et non de punition. Donc la « leçon » peut être apprise avant que la loi du retour n'entre en action, ceci par un travail personnel sur soi ou une prise de conscience spontanée.

D'autre part, le retour n'est pas nécessairement (et même de plus en plus rarement) une réplique exacte de ce qui a été fait par le passé. Des conditions bien différentes que le fait de se faire assassiner peuvent apprendre à un ex-assassin, par exemple, la maîtrise des émotions négatives et de la violence, la découverte de la paix intérieure et la valeur du respect et de l'amour (ne jugeons personne, nous avons tous agi ainsi à un moment ou à un autre de notre évolution). Ce peut être même des conditions opposées, car les personnes les plus violentes sont souvent celles qui ont le plus manqué d'amour. Des circonstances au cours desquelles la personne découvrira l'amour pourront être les circonstances appropriées pour dissoudre la violence intérieure.

Au fur et à mesure que l'humanité avance, la puissance de l'amour se fera sentir de plus en plus et les apprentissages se feront plus sous cette influence que par des moyens plus bruts qui étaient nécessaires lorsque l'humanité était moins avancée.

Question 5 : *Que dire de ce qui arrive aux enfants battus ou maltraités ? Comment un enfant peut-il s'attirer cela ?*

L'enfant est un être en évolution, avec beaucoup de vies et d'expériences vécues derrière lui. Comme les adultes, il est un Soi, une âme, qui momentanément habite un petit corps physique. **La puissance et la conscience de son Soi n'en sont pas moins totalement présentes**. Il fait pour l'instant l'expérience de la vulnérabilité physique et psychologique. L'enfant a attiré vibratoirement ses parents en sachant, au niveau du Soi, qu'il y avait des possibilités pour que de tels traitements lui soient infligés.

Mais comment le Soi, dans tout son amour, peut-il tolérer qu'un enfant soit battu ? C'est que l'amour du Soi pour son instrument est beaucoup plus grand et voit beaucoup plus loin que ce que nous pouvons évaluer avec notre conscience ordinaire. Le Soi connaît le passé de l'enfant, ses dettes karmiques, ses forces intérieures et ses faiblesses, ses nécessités et ses choix d'apprentissage. Le Soi veut que nous arrivions à la puissance et la liberté, et s'il faut que nous vivions des difficultés pour cela, c'est ce qui sera présenté.

À partir de ces expériences et en fonction de son degré d'évolution, l'enfant se programmera et décidera de son avenir. Il est bien connu qu'il existe ce qu'on appelle des « enfants incassables ». Après une enfance très dure, ces enfants deviennent des adultes présentant de remarquables qualités humaines : compassion, capacité d'initiative, courage, force intérieure, persévérance, intégrité et service à la communauté. Ils deviennent parfois même des bienfaiteurs. D'autres, moins évolués peut-être, choisissent, à l'état adulte, de continuer le cycle de la violence. Mais tout est parfaitement ordonné et chaque apprentissage se fait en son temps.

La compréhension de ce fait nous permet d'accepter l'enfance que nous avons eue telle qu'elle a été, et d'utiliser les difficultés éventuellement vécues alors, non pour nous plaindre ou blâmer nos parents ou la société, mais pour développer des qualités de notre Soi.

Il est important de **joindre à cette réponse celle de la question suivante** pour faire un tout cohérent.

Question 6 : *Cela veut-il dire que l'on ne doit pas protéger les enfants ou les personnes maltraités, puisqu'apparemment ils auraient besoin de cela pour « apprendre » ?*

Si nous apprenons qu'un enfant est maltraité, il est de notre devoir (c'est la volonté de notre Soi) de le défendre avec toutes les ressources dont nous disposons. L'enfant a subi certains mauvais traitements avant que nous en soyions informés, mais est-ce à dire que cela doit continuer ? Probablement pas, car si nous prenons connaissance de ses difficultés, c'est qu'il nous a attirés dans sa vie pour possiblement lui venir en aide, le protéger et éventuellement le sortir de là. Si nous refusons de l'aider, nous transgressons une loi universelle d'aide à ceux qui souffrent et à notre tour nous devrons apprendre par la loi du retour.

Toutes les institutions pour protéger les personnes maltraités sont une expression collective de l'aide que l'on désire apporter à ceux qui souffrent. C'est une expression du Soi. Plus il y aura de telles institutions, plus il y aura d'êtres humains prêts à aider d'autres êtres humains, c'est-à-dire plus il y aura d'amour manifesté sur cette planète et moins il y aura de violence et de souffrances. Mais tout ceci à condition que cela soit fait dans l'état d'esprit de responsabilité personnelle et collective, et non pas dans un état d'esprit de victime qui ne ferait que maintenir les personnes aidées dans l'impuissance et finalement nourrirait la violence inconsciente comme on l'a vu lors des chapitres précédents.

Donc si nous nous trouvons en face de quelqu'un dans la souffrance ou dans le besoin, se détourner de lui en déclarant qu'il s'est attiré cela pour grandir et ne rien faire pour l'aider est une compréhension erronée du principe de responsabilité ainsi que nous l'avons mentionné au chapitre IX. Il est vrai que la personne, enfant ou adulte, s'est attirée ces circonstances difficiles, mais elle s'est attirée également des possibilités d'aide, en l'occurrence nous, que nous devons honorer. Et c'est peut-être en recevant cette aide, preuve d'amour, qu'elle assimilera le mieux l'expérience qu'elle a dû subir précédemment. C'est le temps où jamais de mettre en action la loi de l'amour inconditionnel et de la compassion pour ces frères et sœurs qui luttent et avancent avec nous sur le chemin. Si momentanément nos conditions sont meilleures que celles d'autres personnes, c'est une occasion pour nous de mettre en action la loi naturelle de fraternité et de support envers d'autres qui, pour le moment, connaissent un chemin plus difficile.

Nous ne pouvons nous-mêmes avancer sur le chemin que dans la mesure où nous apprenons à aider les autres par amour et sans attachement. Cela fait partie de notre apprentissage. Les opportunités d'apprentissage ne se présentent pas toujours sous forme d'expériences difficiles, loin de là. Elles peuvent se présenter justement sous forme de conditions de vie faciles en tant qu'occasions d'apprendre à donner et à aider. Et si, lorsque nous sommes dans l'abondance, nous refusons de donner du support à ceux qui sont réellement dans le besoin, alors il est possible qu'un jour nous devions à notre tour expérimenter le besoin pour apprécier ce qu'est la générosité et développer la gratitude. Ceci est valable au niveau personnel tout comme au niveau collectif et international.

Question 7 : *Les gens qui meurent de faim dans le Tiers-Monde ont-ils vraiment choisi cela?*

Le lieu d'incarnation est choisi avec soin par le Soi. On ne s'incarne pas n'importe où, ni avec n'importe qui. Les individus qui s'incarnent dans le Tiers-Monde ne sont pas là par hasard. Certains des plus évolués s'incarnent là pour aider cette grande masse souffrante à sortir de sa misère. D'autres choisissent ces conditions car ils doivent, pour une raison ou pour une autre, soit karmique, soit due au degré d'évolution, expérimenter la pénurie physique et ce type de vie. Est-ce à dire que nous devons les laisser se débrouiller tout seuls puisqu'ils ont choisi ces conditions? Absolument pas, la fin de la réponse à la question précédente s'applique totalement ici, au niveau collectif cette fois-ci. Si nous, bénéficiaires de l'abondance du monde nord-occidental, ne faisons rien pour apporter un réel support à nos frères moins fortunés, alors nous devrons apprendre la leçon de la solidarité d'une façon ou d'une autre.

Jusqu'à présent il y a eu des élans d'aide plus ou moins efficaces, et aussi beaucoup d'exploitation. Cela ne pourra durer encore longtemps. Nous allons devoir apprendre à donner du support aux moins favorisés. Et supporter, rappelons-le encore une fois, ne veut pas dire aider en rendant les autres dépendants ; supporter veut dire aider en redonnant le pouvoir à l'autre. Autrement dit, ce que nous devons faire, au lieu de donner des miettes qui maintiennent ces pays dépendants, c'est de leur donner le pouvoir de s'auto-gérer et de créer leur propre abondance. Cela demande de la part de nos gouvernements confiance, générosité et amour. Les gouvernements sont au niveau de conscience de la masse qui les a élus. Si nous sommes assez nombreux à manifester les qualités du Soi, alors nous aurons peut-être des gouvernements plus généreux.

Question 8 : *Si la volonté de notre Soi est de respecter l'intégrité physique de tout être humain, cela veut-il dire qu'il ne faut jamais se battre ?*

Le Soi est effectivement opposé à la violence, mais saura utiliser la puissance et la force si cela est nécessaire pour faire respecter ses valeurs. La plupart du temps on confond force et violence, car jusqu'à présent les être humains, pris dans leur conscience inférieure, ont utilisé leur force en manifestant de la violence. Or ces deux aspects sont indépendants en essence. Un exemple simple illustrera ce point : si je vois un adulte qui frappe un enfant et qu'après avoir essayé de le raisonner il continue à frapper, mon Soi est tout à fait d'accord pour que j'utilise ma force physique et que je donne même un coup de poing à cette personne pour arriver à dégager l'enfant, quitte à prendre le risque de recevoir un coup de poing moi-même. Cela s'appelle avoir du courage et savoir défendre un idéal, une valeur qui est une valeur de notre âme. Refuser d'utiliser la force à tout prix peut être non pas signe de réelle bonté mais une couverture pour les peurs et la lâcheté de la personnalité.

Ce qui détermine la valeur d'une action, ainsi que ses conséquences karmiques, n'est pas l'apparence extérieure de cette action, aussi « bonne » ou « mauvaise » qu'elle puisse paraître à la perception limitée de l'être humain moyen, mais plutôt **l'intention** réelle qui provoque cette action. On peut utiliser la force avec amour et respect, on peut être doux et pacifique par peur, faiblesse ou manque de vision. C'est dans le secret de notre cœur que nous devons savoir reconnaître la motivation profonde de nos actions. Sommes-nous motivés par l'impulsion, le courage, la vérité de notre âme, ou bien par la peur, la recherche du confort et les programmations limitées de notre personnalité ? De cela découlera la réelle valeur humaine et karmique de nos actions.

Il n'y a donc pas de règle extérieure. **C'est à l'intérieur de la conscience de chacun que le jeu se joue.**

Question 9 : *Si tout ce qui doit se présenter dans ma vie est déjà programmé en potentiel dans mon système énergétique personnel en fonction de mes apprentissages passés, cela veut-il dire que je n'ai rien à faire qu'à attendre que cela arrive ?*

Il est vrai que tout notre passé est inscrit dans notre système énergétique et aura tendance à attirer à nous les circonstances qui vont nous permettre, si nous le voulons, d'expérimenter et d'apprendre à partir de ces circonstances. Mais nous avons la liberté d choix, et ceci de deux façons.

D'une part, nous sommes libres d'apprendre ou de ne apprendre. Si nous refusons d'apprendre, la situation, dans so sence psychologique, se représentera jusqu'à ce que nous vc bien l'utiliser pour notre croissance. C'est d'ailleurs ce qui e pourquoi, même dans une seule vie, certaines personnes constamment le même genre de situation. Lorsqu'u situation se répète constamment, ce n'est pas un mauvais sort, c'est plutôt qu'il y a quelque chose à apprendre qui n'a pas été encore intégré. Mais nous sommes libres de prendre l'occasion ou non.

D'autre part, si, volontairement et consciemment, nous choisissons de faire un travail d'ouverture de la conscience, de contact plus étroit avec la volonté de notre âme sans attendre que des situations extérieures nous y obligent, nous transformons notre conscience, donc notre système énergétique, et le potentiel d'attraction de certains événements disparaît. **Nous avons toujours la possibilité de modifier le contenu de notre système énergétique** à partir des différents choix que nous faisons, et **par conséquent, nous avons la possibilité de modifier ce que nous allons attirer à nous,** ceci à chaque instant. **Nous avons donc la possibilité de modifier notre futur, de créer notre avenir.** Rien n'est absolument déterminé d'avance. Plus notre conscience est éveillée et plus nous avons **le pouvoir de choisir.**

C'est en fait pour cela que nous sommes ici : pour apprendre à devenir des créateurs conscients. Et cela peut se faire volontairement par un changement conscient de contexte de pensées et un travail sur soi (c'est la façon « bon gré », accélérée), ou bien de par les leçons de la vie (la façon lente, « mal gré »).

Question 10 : *Étant donné que je ne sais pas tout ce que j'ai faire dans mes vies passées, il risque bien, maintenant, de 'importe quoi. À quoi cela m'avance-t-il de savoir que c'est ut cela ?*

ne va pas vraiment nous arriver n'importe nivers, ce qui nous est présenté est ce que dre, puisque le but du plan est un but n ne propose pas à un enfant qui est en n à apprendre correspondant au niveau vons donc faire confiance en la vie : ce qui se présente à nous est parfaitement approprié et à notre mesure, ni plus ni moins.

De plus, le fait de savoir que nous sommes créateurs nous permet de réaliser en même temps que nous avons le pouvoir de défaire ou de transformer ce que nous avons créé. Cela nous donne la certitude que nous pouvons choisir et recréer notre vie volontairement et consciemment. Et c'est là que le jeu devient intéressant. Nous ne subissons plus le jeu, nous y participons de façon active et créatrice. Nous existons vraiment.

Question 11 : *Arriverons-nous finalement à être diplômés de cette école de la vie et pourrons-nous alors nous reposer sur nos lauriers ?*

Selon les Maîtres de la Sagesse qui nous enseignent depuis des millénaires à travers toutes les cultures et les différentes traditions, tout comme à l'école (si on veut utiliser cette image), ce n'est pas parce que nous avons fini les cours de base et obtenu un certain « diplôme » que nous allons arrêter de chercher et de découvrir. Tout comme un chercheur diplômé, nous continuons à « étudier », expérimenter et découvrir dans le domaine qui nous intéresse. Les richesses de l'univers sont infinies. Par contre, avec l'ensemble de « connaissances » et d'expériences que nous aurons accumulées, au lieu de ne faire qu'étudier, nous serons en mesure d'apporter un service de plus en plus grand et efficace dans le monde qui nous entoure. On ne se reposera donc pas vraiment sur nos lauriers, mais on aura plutôt tendance à **apporter une contribution plus grande à l'humanité**, tout en continuant nos propres expériences et nos propres recherches.

Il y a pourtant une différence à partir du moment où
« cycle d'étude » est terminé, c'est-à-dire à partir du moment o
personnalité est devenue un instrument parfait de l'expression
volonté de l'âme. On nous dit qu'à ce moment-là, les règles so
férentes (comme lorsque l'on est sorti de l'école) et que, par e
la loi de la réincarnation n'est plus nécessaire. La réincarna

être alors rechoisie en toute liberté et en toute maîtrise par ceux qui désirent revenir dans le monde physique pour guider leurs frères et sœurs moins avancés sur le chemin (comme certains élèves deviennent professeurs et restent dans le cadre de l'école pour enseigner, si l'on veut utiliser cette image). D'autres choix peuvent être faits afin de continuer nos expériences ailleurs.

Il arrive donc effectivement un temps où l'on est « diplômé » de cette école de la vie, dans le sens où l'on est arrivé à construire une personnalité qui manifeste parfaitement la volonté de notre âme. À travers de nombreuses vies, on a développé en particulier une grande capacité de contribution au monde. Nous avons partagé nos richesses avec les autres et fait une différence sur cette planète. Lorsque les capacités d'**aimer et de servir** ont été pleinement épanouies et que l'âme a la maîtrise totale de tout son véhicule, alors si on veut, on peut passer à autre chose. Ceci demande que la conscience soit extrêmement développée, car c'est la transformation de conscience qui libère du karma et de la nécessité de nouvelles expériences physiques. Le choix que nous avons concerne simplement la vitesse avec laquelle nous désirons réaliser cette transformation. En principe, cela peut se faire en un instant. En pratique, on a remarqué que cela prend du « temps » pour arriver à une maîtrise parfaite de la personnalité. Mais tôt ou tard, le moment de la grande libération se présentera, si nous le désirons.

Question 12 : *Comment peut-on attirer un événement dans …urs personnes sont impliquées ?*

…le énergétique permet de donner une idée de la …t se produire. Nous sommes tous des unités …des corps vibrant à différents niveaux d'éner…t le reflet exact de toute notre évolution … que nous avons à développer. Nous …el qui « attire » à nous les circonstances, … permettront de faire les expériences dont nous avons besoin pour actualiser ce potentiel. Or, nous baignons dans ce qu'on appelle le Champ d'Énergie Universelle qui nous relie tous énergétiquement de façon instantanée. Si donc il est temps pour nous d'expérimenter un certain type de circonstances, nous sommes instantanément mis en rapport avec toutes les personnes qui sont vibratoirement attirées pour faire une expérience du même type ou complémentaire à la nôtre.

Voici un exemple simple : Un groupe de trois amis gagne le gros lot de plusieurs millions à la loterie. Qui a attiré cet événement dans leur vie? Selon le principe de responsabilité-attraction-création, chacune des trois personnes a attiré, pour elle-même, cet événement. Si l'une d'entre elles ne devait pas faire l'expérience de cette rentrée d'argent imprévue alors que les autres devaient la faire, elle ne se serait pas jointe au jeu cette fois-là pour une raison ou une autre. Personne ne peut nous empêcher de gagner à la loterie, par contre personne ne peut nous faire gagner si ce n'est pas ce que nous devons expérimenter. Nous n'attirons que ce qui est approprié pour nous.

Un autre exemple volontairement très simple et en partie symbolique : Julie a un beau petit chat qu'elle aime beaucoup. Elle n'a jamais osé le laisser sortir de chez elle car elle habite au bord d'une grande route très passante où la circulation est très rapide. Par une belle journée de printemps elle laisse sa porte ouverte et son chat en profite pour sortir de la maison. En essayant de traverser la route, il se fait écraser. Qui est responsable de la mort du chat? Julie pour avoir laissé la porte ouverte? le chauffeur de l'auto pour ne pas avoir été attentif et avoir roulé trop vite? le chat pour ne pas avoir été assez prudent lorsqu'il a voulu traverser la route? Qui a provoqué cet incident?

Selon le principe de responsabilité-attraction-création, nous dirons que chacun des participants est totalement responsable et créateur de ce qui s'est passé, et responsable et créateur de son expérience. Il y avait ce matin-là, dans les possibilités d'expérience pour Julie, celle de perdre un animal qu'elle aimait beaucoup. Il y avait dans les possibilités d'expérience du chauffeur, celle d'expérimenter d'écraser un chat avec son auto. Il y avait dans les possibilités d'expériences du chat, celle de mourir écrasé cette journée-là (le chat, n'ayant pas encore de conscience individuelle étant donné son appartenance au règne animal, fera son expérience d'une façon différente des humains). Chacun des protagonistes a choisi quelque part dans sa conscience de vivre ces expériences. Le temps était venu pour chacun, et ce choix s'est transmis instantanément à travers le Champ d'Énergie Universelle afin que l'événement physique se produise. Si cet événement se produit pour chacun des participants, c'est que chacun était prêt à attirer ce type d'expérience pour cette journée-là.

Un événement impliquant plusieurs personnes ne peut advenir que si chacune des personnes a donné quelque part son consentement pour que cet événement se produise dans sa vie. Le Champ d'Énergie Universelle est comme un gigantesque ordinateur fonctionnant à une vitesse supérieure à celle de la lumière, et toute l'information est connue instantanément pour que les événements extérieurs se produisent. Aucun événement extérieur n'est le fruit du hasard.

Nous mentionnerons malgré tout que, l'humanité faisant partie d'un vaste complexe cosmique, les événements ne sont pas tous reliés aussi directement à la volonté humaine ou même au choix de quelques Soi. Mais c'est aussi le choix de nos Soi de faire partie de cette grande famille cosmique. C'est pour cela qu'il est vain de chercher des explications trop simples et définitives au niveau rationnel car la mécanique cosmique est extrêmement sophistiquée. Pourtant, en ce qui concerne notre propre évolution, nous pouvons commencer à percevoir quelques principes universels que nous pourrons ensuite élargir au fur et à mesure que notre conscience se développera. C'est en ce sens que le concept de responsabilité est très utile, car il ouvre la porte sur de vastes et magnifiques horizons du développement de la conscience humaine qu'il nous reste à découvrir.

Question 13 : *N'y a-t-il pas quand même de vraies victimes sur cette planète?*

Oui et non, cela dépend de ce que l'on entend par victimes. Si victime fait immédiatement penser à sort injuste, alors dans ce sens il n'y a pas de victimes car il n'y a pas de sort injuste (à partir du contexte de responsabilité). Par contre, il y a définitivement beaucoup de personnes qui doivent subir des épreuves extrêmement douloureuses, qui ont réellement besoin d'assistance et de réconfort et que nous devons aider. Nous pouvons les considérer comme « victimes », bien que nous éviterons d'utiliser ce mot dont le sens est trop chargé. Afin d'éviter la confusion, nous préfèrerons les considérer comme créatrices, à qui nous pouvons offrir généreusement notre amour et notre support pour les aider à passer à travers les épreuves difficiles qu'elles doivent confronter à ce moment précis de leur évolution.

Question 14 : *Pour moi le principe de responsabilité est accepté, je le mets en pratique chaque jour et cela facilite énormément ma vie. Mais que faire lorsque l'on se trouve face à une « victime professionnelle » (victimite aiguë ou chronique)? Dois-je essayer de lui expliquer le concept de responsabilité?*

En général, nous répondrons non. Ce contexte de pensées n'est pas facile d'accès et est très confrontant pour quelqu'un qui a passé toute sa vie et toutes ses énergies dans une attitude de victime. Donc il vaut mieux se taire à ce niveau-là et prêcher par l'exemple. Par contre, il y a une façon de donner du support à une personne atteinte de victimite sans nécessairement lui expliquer toute l'histoire.

Tout d'abord éveiller la compréhension et la compassion dans notre cœur et reconnaître la souffrance ou l'insatisfaction dont la personne se plaint. Car cette personne atteinte de victimite souffre vraiment. Même si ce n'est pas pour les raisons qu'elle pense, sa souffrance est réelle dans son expérience. La situation est difficile pour elle, et nous le reconnaissons. **Nous ne la jugeons pas**, nous ne faisons que reconnaître ce qui est réel pour elle dans ce moment-là, à savoir sa souffrance. La personne se sent alors respectée et écoutée parce que nous la respectons vraiment dans son expérience et **nous l'écoutons**. Cependant, nous n'irons pas jusqu'à participer aux gémissements ainsi qu'au blâme de quoi ou de qui que ce soit. Mais ce n'est pas tout.

Ensuite, nous pouvons demander à la personne atteinte de victimite si elle peut imaginer un moyen pour améliorer la situation dont elle se plaint. **Nous la supportons alors à trouver une solution pour transformer sa situation présente** douloureuse en situation qui soit plus satisfaisante. Autrement dit, par cette question, nous lui rappelons qu'elle a du pouvoir, nous l'aidons à retrouver son pouvoir. Au début la personne peut résister, continuer à se plaindre et refuser de faire quoi que ce soit pour s'aider elle-même. Il faut s'y attendre et faire preuve de patience. Mais avec beaucoup de respect et d'amour on peut lui présenter petit à petit la première étape décrite précédemment : « Ce n'est pas ce qui arrive qui détermine ma vie, mais ce que je choisis de faire avec ce qui arrive », afin de stimuler son désir d'agir pour améliorer son sort. Les personnes atteintes de victimite, même aiguë, sont souvent capables d'accepter cela et c'est déjà un grand pas et le début de la guérison.

Si la personne ne veut vraiment rien savoir, c'est qu'elle n'est pas prête à faire ce changement de conscience. Alors **nous la respectons et nous l'aimons inconditionnellement** dans cette partie de son évolution. Et, comme on le sait, l'amour fait des miracles.

Quant au contexte de responsabilité dans toutes ses dimensions, utilisez-le pour vous et célébrez votre vie, mais n'essayez surtout pas de convaincre qui que ce soit. La compréhension de ce principe ne vient que lorsque l'esprit est prêt à cela. Ce n'est pas un concept intellectuel. Il faut être prêt à remettre de bien vieux systèmes en question et être prêt aussi à continuer à chercher.

Et si vous avez des victimes professionnelles dans votre entourage, qui les a attirées là? Une bonne occasion de pratiquer l'acceptation totale de l'autre, le respect, l'amour inconditionnel et le support sans attachement aux résultats...

Question 15 : *Si je suis totalement responsable et créateur (trice) de ma santé, cela veut-il dire que je ne doive plus aller consulter de médecin et travailler uniquement sur ma pensée?*

Prendre responsabilité de sa santé ne veut pas dire de ne plus aller consulter un médecin, au contraire. Lorsque notre corps a besoin de soins, il est important de consulter un spécialiste de médecine classique ou alternative, ou les deux, selon notre choix, pour nous aider à prendre soin de notre corps.

Par contre, nous nous rappelons que si cette situation apparaît dans notre corps physique, c'est qu'il doit y avoir une cause au niveau psychologique et mental que l'on doit découvrir, car sinon on devra retourner chez le médecin sans arrêt. Prendre responsabilité de sa santé c'est d'une part donner à notre corps les soins physiques dont il a besoin, et d'autre part soigner la cause profonde des problèmes qui se trouve au niveau émotionnel et mental, comme cela est de plus en plus reconnu maintenant. Soigner un ulcère d'estomac uniquement au plan physique sans essayer de désamorcer la cause psychologique qui a généré cet état, c'est régler un problème à court terme, mais risquer de se retrouver plus tard avec d'autres sortes de problèmes. Si on connaît, par exemple, un bon acupuncteur ou massothérapeute, ou si on a quelques bonnes pilules qui arrivent à dégager les tensions de notre dos, mais que l'on rentre chez soi en continuant à penser que l'on est victime d'un monde injuste et cruel, nos tensions se reformeront très vite et on devra reprendre encore plus de pilules ou retourner pour un autre traitement et encore pour un autre, etc. Alors qu'**en travaillant simultanément au niveau physique et au niveau psychologique** (contexte de pensées en particulier), on se donne toutes les chances de retrouver la santé de façon plus définitive.

Il est vrai que le simple fait de changer de contexte de pensée produit quelquefois des améliorations de l'état physique assez spectaculaires. Cela est maintenant reconnu dans tous les milieux où un travail sérieux sur la conscience est entrepris. Nous en avons nous-mêmes souvent été témoins dans nos propres cours dont le but n'est en aucun cas la guérison physique, mais au cours desquels des personnes faisant une transformation au niveau de la conscience se trouvent libérées définitivement de maux qu'elles traînaient depuis des années et pour lesquels beaucoup de traitements physiques avaient échoués. Cela peut arriver.

Pourtant, la conscience humaine n'est pas encore assez développée pour rendre cela systématique, et l'aide de professionnels de la santé physique est précieuse et indispensable. Mais par un travail d'harmonisation mental et émotionnel, nous pouvons rendre l'aide apportée par un professionnel de la santé, quel qu'il soit, plus efficace, plus rapide dans ses résultats et plus durable.

L'être humain peu développé en conscience, chérissant l'irresponsabilité et une attitude infantile, a tendance à toujours chercher quelque chose ou quelqu'un qui peut le sauver ou faire le travail à sa place. Personne ne peut nous sauver au niveau profond, même pas le plus génial des médecins ou des guérisseurs, ou la plus merveilleuse des machines. Ces aides sont précieuses et indispensables, par contre, pour nous aider à nous soulager momentanément des plus gros malaises. Elles nous permettent de retrouver un usage normal de notre corps physique et nous redonnent la possibilité de travailler plus librement sur le dégagement de notre conscience. Mais si nous refusons de prendre cette chance et de faire le travail, le malaise reviendra sous une forme ou sous une autre et si ce n'est dans cette vie ce sera dans une autre. On ne peut pas échapper au travail d'évolution de la conscience. Tôt ou tard il faut s'y mettre et **notre corps physique est un excellent messager** pour nous signaler qu'il y aurait éventuellement quelque chose à améliorer à l'intérieur de nous pour générer plus d'harmonie dans tous nos corps.

Donc, quelle que soit la méthode utilisée, médecine classique ou alternative, il est bon que, d'une façon ou d'une autre, il y ait un changement de conscience qui accompagne le travail, afin que la source même de la difficulté puisse disparaître. Encore une fois, cela ne diminue en rien la valeur du travail que font les professionnels de la santé. Ceux-ci sont indispensables pour nous aider à dégager ce que nous avons créé dans nos corps par le passé. Par contre, le changement de contexte nous permettra de ne pas recréer sans fin les mêmes maladies une fois que celles-ci ont été guéries par de bons soins. Le principe de responsabilité-attraction-création donne le pouvoir de profiter des soins médicaux plus efficacement et d'en obtenir des résultats plus durables.

Question 16 : *Est-ce qu'avec le concept de responsabilité, on ne donne pas à notre mental inférieur de bonnes raisons pour refouler nos émotions négatives ?*

On peut évidemment se servir de ce contexte, comme de n'importe quel autre, pour refouler nos émotions. C'est à nous d'être attentif à la façon dont nous utilisons ce concept. En acceptant nos émotions comme faisant partie intégrante et nécessaire de notre bagage humain, en prenant responsabilité de ces émotions, sachant que la source est à l'intérieur de nous et non à l'extérieur, en pratiquant constamment l'acceptation de soi, l'amour inconditionnel face à soi-même et le désir d'ouvrir notre conscience à des réalités plus larges, nous avons ce qu'il faut pour travailler à la transformation de nos émotions négatives, sans avoir besoin de les refouler.

Question 17 : *Je comprends le principe de la responsabilité-création, cela me semble cohérent, valable et plein de bon sens. Même mon intuition me dit que cela est tout à fait intéressant et bon. Autrement dit, je suis d'accord. Mais émotionnellement il n'en reste pas moins* *que j'ai bien de la difficulté à intégrer tout cela. C'est-à-dire que je continue à me sentir victime, à ressentir haine et agressivité lorsque l'on ne répond pas à mes besoins, je reste prêt(e) à exploser de rage face à certaines situations ou certaines personnes, et impatient(e) et frustré(e) devant certains événements. Que puis-je faire pour intégrer ce concept, non seulement au niveau de la compréhension mentale, mais également au niveau émotionnel de mon vécu de tous les jours?*

Il est possible que la simple compréhension du principe de responsabilité nous permette de nous dégager naturellement de l'emprise de toute une série d'émotions négatives, sans avoir besoin de faire un travail supplémentaire. Nous l'avons observé de nombreuses fois sur nous-mêmes et sur des milliers de personnes.

Pourtant, dans certains cas, l'intégration de ce concept au niveau de la totalité de notre être n'est pas facile à cause, d'une part, du conditionnement culturel extrêmement fort que nous avons reçu et d'autre part, de certaines expériences émotionnelles du passé qui nous ont profondément marqués. Les programmations mentales inconscientes installées lors de la petite enfance ou de vies passées, constituées à partir de fortes expériences émotionnelles, ont souvent un potentiel énergétique si puissant que notre mental conscient a de la difficulté à les neutraliser. De plus, la mécanique du mental inférieur est très forte et nous amène à résister à tout changement d'attitude, les anciennes structures, aussi pénibles qu'aient pu être leur maintien et leurs conséquences, ayant apparemment assuré notre survie. Ceci explique la difficulté du travail.

Néanmoins, le fait d'être capable d'accepter ce paradigme, ne serait-ce que mentalement, est déjà un bon point de départ, car ainsi nous mettons notre intelligence, donc une partie du mental, de notre côté. Cela ne permet pas toujours l'intégration immédiate au niveau expérimental, mais s'il y a ouverture par l'intelligence et bonne volonté, cela ouvre la porte à la possibilité d'intégration. N'oublions pas que le mental doit être l'intermédiaire entre le Soi et la personnalité. Sans cette ouverture, il n'y a aucune chance de progrès. Donc le premier pas fondamental est fait, la porte est ouverte (et ouvrir la porte est un des buts de ce livre). Que faire pour ce qui reste pris émotionnellement ?

Parallèlement à l'intégration consciente du principe de responsabilité, il est effectivement nécessaire dans bien des cas, comme nous l'avons déjà mentionné, de faire un travail spécifique de dégagement émotionnel des programmations constituées dans le passé. En essence, il s'agit de libérer l'énergie bloquée lors d'expériences passées, lesquelles ont amené la construction de structures psychologiques favorisant la victimite et toutes les émotions négatives qui en découlent. Ces blocages énergétiques se forment souvent durant la petite enfance. Ils peuvent également provenir directement de vies antérieures.

Tous ces blocages émotionnels peuvent être dégagés. À cette fin, il peut y avoir différentes façons pratiques de procéder. Il existe maintenant de très nombreuses méthodes de travail sur soi qui sont efficaces pour cela. Certaines techniques travaillent au niveau énergétique soit directement (bio-énergie, Core Energetics et leurs variantes), soit par l'intermédiaire du toucher (toucher thérapeutique, chelation, etc.), soit par l'intermédiaire de la respiration (renaissance, rebirth, respiration holotropique, biorespiration, etc.), soit par l'intermédiaire du corps physique (massothérapie et autres techniques corporelles). D'autres techniques utilisent des approches plus psychologiques. Un bon travail peut se faire aussi dans certains cas à l'aide de la visualisation et des techniques d'imageries guidées. Beaucoup d'autres bonnes méthodes sont actuellement disponibles.

Pourtant ces méthodes, comme dans le cas de la médecine physique, risquent d'être très limitées dans leurs effets profonds s'il n'y a pas un changement de contexte de pensées qui les accompagnent.

Les méthodes strictement énergétiques peuvent donner d'excellents résultats. Pourtant, nous avons vu des personnes hurler leur colère et leur haine pendant des années en frappant sur des coussins ou en employant d'autres méthodes de dégagement émotionnel temporaire peut-être moins bruyantes, sans pouvoir être dégagées pour autant de leurs émotions négatives. Au contraire, cela semblait augmenter la tyrannie du corps émotionnel. Ce n'est pas en général la technique qui est en cause, mais l'absence de travail au niveau de la pensée. Le plus ennuyeux, c'est que l'on a observé que plus on remue d'émotions par une technique ou une autre dans un contexte qui n'est pas celui de la responsabilité, plus on augmente le pouvoir de ces émotions sur nous. Il se fait un dégagement temporaire, mais à la longue le résultat est tout à fait contraire car, à partir d'un certain moment, on amplifie le bagage négatif à chaque fois (on libère le cheval sans donner de maîtrise au cocher). En effet, selon le principe bien connu « l'énergie suit la pensée », si la personne n'est pas centrée lors d'un travail avec l'énergie ou lors d'une catharsis émotionnelle, l'énergie dégagée ne servira qu'à renforcer les programmations-mentales inconscientes qui sont à la source du problème émotionnel. On risque fort alors d'empirer les choses. Il est bon de le noter. Par contre ces méthodes sont efficaces lorsque la personne est centrée, et le contexte de responsabilité permet à ce centrage d'être actif tout au long du travail.

D'autres méthodes agitant moins d'énergie émotionnelle ne présentent pas ce danger, mais restent malgré tout limitées dans leurs effets à cause d'un contexte de pensées inadéquat. Cela est dommage car la juxtaposition des deux types de travail donne des résultats beaucoup plus satisfaisants.

Toutes les techniques thérapeutiques ou de croissance peuvent être utiles pour nous aider à débloquer l'énergie que nous avons rigidifiée dans nos corps par le passé. Ce qui augmentera la sécurité et l'efficacité de ces méthodes et surtout la permanence des résultats obtenus à partir de ces méthodes, est essentiellement l'approche en conscience adoptée lors de leur utilisation. **Le contexte de responsabilité-attraction-création permet à la personne de rester centrée et d'aligner son énergie en vue de la manifestation de son être profond**. Il permet également de ne pas recommencer sans fin à recréer les mêmes blocages une fois que ceux-ci ont été dégagés par une bonne technique.

Nous n'attendrons donc pas passivement qu'un thérapeute ou un cours nous « sorte » de nos problèmes ou de nos émotions négatives. Nous utiliserons le support d'une technique, d'un thérapeute ou d'un cours pour dégager et réharmoniser notre personnalité et retrouver notre pouvoir. Nous serons actifs, présents, conscients et créateurs de notre propre transformation. Sans cela, on peut utiliser la même technique pendant des années ou changer de technique, de cours ou de thérapeute tous les deux mois, sans pour autant faire beaucoup de progrès.

Il est aussi un autre aspect de la question intéressant à observer. En effet, si l'on maintient fermement l'attitude intérieure de responsabilité, petit à petit, les vieilles programmations perdent leur force. Même les mécaniques émotionnelles les plus coriaces s'affaiblissent si on leur fait face avec assez de conscience, de patience et de détermination. Une espèce d'alchimie mentale se met en action chaque fois que nous refusons de tomber dans le piège de la victime ; ainsi, tranquillement, le contenu de notre mental se transforme et devient de plus en plus clair et harmonieux. Cela se fait avec le temps, la patience et beaucoup d'amour, d'acceptation et de compassion pour soi-même.

Enfin, pour aider l'intégration de ce paradigme au niveau du vécu, il est également utile de pouvoir échanger sur ce sujet avec des personnes qui partagent, expérimentent et vivent à partir de ce point de vue. Car la forme-pensée de victimite est très fortement enracinée dans la conscience culturelle, et il est quelquefois difficile de faire face à cette masse d'énergie négative et dépressive qui nous entoure. Afin de pouvoir maintenir notre esprit dans la paix et la lumière, nous avons parfois besoin de sentir que nous ne sommes pas seuls à percevoir les choses sous ce jour, que l'on n'est pas des extra-terrestres, quoi...

Dans le grand mouvement de conscience qui est en train d'émerger actuellement sur la planète, de plus en plus de personnes s'éveillent à ce concept sous une forme ou sous une autre, et il devient de plus en plus facile d'échanger sur ce sujet sans pour autant passer pour un illuminé. D'ici quelques années ce paradigme sera accepté comme évident, tout comme l'égalité des noirs et des blancs était une ineptie pour beaucoup aux États-Unis il y a cent ans, et est considérée par presque tous, au moins en principe, comme une évidence maintenant. C'est ainsi qu'évolue la conscience. Nos enfants en particulier auront beaucoup plus de facilité à fonctionner à partir de ce point de vue qui, en fait, leur est naturel, tant que le conditionnement familial, social et culturel ne leur a pas enlevé leur pouvoir.

Question 18 : *Moi, pauvre petit humain, je me sens victime de cette loi de responsabilité-attraction-création. Je ne vois pas comment je peux créer les circonstances de ma vie. Je ne me souviens pas d'avoir choisi de jouer à ce jeu-là, et je me sens plutôt écrasé par ce type de loi. Dieu le père (ou la mère...) semble bien s'amuser avec tout cela, mais pas moi. La vie, ce n'est pas drôle.*

Il est évident que dans la mesure où nous nous identifions en conscience à notre personnalité, il ne nous est pas possible de pressentir que c'est nous qui pouvons créer ou attirer certaines circonstances, car le pouvoir créateur conscient se situe au niveau du Soi et non pas dans la personnalité.

Cependant, lorsque l'on commence à élever notre conscience, élargir notre perception et donc notre compréhension de la vie, on commence naturellement en même temps à entrer en contact avec une partie de notre être plus essentielle. On commence à s'identifier en conscience au Soi, qui est l'essence de ce que nous sommes et le vrai créateur. Plus notre conscience se dégage des mécaniques de la personnalité, plus elle s'identifie au Soi, plus nous avons le sens intérieur que nous sommes créateurs ; aussi plus nous savons créer consciemment. En devenant notre Soi, nous devenons créateurs. Alors le jeu de l'évolution devient beaucoup plus clair et la vie prend un tout autre sens.

Nous citerons à ce sujet un paragraphe du livre d'Alice Bailey, *Traité sur la Magie Blanche* :

Le terme « loi », au sens habituel, exprime une idée de sujétion à une activité tenue pour inexorable et inflexible, mais non comprise par celui qui s'y trouve assujetti... Il éveille immanquablement dans la conscience humaine... le sentiment d'être victime, d'être emporté comme la feuille au vent vers une fin sur laquelle on ne peut que spéculer, et d'être gouverné par une force exerçant une pression irrésistible, pour produire des résultats de groupe aux dépens de l'unité. Pareille attitude intellectuelle est inévitable, jusqu'à ce que la conscience humaine se soit élargie au point de percevoir les fins supérieures.

Une fois ce contact établi avec son moi supérieur, l'homme participe à la connaissance de l'objectif, et après avoir gravi la montagne de la vision, la perspective ayant changé et embrassant un horizon plus vaste, l'homme parvient alors à comprendre qu'une loi n'est que l'impulsion spirituelle, le stimulus et la manifestation vitale de cet Etre, en Lequel il existe et se meut. Il apprend que cette impulsion démontre un but intelligent, sagement dirigé et fondé sur l'amour. Il commence alors à appliquer lui-même la loi, ou à faire passer avec sagesse, intelligence et amour par son canal autant de cette impulsion de vie spirituelle que son organisme particulier peut en capter, pour la transmettre et l'utiliser. Cessant de faire obstruction, il commence à transférer. Il met fin au cycle de la vie close et égocentrée et ouvre grandes les portes à l'énergie spirituelle.

Ce faisant, il s'aperçoit que la loi, qu'il a détestée et dont il se méfiait, est l'agent purificateur et vivifiant, qui l'emporte, avec toutes les créatures de Dieu, vers une glorieuse plénitude.

ÉPILOGUE

Nous sommes faits de beauté et de lumière. Dans le grand silence du ciel, la conscience divine regarde sa création dans un état d'extase permanente. La lumière descend de son être immense et joue dans la plus petite parcelle de l'univers.

L'amour et la beauté sont notre privilège, comme l'extase et la jouissance totale de cet Univers.

Nous nous perdons dans des chemins sans issues alors que la lumière est là, toute présente. Tout cela est là. Il suffit de bien vouloir ouvrir nos yeux et accepter de voir, ouvrir nos oreilles et accepter d'entendre.

Oui, écouter vraiment le silence de la nuit et la chanson du jour; écouter le coeur de l'Univers qui bat au sein de chacune de ses manifestations. Écouter, être attentifs, être réceptifs au chant de la terre et du ciel, écouter.

Arrêter de courir d'un endroit à un autre dans l'espace ou dans le temps. Arrêter de chercher, arrêter de résister. Arrêter, non physiquement mais intérieurement.

Et dans cette immobilité, cette ouverture et ce silence, notre être explose dans la lumière, comme le cosmos a explosé il y a des milliards d'années en une multitude de galaxies, une explosion de vie, d'énergie, de création.

Et, sans avoir rien eu à faire, nous pouvons alors prendre part à la fête, à la célébration de la création de l'Univers dans le grand rire de Dieu.

La vie n'est vraiment pas ce que nous en pensons. Que les portes s'ouvrent et que le chemin nous soit montré pour sortir de notre grande illusion. Que notre perfection et celle de l'Univers nous soient révélées.

L'Univers est parfait.

Pour obtenir de l'information au sujet des cours, séminaires, conférences, donnés par Annie MARQUIER s'adresser à :

l'Institut du Développement de la Personne
C. P. 1074, Knowlton (Québec)
J0E 1V0 Canada
Tél. : (514) 243-6836

TABLE DES MATIÈRES

1re PARTIE

La constitution de l'être humain
Le paradigme de la victime

2e PARTIE

Le paradigme de Responsabilité-Attraction-Création
ou Comment guérir de la victimite

BIBLIOGRAPHIE

ASSAGIOLI Roberto : *Psychosynthèse, principes et techniques,* Ed. Epi, Paris. — *L'acte de volonté,* Ed. Centre de Psychosynthèse de Montréal, Montréal.

BAILEY A. Alice : *De l'intellect à l'intuition — Traité sur les sept rayons, psychologie ésotérique — Le mirage, problème mondial — Traité sur la Magie Blanche — La mort, la grande aventure (compilation) — Traité sur le Feu Cosmique,* Ed. Lucis, Genève.

BOUCHART d'ORVAL Jean : *La plénitude du vide,* Ed. Louise Couteau, Montréal, PubliSud, Paris.

BRENNAN Barbara Ann : *Hands of Light,* Ed. Bantam, New York (Offert sous peu en français aux éditions Sand, Paris).

BRUYERE Rosalyn L. : *Wheels of Light,* Ed. Jeanne Farrens, Sierra Madre, Californie.

CAPRA Fritjof : *Le Tao de la physique,* Ed. Sand, Paris — *Le temps du changement,* Ed. du Rocher, Monaco.

CERMINARA Gina : *De nombreuses demeures,* Ed. Adyar, Paris.

COQUET Michel : *Les Çakras, l'anatomie occulte de l'homme,* Ed. Dervy-Livres, Paris.

DURCKHEIM Karlfried Graf : *L'homme et sa double origine,* Ed. du Cerf, Paris.

FERGUSON Marilyn : *Les enfants du Verseau,* Ed. Calmann-Lévy, Paris.

FERRUCCI Piero : *La Psychosynthèse,* Ed. Centre de Psychosynthèse de Montréal, Montréal.

FOUNDATION FOR INNER PEACE : *A Course In Miracles,* Foundation for Inner Peace, Tiburon, Californie.

GLASSER William : *Etats d'esprit,* Ed. Le Jour, Montréal.

JAMPOLSKY Gérald : *Aimer c'est se libérer de la peur,* Ed. Soleil, Genève.

KEYES, Jr. Ken : *Manuel pour une conscience supérieure,* Editions Universelles du Verseau, Knowlton, Québec.

KRISHNAMURTI : *La première et la dernière liberté,* Ed. Stock Plus, Paris.

KUBLER-ROSS Elisabeth : *La mort est un nouveau soleil,* Ed. Québecor, Montréal.

MEUROIS-GIVAUDAN Anne et Daniel : *Terre d'Emeraude — Récit d'un voyageur de l'astral — Les robes de lumière — Les neuf marches,* Ed. Arista, Plazac de Rouffignac, France.

MULLER Robert : *Au bonheur, à la paix, à l'amour,* Ed. Pierron, Sarreguemines, France (titre original : *New Genesis,* Ed. Double Day, New York). — *Most of All, They Told Me Happiness,* Ed. Double Day, New York, et livre de poche.

RODEGAST Pat et STANTON Judith : *Le livre d'Emmanuel,* Ed. Le Souffle d'Or, Barret-Le- Bas, France.

ROMAN Sanaya : *Choisir la Joie — Choisir la Conscience,* Ed. Ronan Denniel, Bourron-Marlotte, France.

SHELDRAKE Rupert : *Une nouvelle science de la vie,* Ed. du Rocher, Monaco.

Aux Éditions Universelles du Verseau

le défi de l'humanité

Annie Marquier-Dumont

Plus personne ne peut ignorer la menace nucléaire permanente sous laquelle nous vivons quotidiennement ainsi que la situation critique dans laquelle se trouve notre planète au niveau écologique. La plupart du temps, l'énoncé de ces réalités concrètes de notre monde actuel suscite soit la haine et la colère, ou bien la peur et un terrible sentiment d'impuissance caché souvent sous une apparence d'indifférence, de cynisme si ce n'est d'inconscience.

Il existe pourtant un moyen pour inverser complètement le processus de destruction planétaire dans lequel nous sommes engagés. Non, nous ne sommes pas impuissants devant cette situation. **Le Défi de l'Humanité** nous présente la situation mondiale actuelle non pas comme une menace mais comme un défi à relever. Il propose une vision large et des moyens originaux et concrets basés sur la transformation intérieure de la conscience individuelle pour arriver à **la manifestation d'une nouvelle conscience planétaire.**

Le message d'éveil, de responsabilité, et l'approche adoptée dans ce livre redonnent à tout être humain espoir et confiance dans un avenir meilleur ainsi que **les moyens et le pouvoir d'y contribuer consciemment maintenant.**

Un message universel et concret non seulement d'espoir, mais aussi de pouvoir pour tous.

Disponible aux Éditions Universelles du Verseau
C.P. 1074, Knowlton (Québec) J0E 1V0 Canada
Diffusion pour la France : Arista, 24580 Plazac-Rouffignac

Aux Éditions Universelles du Verseau

planethood
ou
les citoyens du monde

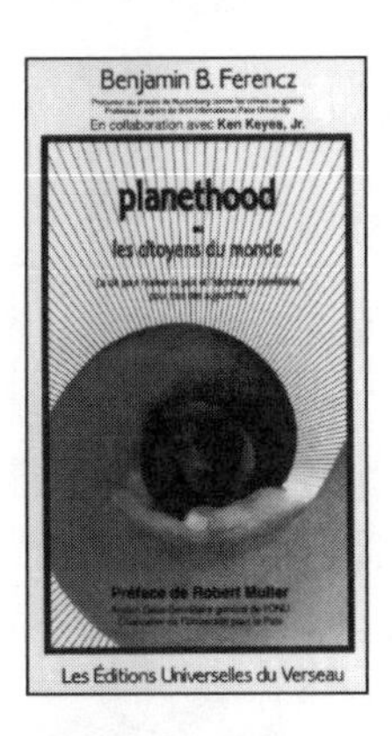

Écrit par Benjamin Ferenz, spécialiste en législation internationale, et préfacé par Robert Muller, sous-secrétaire général à l'ONU pendant trente ans, ce livre apporte une solution remarquable, réaliste, concrète et déjà testée, pour mettre fin à la misère et à la confusion qui règnent actuellement sur la terre. En ces temps de grands changements planétaires, ce livre est un outil précieux pour tous ceux qui se sentent concernés par l'avenir de la planète.

Le rêve de l'humanité, paix et abondance, peut devenir réalité concrète avant même la fin du XXe siècle. Benjamin Ferenz, fort de toutes ses connaissances, nous explique clairement et concrètement pourquoi et comment.

Si un nombre suffisant de personnes s'ouvre à la réalité de cette possibilité, en cette fin du XXe siècle la face du monde et le sort de l'humanité entière peuvent être complètement changés.

Ceci est l'un des livres les plus important pour l'avenir de l'humanité...
Robert Muller
Ancien Sous-secrétaire général de l'ONU,
Chancelier de l'Université pour la Paix.

Disponible aux Éditions Universelles du Verseau
C.P. 1074, Knowlton (Québec) J0E 1V0 Canada
Pour la France : Diffusion Arista, 24580 Plazac-Rouffignac

Les messages de l'Univers

Paquet de 52 cartes présentant chacune une pensée-clé que l'on peut utiliser en différentes occasions pour s'harmoniser avec les dimensions plus subtiles de notre être; par exemple on peut tirer une carte le matin pour orienter notre journée ou pour obtenir un contexte de pensée éclairant une question qui nous préoccupe à un moment donné.

Les dimensions spéciales de ces cartes en font un fort réservoir d'énergie.

Nous créons notre propre univers à partir de notre état intérieur et de nos pensées et ces cartes sont un outil intéressant qui peut nous aider à être plus en contact avec nous-mêmes et ainsi créer encore plus consciemment un univers de paix, d'amour et d'abondance en nous et autour de nous.

CASSETTES DE RELAXATION ET DE VISUALISATION ET CONFÉRENCES

Collection Transformation :

Les relaxations guidées par Annie Marquier-Dumont, sur fond de musique de Stephen Halpern, sont un outil efficace pour faciliter la détente et l'harmonisation du corps et de l'esprit. Les visualisations guidées, également sur fond musical, permettent d'utiliser consciemment le pouvoir créateur de notre mental.

Cassette RV1	A. Détente et relaxation guidée. B. Visualisation guidée «Arc et but». Pour favoriser la réalisation concrète de vos buts.
Cassette RV2	A. Détente et méditation guidée avec affirmations positives sur le corps. B. Visualisation guidée «Le Bateau». Pour développer le sens de la maîtrise de sa vie.
Cassette RV3	A. Visualisation guidée «Le Sage du Corps». Pour contacter la sagesse de notre corps. B. Visualisation guidée «Le Soleil». Pour énergiser et harmoniser tout notre être.
Cassette RV4	A. Visualisation guidée «Emotions positives et ressourcement». Pour se ressourcer dans un monde intérieur de douceur et d'harmonie. B. Visualisation guidée «Guérison de la planète». Pour aider à construire une énergie positive de réharmonisation sur toute la planète.
Cassette C2	«La Voie du Guerrier Spirituel». Les douze qualités de la manifestation de la transformation.
Cassette C3	«PlanetHood». Conférence d'Annie Marquier-Dumont présentant les points essentiels du livre PlanetHood.

Disponibles aux Éditions Universelles du Verseau

C.P. 1074, Knowlton (Québec) J0E 1V0 Canada

Achevé d'imprimer sur les presses
de Bowne de Montréal inc.,
au mois de décembre 1991